Ausgabe in zwei Bänden

Lehrwerk für
Deutsch als Fremdsprache

Kursbuch 2

von Hartmut Aufderstraße, Heiko Bock,
Werner Bönzli, Walter Lohfert,
Helmut Müller, Jutta Müller

Projektbegleitung: Hans-Eberhard Piepho

Max Hueber Verlag

Pictogramme

 Dieser Text ist
auf Kassette.

 Hörtext

 Hinweis auf die Grammatik
①, 1.1 im Kursbuch 1

 Lesetext

Hinweis auf die
Grammatik im Anhang
1.3 S. 189–230

Hinweis auf die Grammatik
②, 1.1 im Kursbuch 2

Dieses Buch umfaßt die Lektionen 6–10 des Kursbuchs von
„Themen 2" und das ganze Kursbuch von „Themen 3".

7. 6. 5.   Die letzten Ziffern
1996 95 94 93 92   bezeichnen Zahl und Jahr des Druckes.
1. Auflage
© 1987 Max Hueber Verlag · D-8045 Ismaning
Gesamtherstellung: Ludwig Auer GmbH · Donauwörth
Printed in Germany
ISBN 3-19-001472-8

Inhalt

1. Beschreiben Sie die Bilder.

Wo können diese Landschaften vielleicht sein? Wie ist das Klima dort?
Benutzen Sie die folgenden Wörter:

Grad °C

40 heiß

30

warm

20

10

kühl

0

– 5

–10

–15 kalt

Regen

es regnet

Sonne

die Sonne
scheint

Nebel

Baum

Pflanze

Wind

Schnee

es schneit

trocken

feucht

naß

Boden

Eis

2. Welche Sätze passen zu welchen Bildern?

1.1
1.2

a) In Sibirien ist es extrem kalt.

b) Für Menschen ist es sehr ungesund, aber ideal für viele Tiere und Pflanzen.

c) Es gibt plötzlich sehr starke Winde und gleichzeitig viel Regen.

d) Die Temperaturunterschiede zwischen Sommer und Winter sind nicht sehr groß.

e) In der Wüste ist es sehr heiß und trocken.

f) Der Golf von Biskaya ist ganz selten ruhig und freundlich.

g) Nur im Sommer ist der Boden für wenige Wochen ohne Eis und Schnee.

h) Bekannt ist wohl der Londoner Nebel. Den gibt es aber seit einigen Jahren immer weniger.

i) Das Klima ist extrem: In 24 Stunden kann es Temperaturunterschiede bis zu 50 Grad geben (nachts ist es kalt, am Tage heiß).

j) Typisch ist der starke Regen jeden Tag gegen Mittag.

k) In den langen Wintern zeigt das Thermometer manchmal bis zu 60 Grad minus.

l) England hat ein ziemlich feuchtes und kühles Klima mit viel Regen und wenig Sonne.

m) Deshalb gibt es dort nur wenig Leben, selten Bäume und nur ein paar Pflanzen und Tiere.

n) Das Meer ist hier auch heute noch gefährlich für Schiffe.

o) Nur sehr selten regnet es für kurze Zeit.

p) Das Klima im Regenwald ist besonders heiß und feucht.

q) Bäume werden bis zu 60 Meter hoch.

> Es gibt Wind/Nebel/ein Gewitter/ ...
> Es ist kalt/heiß/ ...
> Es schneit/regnet.

3. Ordnen Sie die Sätze zu 5 Texten, so daß jeder zu einem Bild paßt.

1. Wie ist das Wetter?

A. Hören Sie die Dialoge.

B. Welches Wetter ist gerade in Dialog A, B, C, D und E?

Nebel ☐   Regen ☐   Gewitter ☐   kalt ☐   sehr heiß ☐

Zeichenerklärung:

○ wolkenlos
◓ fast wolkenlos
◑ wolkig
◕ fast bedeckt
● bedeckt
• Regen
▽ Regenschauer
≡ Nebel
✳ Schnee
☇ Gewitter
▲ Kaltfront
H Hochdruckgebiet
T Tiefdruckgebiet
⇨ warme Luftströmung
➡ kalte Luftströmung
Temperaturen in Grad C.
Luftdruck in Hpa

Wetterlage: Das Tief über Großbritannien zieht allmählich nach Osten und bringt kühle Meeresluft und Regen in den Norden Deutschlands. Das Hoch über den Alpen bestimmt weiter das Wetter in Süddeutschland.

Vorhersage für Sonntag, den 10. Juni:
Norddeutschland: Morgens noch trocken, gegen Mittag wolkig und ab Nachmittag Regen. Den ganzen Tag starker Wind aus Nord-West. Tageshöchsttemperaturen zwischen 14 und 18 Grad, Tiefsttemperaturen nachts um 10 Grad.

Süddeutschland: In den frühen Morgenstunden Nebel, sonst trocken und sonnig. Tagestemperaturen zwischen 20 und 24 Grad, nachts um 12 Grad. Am späten Nachmittag und am Abend Gewitter, schwacher Wind aus Süd-West.

2. Wie wird das Wetter?

Familie Wertz wohnt in Norddeutschland, in Husum an der Nordsee.

Familie Bauer wohnt in Süddeutschland, in Konstanz am Bodensee.

Beide Familien überlegen, was sie am Sonntag machen können:

morgens einen Ausflug mit dem Fahrrad machen	nachmittags im Garten arbeiten
morgens segeln	nachmittags baden gehen
mittags im Garten Tischtennis spielen	abends eine Gartenparty machen
mittags das Auto waschen	abends einen Spaziergang machen
nachmittags im Garten mit den Kindern spielen	

Die Familien lesen den Wetterbericht. Was können sie machen? Was nicht? Warum?

3. Haben Sie heute einen Wetterbericht gehört oder gelesen?

Wie soll das Wetter morgen werden?

4. Wetterbericht

A. Hören Sie die Wetterberichte und beantworten Sie dann die Fragen.

B. Der erste Wetterbericht ist für Süddeutschland. Wie ist das Wetter dort?

Regen? Schnee? Wolkig? Nebel? Wind? Wie stark? Temperatur am Tag? Nachts?

C. Der zweite Wetterbericht ist ein Reisewetterbericht für verschiedene Länder.
Wie ist das Wetter in den Ländern?

	Regen	sonnig	wolkig	Gewitter	trocken	°C
Österreich						
Griechenland und Türkei						
Norwegen, Schweden, Finnland						

5. Erzählen Sie.

Wie gefällt Ihnen das Klima an Ihrem Wohnort? Macht Sie das Klima/Wetter manchmal krank? Was tun Sie dann? Welches Klima/Wetter mögen Sie am liebsten? Warum?

○ Was meinst du, wollen wir nachher einen Spaziergang machen?

□ Was? Bei diesem Regen? Da möchte ich lieber fernsehen.

○ Der Wetterbericht sagt aber, es hört nachher auf zu regnen.

□ Was der Wetterbericht schon sagt . . .! Sieh doch bloß mal aus dem Fenster!

○ Und wenn wir unsere Schirme mitnehmen?

□

Trotzdem. Mir ist es zu naß. Ich bleibe hier.

○ Wie du willst. Dann gehe ich eben allein.

Na gut. Aber wenn es nicht aufhört, gehen wir wieder zurück.

○ In Ordnung. Das verspreche ich dir.

Was meinst du, wollen wir	jetzt nachher heute abend	an den Strand Schwimmen . . . das Auto waschen? grillen? . . .	gehen?

Was? Wie?	Bei diesem	Wetter? Nebel? Wind? . . .	
Da möchte ich Ich möchte	lieber	lesen. im Bett zu Hause	bleiben.

Das Radio Die Nachbarin In der Zeitung heißt es	sagt	aber,
es soll nachher	aufhören zu . . . besser wärmer frischer	werden.

Was	das Radio die Nachbarin . . .	schon sagt!
Sieh doch bloß mal	aus dem Fenster! nach draußen!	
Egal. Mir ist es zu	heiß. kalt. kühl. . . .	

Und wenn wir Wir können ja Du kannst ja	einen Mantel einen Pullover . . .	anziehen? mitnehmen. einpacken.

Ich	bleibe lieber hier. lese lieber. komme nicht mit. . . .

Deutsche Zentrale für Fremdenverkehr

Kennen Sie die Bundesrepublik Deutschland?

Wenn Sie an die Bundesrepublik denken, denken Sie dann auch zuerst an Industrie, Handel und Wirtschaft? Ja? Dann kennen Sie unser Land noch nicht richtig.

Die Bundesrepublik hat sehr verschiedene Landschaften: Flaches Land im Norden mit herrlichen Stränden an Nordsee und Ostsee, Mittelgebirge mit viel Wald im Westen und im Süden und hohe Berge in den Alpen. Auch das überrascht Sie vielleicht: rund 30 % der Bodenfläche in der Bundesrepublik sind Wald!

Obwohl unser Land nicht sehr groß ist – von Norden nach Süden sind es nur 850 km und von Osten nach Westen nur gut 600 km – ist das Klima nicht überall gleich.

Der Winter ist im Norden wärmer als im Süden, deshalb gibt es dort im Winter auch weniger Schnee. Anders ist es im Sommer. Da ist im Süden meist besseres Wetter als im Norden; es regnet weniger, und die Sonne scheint öfter.

Wenn Sie mehr über die Landschaften in der Bundesrepublik wissen wollen, machen Sie mit bei unserem Quiz. Sie können eine Reise in die Bundesrepublik gewinnen.

1. Welche Gegend oder Landschaft ist in Ihrem Land besonders schön?

Wie ist die Landschaft dort?
Wie ist das Klima dort (im Frühling, Sommer, Herbst, Winter)?

Wie sind die Menschen dort?
Was ist dort besonders interessant?

Wie würden Sie einem Deutschen Ihr Land beschreiben? Erzählen Sie oder schreiben Sie einen kleinen Text.

Ich komme aus .... Das liegt in .... Die Nachbarländer sind .... Es gibt bei uns sehr viel Industrie/Landwirtschaft .... Wir haben viel/wenig Wald/Gebirge/... Das Klima ist im Sommer/im Winter/ ....

Beantworten Sie die Fragen. Schicken Sie die Antwort an:
Deutsche Zentrale für Fremdenverkehr
Postfach 600
D-6000 Frankfurt/Main

EINSENDE-
24. JUNI 1984
SCHLUSS

1. Wie heißt die Landschaft, die zwischen Elbe und Aller liegt? _____

2. Wie heißt der Wald, der zwischen Main und Neckar liegt? _____

3. Wie heißen die sieben Inseln, die in der Nordsee liegen? _____

4. Wie heißt der Wald, aus dem die Donau und der Neckar kommen? _____

5. Wie heißt das Mittelgebirge, das zwischen Hannover und Magdeburg liegt? _____

6. Wie heißt das Mittelgebirge, durch das die Weser fließt? _____

1. Preis:	14-Tage-Reise für zwei Personen in den Schwarzwald
2. Preis:	7-Tage-Reise für zwei Personen in die Eifel
3. Preis:	Wochenendreise für zwei Personen nach Bremen
4.–10. Preis:	12 Flaschen deutscher Wein
11.–30. Preis:	1 Schallplatte mit deutschen Volksliedern
31.–50. Preis:	1 Landkarte für die Bundesrepublik Deutschland

2. Machen Sie jetzt selbst ein Quiz im Kurs.

1.3
1.4

Wie	heißt	der Wald/Fluß/Berg, das Mittelgebirge, die Landschaft, die Stadt/Insel, . . .	der die das	in den Alpen liegt und 2962 m hoch ist? aus Frankreich kommt? mitten in der Nordsee liegt? zwischen der belgischen Grenze und . . . liegt?
	heißen	die Mittelgebirge, die Inseln, . . .	durch in	den die das	. . . der Main/der Rhein/ . . . fließt?

3. Machen Sie das Quiz auch mit Landschaften, Gebirgen . . . in Ihrem Land.

B3

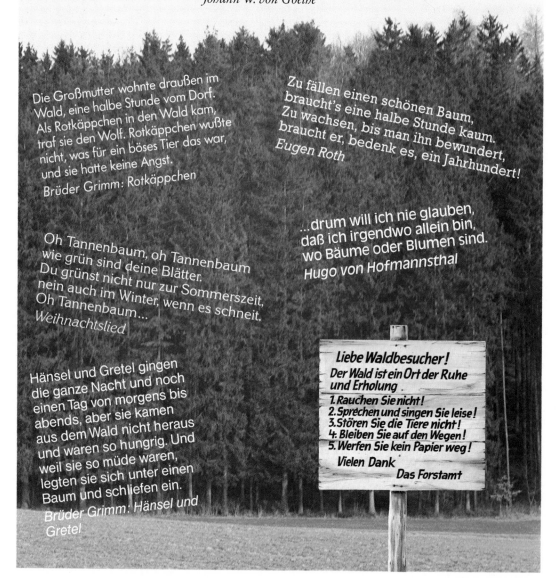

Über allen Gipfeln
Ist Ruh,
In allen Wipfeln
Spürest du
Kaum einen Hauch;
Die Vögelein schweigen im Walde.
Warte nur, balde
Ruhest du auch.

Johann W. von Goethe

Die Großmutter wohnte draußen im Wald, eine halbe Stunde vom Dorf. Als Rotkäppchen in den Wald kam, traf sie den Wolf. Rotkäppchen wußte nicht, was für ein böses Tier das war, und sie hatte keine Angst.

Brüder Grimm: Rotkäppchen

Zu fällen einen schönen Baum, braucht's eine halbe Stunde kaum. Zu wachsen, bis man ihn bewundert, braucht er, bedenk es, ein Jahrhundert!

Eugen Roth

Oh Tannenbaum, oh Tannenbaum wie grün sind deine Blätter. Du grünst nicht nur zur Sommerszeit, nein auch im Winter, wenn es schneit. Oh Tannenbaum...

Weihnachtslied

...drum will ich nie glauben, daß ich irgendwo allein bin, wo Bäume oder Blumen sind.

Hugo von Hofmannsthal

Hänsel und Gretel gingen die ganze Nacht und noch einen Tag von morgens bis abends, aber sie kamen aus dem Wald nicht heraus und waren so hungrig. Und weil sie so müde waren, legten sie sich unter einen Baum und schliefen ein.

Brüder Grimm: Hänsel und Gretel

Liebe Waldbesucher!
Der Wald ist ein Ort der Ruhe und Erholung
1. Rauchen Sie nicht!
2. Sprechen und singen Sie leise!
3. Stören Sie die Tiere nicht!
4. Bleiben Sie auf den Wegen!
5. Werfen Sie kein Papier weg!

Vielen Dank
Das Forstamt

Der deutsche Wald stirbt

»Mama, was ist das, ›ein Wald‹?« Müssen wir diese Frage in 20 Jahren von unseren Kindern hören, die den Baum, den Wald nur noch von Büchern und Bildern kennen? Eine schreckliche Zukunftsvision. Was ist los mit unseren Wäldern?

60 % der Tannen in der Bundesrepublik sind krank oder schon tot. Man kann von einer Umweltkatastrophe sprechen, obwohl es den anderen Bäumen noch etwas besser geht. Warum sterben die Bäume? Die Ursache ist der Regen, meinen die Wissenschaftler. Der Regen, der seit Adam und Eva das sauberste Wasser war, ist heute ein Umweltgift. Der Regen ist sauer, manchmal so sauer wie Zitronensaft. Und die Ursache dafür liegt in der Luft, die zuviel Schwefeldioxyd (SO_2) enthält.

Das SO_2 in der Luft kommt zu 56% aus Kohle- und Ölkraftwerken und zu 28% von der Industrie.

Durch hohe Schornsteine kommen die SO_2-Abgase nach draußen. Der Wind bringt sie weiter, so daß sie auch in Gebiete kommen, in denen es keine Industrie gibt.

Oft sind es tausende von Kilometern. Und der Wind kennt keine Ländergrenzen. Wir »exportieren« das Gift auch ins Ausland und »importieren« es von den europäischen Industriezentren.

Wasser aus Regen und Nebel machen das Schwefeldioxyd in der Luft zu Schwefelsäure, einem flüssigen Stoff, der sauer und aggressiv ist.

Für Bäume ist der saure Regen besonders gefährlich, weil sie lange leben und nur langsam wachsen. Dadurch konzentriert sich besonders viel Giftstoff in ihnen. Und – sie nehmen das saure Wasser doppelt auf: durch die Blätter und aus dem Boden. Deshalb wachsen die kleinen Bäume langsamer, und die großen Bäume werden schneller alt. Bei Tannenbäumen und Fichten ist es noch schlimmer. Weil sie auch im Winter Blätter haben, bekommen sie das meiste Gift.

Tannen, die noch gesund aussehen, sterben manchmal innerhalb von vier bis sechs Wochen. Vielleicht ist es noch nicht zu spät; aber wir alle, und besonders die Politiker, müssen jetzt etwas tun. Sonst fragen unsere Kinder in zwanzig Jahren wirklich: »Was ist das, ›ein Wald‹?«

1. Was ist richtig?

a) ☐ 56% der deutschen Industrie sind Kohle- und Ölkraftwerke.

☐ Kohle- und Ölkraftwerke produzieren am meisten SO_2-Abgase.

☐ 56% der Abgase von Kohle- und Ölkraftwerken sind SO_2.

b) ☐ Die Abgase sind bei Wind besonders gefährlich.

☐ Die hohen Schornsteine stehen in Gebieten, in denen es keine Industrie gibt.

☐ Die Abgase kommen bei Wind auch in entfernte Gebiete.

c) ☐ Das SO_2 in der Luft macht den Regen sauer.

☐ Schwefelsäure ist saure Luft.

☐ Wenn es regnet, kommen Abgase in die Luft.

d) ☐ Der saure Regen macht alle Bäume sofort kaputt.

☐ Der saure Regen ist nur für große Bäume gefährlich.

☐ Der saure Regen ist für Tannen und Fichten besonders gefährlich.

2. Wie entsteht saurer Regen?

Suchen Sie alle Sätze aus dem Text (S. 15) heraus, die erklären, wie saurer Regen entsteht. Kommentieren Sie dann die Grafik.

Sie können bei der Ursache anfangen:
„Links ist eine Fabrik mit einem Schornstein, aus dem . . .“

Sie können aber auch beim Resultat beginnen:
„Der Baum stirbt, weil . . .“

1.3
1.4

1. Umweltschutz fängt auch bei uns selber an.

Das Plakat auf S. 17 soll Tips für den Umweltschutz geben. Es ist aber noch nicht fertig. Ergänzen Sie selbst noch fünf Tips (a–e). Sie können die folgenden Sätze verwenden:

a) Werfen Sie Batterien,   nicht in den Hausmüll!

b) Kaufen Sie keine Getränke,

c) Gießen Sie Altöl nicht in die Toilette oder ins Waschbecken!

d) Werfen Sie Glasflaschen,   in einen Glascontainer!

e) Sparen Sie Energie. Heizen Sie nur die Zimmer,

Denn die Produktion von Dosen kostet viel Energie, und man kann sie nur einmal gebrauchen.

Denn aus Altglas kann man wieder neues Glas machen.

Denn sonst haben wir bald kein Gas, keine Kohle und kein Öl mehr.

Denn 1 Liter Altöl kann 1 Million Liter Trinkwasser kaputt machen.

Denn Batterien enthalten giftige Stoffe.

die die Geschäfte nicht zurücknehmen, die leer sind, die Sie wirklich brauchen. die es nur in Dosen gibt.

GREENPEACE

Nehmen Sie keine Plastikflaschen (zum Beispiel Flaschen für Haushaltsreiniger) oder Plastiktüten, die aus PVC sind. Denn PVC ist giftig, wenn man es verbrennt.

Umweltschutz fängt auch bei uns selber an

Greenpeace (Deutschland) e.V.
Hohe Brücke 1
Haus der Seefahrt
2000 Hamburg 11
Telefon (040) 37 33 44
oder 37 33 59

2. Welche Umweltprobleme gibt es in Ihrem Land?

Welche sind besonders gefährlich? Warum? Was macht man dagegen?

Die Gefährlichkeit der Rasensprenger (6)

(Fortsetzung aus Kursbuch 1)

An diesem Sonntag regnete es in Strömen. Um 9 Uhr lag die ganze Familie Gottschalk noch im Bett. Nur Oma saß wie immer seit 8 Uhr am Radio und hörte ihren Gottesdienst.

Walter war wach, hörte dem Regen zu und dachte an gar nichts. Er beobachtete den Wettlauf der Regentropfen außen an der Fensterscheibe. Sie liefen wie kleine Tiere an der Scheibe herunter, machten auf halbem Wege eine Pause, warteten auf Verstärkung. Dann rannten sie mit doppelter Geschwindigkeit nach unten.

Walter hörte, wie Lilo neben ihm laut gähnte. Sie war also auch wach.

»Es regnet«, sagte Walter.

»Hm...«, sagte Lilo.

»Stehst du auf?« fragte er.

»Ich weiß nicht...« Lilo gähnte wieder und besonders lange. »Und du?«

»Na ja«, sagte Walter vorsichtig, »irgendwann müssen wir ja auch frühstücken. Oma ist sicher schon unten.«

»Oma trinkt nur eine Tasse Tee«, sagte Lilo.

»Und du?« fragte Walter, »denkst du noch nicht an ein schönes Sonntagsfrühstück?«

In diesem Augenblick war aus einem der Kinderzimmer ein schrecklicher Schrei zu hören.

»O Gott...!« Lilo sprang mit einem Satz aus dem Bett. »Das ist Caroline. Es ist etwas passiert!«

Walter ließ sich etwas mehr Zeit. Er kannte »seine Frauen«: ein Geräusch auf der Treppe oder auf der Terrasse, und schon glaubten sie Gott weiß was. Daß ein Mörder kommt, zum Beispiel. Ruhig ging er in Carolines Zimmer.

»Na, wo ist er denn, der Mörder?«

»Da, da...!« Caroline lag noch in ihrem Bett und zog die Decke bis zum Hals. »An der Wand, neben dem Fenster.«

»Siehst du sie?« fragte Lilo ängstlich.

»Ich sehe sie«, sagte Walter, nahm einen von Carolines Pantoffeln in die Hand und ging entschlossen auf das »Monstrum« los – auf die große Spinne nämlich, die da ganz friedlich auf der Wand saß.

»Schade«, sagte er und hob den Pantoffel, »so ein schönes Tier, und im Grunde so nützlich...« Aber halt – was war das! Draußen, dieses komische Licht, an – aus, an – aus...Walter öffnete das Fenster – der Pantoffel fiel ihm aus der Hand. Von hier oben konnte er den Garten seines Nachbarn Köhler gut sehen. Einen Augenblick dachte er: ein Traum. Er rieb sich die Augen – es war kein Traum. Dort unten, mitten auf dem Rasen seines Nachbarn Köhler, stand ein Monstrum, mindestens einen Meter hoch. Es stand auf dünnen hohen Beinen, sah aus wie eine riesige Spinne und leuchtete von innen heraus – ein blaues, unheimliches Licht...

Ohne ein Wort rannte Walter nach unten, zum Telefon. Dreimal wählte er die Nummer von Herrn Willeke, dem Vertreter der Firma Maßmann & Co. Aber niemand nahm ab.

Fortsetzung folgt

»Da, da...!« Caroline lag noch in ihrem Bett...

B1

1. Was nehmen Sie mit, wenn Sie eine Reise machen?

Was fehlt Ihnen am meisten, wenn Sie im Ausland (in der Bundesrepublik) sind?

2. Interview am Frankfurter Flughafen

Der Reporter fragt: Was haben Sie bei einer Reise immer dabei? Was würden Sie nie vergessen?
A. Hören Sie die Interviews.
B. Notieren Sie.

	Beruf?	kommt woher?	fliegt wohin?	nimmt was mit?
Schweizerin				
Brite				
Italiener				
Deutsche				
Deutscher				

Kaffee   Gitarre   Teddybär   Schirm   Kohletabletten

Urlaub mit DYNAMOS-Versicherungen

Haben Sie nichts vergessen?
Ihre Urlaubs-Check-Liste

Versicherungen/Ämter/Ärzte
☐ Gepäckversicherung abschließen
☐ Internationalen Krankenschein besorgen
☐ Paß/Ausweis verlängern lassen
☐ Visum beantragen
☐ Katze/Hund untersuchen und impfen lassen

Bahn/Flugzeug/Schiff
☐ Reiseprospekte besorgen
☐ Fahrpläne/Fahrkarten/Flugkarten besorgen
☐ Plätze reservieren lassen
☐ Hotelzimmer bestellen

Auto
☐ grüne Versicherungskarte besorgen
☐ Motor/Öl/Bremsen/Batterie prüfen lassen

☐ Auto waschen lassen
☐ Benzin tanken

Persönliche Vorbereitungen
☐ Geld wechseln
☐ Reiseschecks besorgen
☐ Kleider/Anzüge in die Reinigung bringen
☐ Wäsche waschen
☐ Apotheke: Medikamente, Pflaster, … kaufen
☐ Drogerie: Seife, Zahnbürste, Zahnpasta kaufen
☐ Koffer packen: Wäsche, Kleider, Anzüge, Hosen, Pullover, Blusen, Hemden, Handtücher, Bettücher
☐ Fluggepäck wiegen

Haus/Wohnung
☐ Nachbarn Schlüssel geben
☐ Fenster zumachen
☐ Licht/Gas/Heizung ausmachen

1. Reiseplanung

A. Was würden Sie mitnehmen, wenn Sie in die Bundesrepublik fahren würden?
Machen Sie eine Liste!

B. Was würden Sie vor der Reise machen?

Winterurlaub

Alpen, Ferienhaus,
2 Wochen, Zug,
Winter, 2 Erwachsene,
4 Kinder

Geschäftsreise

Hannover, Hotel,
4 Tage, Flug,
Herbst, allein

Campingurlaub

Bodensee, Camping,
3 Wochen, Auto, Hund,
Sommer, zwei Kinder
(2 und 10 Jahre),
zwei Erwachsene

2. Wer macht was?

Wir müssen das Visum beantragen.
Soll ich das machen?

Nein, laß mich das Visum
beantragen. Du kannst die
Katze impfen lassen.

A. Visum beantragen / Katze impfen
Hotelzimmer bestellen / Pässe verlängern
Krankenschein besorgen / Bremsen prüfen
Geld wechseln / Auto waschen
Reiseschecks besorgen / Plätze reservieren
Fahrkarten kaufen / Anzüge reinigen lassen

2.1

Laß mich das Visum beantragen.
Du läßt die Katze impfen.

B. Nehmen Sie die Liste, die Sie für Übung 1 gemacht haben, und üben Sie damit weiter!

Wenn jemand eine Reise macht, dann kann er viel erzählen.

Wißt ihr, was mir vorige Woche passiert ist? Ich wollte am Wochenende Ski fahren und bin deshalb nach Österreich gefahren. Denn dort war ziemlich viel Schnee. Ich war kurz vor der Grenze, da habe ich gemerkt, daß ich weder meinen Paß noch meinen Ausweis dabei hatte. Trotzdem habe ich es versucht, aber ich durfte nicht über die Grenze. Also bin ich wieder zurückgefahren und habe meinen Ausweis geholt. Nach drei Stunden war ich schließlich wieder an der Grenze. Aber jetzt wollte niemand meinen Ausweis sehen . . .

A. Hören Sie den Text. Was ist Herrn Weiler passiert? Erzählen Sie.

> Urlaub → Ostsee/Travemünde → Zimmer reserviert → kein Zimmer frei → sich beschwert → kein Zweck → Zimmer in Travemünde gesucht → Hotels voll/Zimmer zu teuer → nach Ivendorf gefahren → Zimmer gefunden

Verwenden Sie die Wörter

> denn   trotzdem   aber   deshalb   dann   schließlich   entweder . . . oder   also   da

B. Was ist hier passiert? Erzählen Sie.

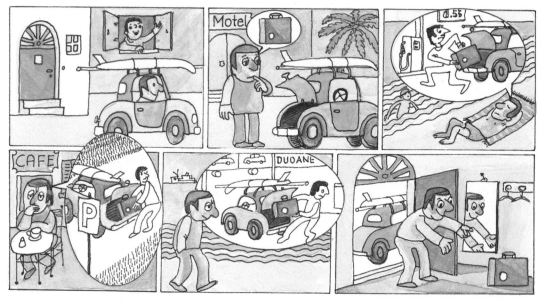

C. Was ist Ihnen einmal auf einer Reise passiert? Erzählen Sie.

Spiel: Die Reise zum Mond

(Gruppen: 3 Personen)

Sie planen eine Reise zum Mond / in die Sahara / auf eine Insel im Pazifik / in die Antarktis.

Ihre Reisegruppe soll drei Wochen lang auf dem Mond (in der Sahara, auf der Insel, in der Antarktis) bleiben. Es gibt dort keine anderen Menschen! Hier ist eine Liste mit 30 Dingen, von denen Sie nur <u>fünf</u> mitnehmen dürfen.

Diskutieren Sie, welche Dinge Sie mitnehmen. Am Ende müssen alle „Reiseteilnehmer" überzeugt sein, daß die Gruppe die richtigen Dinge gewählt hat.

Vergessen Sie nicht: Sie müssen essen, trinken, gesund bleiben, den richtigen Weg finden; vielleicht haben Sie einen Unfall und müssen gerettet werden . . . . . .

1. 50 m Aluminiumfolie	11. Fotoapparat	21. Seife
2. Benzin	12. Kochtopf	22. Seil
3. Bettuch	13. Kompaß	23. Spiegel
4. Bleistift	14. Messer	24. Streichhölzer
5. Briefmarken	15. 100 Blatt Papier	25. Taschenlampe
6. Brille	16. Pflaster	26. Telefonbuch
7. Camping-Gasofen	17. Plastiktaschen	27. Uhr
8. Familienfotos	18. Reiseschecks	28. 200 Liter Wasser
9. zehn Filme	19. Salz und Pfeffer	29. Wolldecke
10. Flasche Schnaps (54%)	20. Schirm	30. Zahnbürste

Ich würde . . . mitnehmen.		. . . ist	wichtig.	Das finde ich	unwichtig.
Ich	schlage vor, daß wir . . . meine,		notwendig.		nicht notwendig.

2.2
2.5

. . . braucht man zum	Kochen	Ich bin dafür.	Ich bin dagegen.
	Waschen	Einverstanden.	Das ist doch Unsinn.
	Schlafen	Meinetwegen.	Nein, aber . . .
	Trinken	Das ist mir egal.	Es ist besser, wenn . . .
	Feuer machen		
	. . .		Das	finde ich auch.
Wenn man in / auf . . . ist, braucht man	unbedingt . . . ganz bestimmt . . .		glaube meine

In Deutschland leben mehr als eine Million Ausländerkinder unter 16 Jahren, die meisten davon sind Türken. Viele besuchen deutsche Schulen. Unser Bericht stellt eine 9. Hamburger Hauptschulklasse vor, die mit ihrem Lehrer in die türkische Stadt Konya gefahren ist. Bevor sie weggefahren sind, hatten die deutschen, aber auch die türkischen Schüler viele Fragen.

2.3a), b)

Was muß man mitnehmen?
Nesrin möchte wissen,
was   man mitnehmen muß.

Sprechen viele Türken Deutsch?
Antja fragt,
ob   viele Türken Deutsch sprechen.

Hauptschule in Hamburg-Veddel

	38 Prozent ausländische Schüler	
davon in %	**62**	Türken
	14	Jugoslawen
	9	Italiener
	7	Griechen
	3	Spanier
	5	übrige

Wer fragt was?

Nesrin möchte wissen, was man mitnehmen muß.
Antja fragt, ob viele Türken Deutsch sprechen.
Mehmet möchte wissen, . . .
Franz . . .

Klassenreise

Zum Frühstück gibt es Schafskäse und Oliven. Für Matthias, der sonst immer Brötchen und Marmelade ißt, ein schlechter Anfang für den Tag.

Matthias gehört zu einer 9. Hauptschulklasse aus Hamburg, die mit ihrem Lehrer in die Türkei gefahren ist. 11 Tage wohnen die 14 deutschen und 9 türkischen Jungen und Mädchen bei Gastfamilien in Konya. Ihre Schule in Hamburg liegt im Arbeiterviertel »Veddel«, wo fast so viele Türken wie Deutsche wohnen. Die Eltern der deutschen Hauptschüler arbeiten alle mit Türken zusammen. »Das sind fleißige Arbeiter, gute Kollegen«, sagen sie. »Wir haben nichts gegen die Türken, nein wirklich, gar nicht!« Aber private Kontakte, Freundschaft, einen Türken nach Hause einladen? Nein, das macht hier niemand.

Und die Kinder? Was wissen sie über ihre türkischen Mitschüler und über das Land, aus dem sie kommen?

Der Lehrer hat sie vor der Klassenreise gefragt. Einige wußten, daß es in der Türkei Moscheen gibt, aber das war auch alles. Sie haben sich alle auf die Reise gefreut, aber da war auch ein bißchen Angst vor dem Land, das ihnen so fremd ist. »Hoffentlich mache ich alles richtig«, sagte eine Schülerin. Und andere: »Ich habe ein bißchen Angst, daß ich die Leute nicht verstehen kann« und »Was mache ich, wenn ich in Konya nicht mehr den richtigen Weg finde?« »Hoffentlich schmeckt mir das Essen.« Die türkischen Mitschüler haben versprochen zu helfen, und natürlich zu übersetzen, wenn es Sprachprobleme gibt.

Und dann sind sie gefahren.

Matthias wohnt in Konya bei Familie Usta und ist sehr zufrieden mit seinen Gasteltern, obwohl ihm das Frühstück nicht schmeckt. Herr Usta ist Lehrer, das Ehepaar hat sechs Kinder. Matthias, der selbst fünf Geschwister hat, fühlt sich in der großen Familie wohl. Besonders gefällt ihm die Gastfreundschaft seiner türkischen Familie. Jeder, der kommt, muß einen Tee trinken und etwas essen. Nur »irgendwie arm sind die schon«, sagt er später, als er in Deutschland von seiner Reise

Festtag im Dorf:
Mädchen und Jungen feiern getrennt.

erzählt, und meint damit, daß Familie Usta kein »richtiges« Badezimmer hat.

Für ein paar andere Mitschüler sind die türkischen Toiletten ein großes Problem, weil man dort stehen muß. »Wenn ich nach Hause komme, setze ich mich erst mal eine Stunde auf die Toilette«, sagt Franz, als sich die ganze Klasse in der Stadt trifft.

Am nächsten Tag sind alle bei einem reichen Kunsthändler eingeladen. Sein Haus ist wie ein Märchen aus Tausendundeiner Nacht – farbige Glasfenster, Lampen aus Gold und dicke Teppiche auf dem Boden und an den Wänden. Im ersten Stock seines Hauses ist der Harem. Natürlich will die ganze Klasse hinaufgehen. Der Hausherr, der streng nach dem Koran lebt, erlaubt es nur den Mädchen. Aysche, die das Gespräch mit dem Kunsthändler für ihre Mitschüler übersetzt, lebt schon seit zehn Jahren in Deutschland. Sie reagiert auf die Bitte des Hausherrn wie einige ihrer deutschen Mitschüler: »Warum denn? Das verstehe ich nicht.« Als die Mädchen aus dem Harem zurückkommen, sind sie enttäuscht. Der Kunsthändler hatte nur eine Frau.

dabei nicht zu lachen. Dann erklärt er dem Dorfältesten auf türkisch, daß der langhaarige Matthias kein Mädchen ist. Er darf dann auch mit den Männern feiern.

Im Männerhaus ist die Atmosphäre herzlich. Es gibt Tee und Tabak. Taner küßt allen Männern die Hände, die türkische Art der Begrüßung. Matthias schaut interessiert zu und tut dann dasselbe. Die Männer freuen sich, sie lachen und geben ihm türkische Zigaretten. Alle sitzen ohne Schuhe auf dem Teppich. Muhammads Onkel Mehmet will

»Ich habe immer gedacht, das türkische Essen wäre schrecklich…« Zum Hammelfleisch mit Reis und Gemüse gibt es Joghurt und türkische Pizza.

Zwei Tage später wollen Matthias, Taner, Brigitte und Nesrin ihren früheren Mitschüler Muhammad besuchen. Muhammad war drei Jahre mit ihnen in der Klasse und lebt seit einem Jahr wieder in der Türkei. Das Dorf, in dem er wohnt, ist 60 km von Konya entfernt. Muhammad hat ganz kurze Haare, wie die meisten Dorfkinder in der Türkei, und seine früheren Mitschüler erkennen ihn kaum wieder. Matthias mit seinen langen blonden Haaren kann das am wenigsten verstehen. »Mensch, Muhammad, wie siehst du denn aus?« sagt er bei der Begrüßung.

An diesem Tag ist gerade ein türkischer Festtag. Für die Feier im Dorf werden Jungen und Mädchen vom Dorfältesten getrennt. Taner übersetzt, was der freundliche alte Mann gerade zu Matthias sagt: »Meine Tochter, geh' mit den Frauen!« Er versucht,

wissen, ob die Deutschen auch an einen einzigen Gott glauben. Das Gespräch ist interessant, aber sehr schwierig. Matthias versucht zu erklären, daß Gott Vater, Sohn und Heiliger Geist nicht drei Götter sind, sondern eine Person. Das ist selbst für Christen nicht so ganz einfach und natürlich für einen Muslim noch schwerer zu verstehen. Taner, der übersetzen muß, macht Schwerarbeit. Zu seinem Glück gibt es bald Essen.

Beim Essen sind auch die beiden Mädchen Brigitte und Nesrin wieder dabei. Es gibt Hammelfleisch, Joghurt, türkische Pizza, Gemüse und Reis. »Also, ich habe früher immer gedacht, das türkische Essen wäre schrecklich, ganz fett und so…« sagt Brigitte und ißt ihre dritte Portion.

Ob die Klassenreise wohl hilft, daß auch zu Hause die Kontakte besser werden?

1. Was meinen Sie?

A. Was ist für die deutschen Schüler in der Türkei wohl fremd?

2.3a), b)

B. Was gefällt den deutschen Schülern in der Türkei?

Ich glaube, daß . . .

| Die Schüler | können nicht verstehen, wissen nicht, | daß . . . wie . . . warum . . . |

| . . . ist | für die Schüler für Matthias | fremd. neu. unbekannt. . . . |

| Die Schüler finden es | gut, komisch, interessant, | daß . . . |

Gastfamilie   Männerhaus
Frühstück
auf dem Teppich sitzen   Toiletten
Festtag   Männer und Frauen
Gastfreundschaft   Sprache
Essen
freundlich   türkische Familien

C. Was glauben Sie, warum der Lehrer mit seiner Klasse diese Fahrt gemacht hat?

2. Stimmt doch, oder?

Die Deutschen . . .

Sind dick

sind immer laut

Sind reich

arbeiten immer

können nicht lachen

sind sauber

sind sehr freundlich

haben nie Zeit

sind pünktlich

sind sparsam

sind immer noch Faschisten

3. Was findet man in Ihrem Land an Deutschen komisch, gut . . .?

B3

1. Familie Neudel will auswandern.

A. Hören Sie das Gespräch.

B. Warum möchte Familie Neudel auswandern? Was ist richtig?

Familie Neudel möchte auswandern,
a) um freier zu leben.
b) damit Herr Neudel weniger Steuern zahlen muß und mehr verdient.
c) um in Paraguay Land zu kaufen und Bauern zu werden.
d) um Land zu kaufen und ein Haus zu bauen.
e) damit Frau Neudel eine Stelle bekommt.

2. Familie Kumar ist eingewandert.

Sie lebt seit 14 Jahren in der Bundesrepublik.
A. Hören Sie das Gespräch.

2.4

B. Warum ist Familie Kumar in die Bundesrepublik gekommen? Was ist richtig?

Familie Kumar ist eingewandert,
a) um mehr Geld zu verdienen.
b) weil sie Verwandte in der Bundesrepublik haben.
c) um Deutsche zu werden.
d) weil Herr Kumar hier ein Praktikum machen wollte.
e) damit die Kinder gute Schulen besuchen können.

3. Vergleichen Sie die beiden Familien.

Was ist ähnlich? Was ist verschieden?

4. Warum wandern Menschen aus? Was glauben Sie?

PARAGUAY

Nicht »aussteigen«
einsteigen in Süd amerika

Ist es Ihnen in der Bundesrepublik zu eng? In Paraguay (anderthalb mal so groß wie die Bundesrepublik und nur 3 Millionen Einwohner) gibt es noch Platz, und man kann frei leben.
Wir sind ein großer Landwirtschaftsbetrieb im Norden Paraguays und bieten Ihnen auf unserer Farm gutes Land an. Für 30000 DM bekommen Sie 50000 qm, das sind nur 60 Pfennig für einen Quadratmeter.
In Paraguay erhalten Sie und Ihre Familie schnell eine Aufenthaltserlaubnis. Eine Stelle zu finden, ist für Sie als Deutscher bestimmt nicht schwierig. In unserem Land leben schon 50000 Deutsche, und man ist sehr deutschfreundlich.

Ausländer – woher?

Von den 4,63 Millionen Ausländern in der Bundesrepublik sind:

Türken	1,55 Mio
Jugoslawen	637300
Italiener	624500
Griechen	299300
Asiaten	242000
Spanier	177000
Afrikaner	115100
Portugiesen	109400
sonstige	878800

1961 wohnten nur 690000 Ausländer in der Bundesrepublik, heute sind es 4,6 Millionen. Die meisten sind in den Jahren zwischen 1967 und 1974 eingewandert. Fast die Hälfte sind länger als 10 Jahre in der Bundesrepublik.

Sie wandern aus,

um Arbeit zu bekommen.
um ... zu ...
damit die Familie besser leben kann.
damit ...
weil sie in der Bundesrepublik studieren wollen.
weil ...

Nebensatz mit 'weil', 'damit', 'um ... zu'

Sie wandern aus,		
weil	sie Arbeit	bekommen wollen.
damit	sie Arbeit	bekommen.
um	Arbeit zu	bekommen.

Auswanderer-Welle:
Hunderttausende wollen Deutschland verlassen

EINWANDERUNGSVISUM
AUSKUNFT

IMMIGRANT VISA
INFORMATION ONLY

Weg von hier – um jeden Preis

Die Angestellten in den Botschaften und Konsulaten von Kanada, Australien, Neuseeland und Südafrika müssen Überstunden machen. Denn immer mehr Deutsche wollen Auskünfte darüber, wie man auswandern kann.

Im 19. Jahrhundert sind viele Deutsche nach Nord- und Südamerika ausgewandert, weil sie arbeitslos waren. Heute wollen sie weg, weil sie Angst vor einem Krieg in Europa haben oder mit der Politik in der Bundesrepublik nicht einverstanden sind. Viele hoffen, in ihrer neuen Heimat eine bessere Stelle zu finden und reich zu werden.

»Wir haben keine ruhige Minute mehr«, so eine Angestellte in der australischen Botschaft, »vor zwei Jahren waren es nur 36 000, letztes Jahr schon 126 000, die wissen wollten, wie man nach Australien auswandern kann«. Aber es ist nicht leicht, für Australien oder ein anderes Land eine Aufenthaltserlaubnis zu bekommen. Man

nimmt nicht jeden, sondern nur Leute mit bestimmten Berufen, die man auch wirklich braucht. Deshalb konnten letztes Jahr nur 57 000 auch wirklich auswandern. Den meisten Leuten in der Bundesrepublik geht es nicht schlecht. Warum möchten so viele trotzdem auswandern? Die Gründe sind genauso verschieden wie die Menschen. Doch einige Gründe hört man immer wieder: »In Australien, da hat man noch Freiheit«, sagte uns der Automechaniker Hans Szopa, »außerdem ist hier in Deutschland alles zu teuer. Wer kann sich denn hier noch ein Haus bauen?« »Viel Natur« sucht der Tischler Helmut Mense (30) in Kanada. Andere, wie der Elektroingenieur Helmut Kolz (35) aus Mannheim, haben Angst vor der politischen Situation in Europa: »Ich möchte hier weg, bevor es in Europa wieder einen Krieg gibt.« Viele informieren sich vorher nicht genau genug, wie das Leben in ihrem Wunschland wirklich aussieht. Sie wissen z.B. oft nicht, wie

das Klima dort ist, wie lange sie pro Woche arbeiten müssen, wieviel eine gute Wohnung kostet, ob es genug Arbeit gibt, ob es eine Versicherung für Krankheit und Arbeitslosigkeit gibt, ob man schnell Freunde findet usw. Wenn sie dann im fremden Land leben, sind sie oft enttäuscht: Sie können die Leute nicht verstehen; für die Frau gibt es keine Arbeit; die Kinder haben Probleme in der Schule; es gibt nur sehr wenig Urlaub; Angst vor einem Krieg hat man auch im Ausland, usw.
Die meisten bleiben trotzdem und finden manchmal auch ihr Glück. Viele kommen aber zurück. Der Bäckermeister Dieter Westphal (25) z.B. war in seiner neuen Heimat Kanada nicht glücklich und flog nach fünf Monaten zurück: »Es hatte keinen Zweck mehr; ich bekam 375 Dollar pro Woche, aber für 60 Stunden Arbeit. Meine Frau hatte keine Arbeit und war immer mit den Kindern zu Hause. Heute sehe ich, daß es den Deutschen sehr gut geht.«

B3

1. Was ist richtig?

Viele Deutsche wollen auswandern,

Die Angestellten in den Botschaften und Konsulaten arbeiten viel,

Die Länder nehmen nicht alle,

Viele Auswanderer kommen zurück,

weil sie enttäuscht sind.

weil man nur Leute mit bestimmten Berufen nimmt.

um reich zu werden.

weil es in der Bundesrepublik zu wenig Natur gibt.

weil viele Leute Auskünfte über die Auswanderung haben wollen.

weil sie nicht genug über das Land wußten.

um freier leben zu können.

weil sie glauben, daß es in Europa bald Krieg gibt.

AUSWANDERN

Wir zeigen Ihnen, wie es geht! Genaue Auskünfte über Einwanderungsgesetze (Aufenthalts- und Arbeitserlaubnis), Stellensuche, Gehalt, Steuern, Versicherungen, Hauskauf, Wohnungssuche, Schulen, Klima, Sprache usw. geben Ihnen unsere Ratgeber »Auswandern« für Australien, Brasilien, Bolivien, Paraguay, Peru, Venezuela, Neuseeland, Kanada, USA, Bahamas.

Union Verlag · Postfach 12 75 07 · 7000 Stuttgart

Man muß wissen, wie lange man bleiben darf.

Bevor man auswandert, muß man die Sprache lernen.

Man muß fragen, ob es gute Schulen gibt.

Man muß ...

2. Welche Probleme gibt es, wenn man auswandert?

Was muß man vorher tun? Was muß man wissen?

Bevor man auswandert, muß man ...		
Man muß	wissen,	wie lange ...
	fragen,	welche ...
		wo ...
		wer ...
		was ...
		wie ...
		wieviel ...
		wann ...
		...
Man muß	wissen,	ob ...
	fragen,	

frei die Meinung sagen   Probleme mit Ämtern
Geld verdienen   Tiere mitnehmen
Stunden pro Woche arbeiten   Pässe verlängern
Auto mitnehmen   Steuern
Leute kennenlernen   genug Stellen   Urlaub bekommen
Wohnung bekommen
Klima   Leute freundlich
Haus kaufen   sich impfen lassen
leicht Freunde finden   Krankenversicherung
Arbeitserlaubnis | brauchen   verdienen
... | beantragen   ...

Die Gefährlichkeit der Rasensprenger (7)

Den ganzen Montag versuchte Walter mit Herrn Willeke zu telefonieren. »Herr Willeke ist gerade in einer wichtigen Besprechung«, sagte man ihm, »rufen Sie bitte später noch einmal an.« Später hieß es dann: »Herr Willeke ist zur Zeit nicht im Haus, aber er kommt sicher noch einmal ins Büro, am späteren Nachmittag.« Und als Walter am späteren Nachmittag noch einmal anrief, war Herr Willeke gerade wieder weg.

Am Mittwoch klappte es endlich. »Hallo, mein Lieber – aber natürlich weiß ich, wer Sie sind! Wie geht's Ihrer Frau? Und die lieben Kinder? Was kann ich für Sie tun?«

Aufgeregt berichtete Walter von der Riesenspinne, die seit drei Tagen im Garten seines Nachbarn Köhler saß.

»Herkules«, sagte Herr Willeke, »die zweite Rasensprenger-Generation. Ja, ja, die Konkurrenz schläft nicht. Aber nun machen Sie sich mal keine Sorgen! Die Firma Maßmann & Co. hat schon eine Antwort.« Herr Willeke versprach, am Freitag vorbeizukommen, im Laufe des Tages. Walter rief bei seiner Versicherungsgesellschaft an und nahm für Freitag einen Tag Urlaub.

Walter stand am Freitagmorgen schon um sieben Uhr auf, um sich auf den Besuch von Herrn Willeke vorzubereiten. Aber Herr Willeke kam nicht, um drei Uhr nachmittags war er immer noch nicht da. Walter wurde von Stunde zu Stunde nervöser und trank einen Whisky nach dem anderen.

Endlich, um halb sechs, hielt vor dem Haus der Gottschalks ein Mercedes 350 SL. Heraus stiegen Willi Willeke, der Generalvertreter der Firma Maßmann & Co., und ein junger Mann. Walter machte den beiden die Tür auf.

»Guten Tag, mein Lieber...!« Herr Willeke hatte es sehr eilig. »Jetzt zeigen Sie uns mal das Ding. Das ist übrigens mein Mitarbeiter, Herr Silberberg.«

Walter führte die Herren in den Garten.

»Habe ich mir gedacht!« Herr Willeke pfiff durch die Zähne. »Ein Herkules! Und verdammt nahe dran!«

»Ist er... ist er gefährlich?« fragte Walter.

»Gefährlich...?« Herr Willeke mußte lachen. »So wie er da steht, ist er ganz ungefährlich. Sie können ihn sogar streicheln. Hören Sie...« Herr Willeke machte nun ein sehr ernstes Gesicht »...wenn Sie meinen Rat wollen: machen Sie Nägel mit Köpfen!«

»Und... und was heißt das?«

»Auf Herkules gibt es nur eine Antwort: Titan. Der atomgetriebene Rasensprenger der dritten Generation. Ja, mein Lieber, die Firma Maßmann hat auch nicht geschlafen! Wir können nächste Woche mit den Arbeiten beginnen.«

»Aber...«

»Sehen Sie eine andere Lösung?«

»Nein, nein, aber...«

»Also, dann nächste Woche...! Herr Silberberg überwacht die Arbeiten, er ist sehr zuverlässig. Auf Wiedersehen, mein Lieber!«

Und schon stiegen die beiden Herren wieder in ihren Mercedes. Walter blieb minutenlang bei der Haustür stehen. Da klingelte das Telefon. Walter ging langsam hin und nahm den Hörer ab:

»Gottschalk...?«

»Köhler!«

»Wie...?«

»Hier spricht Köhler, Ihr Nachbar. Köhler!«

Fortsetzung folgt

»Habe ich mir gedacht!« Herr Willeke pfiff durch die Zähne.

A Bundesrepublik Deutschland

Die Bundeskanzler

Kiel

Schleswig-Holstein
2,6 Mio. Einw.

Hamburg
1,6 Mio. Einw.

Schwerin

Mecklenburg-Vorpommern
1,9 Mio. Einw.

Bremen
700 000 Einw.

Niedersachsen
7,2 Mio. Einw.

Hannover

Brandenburg
2,6 Mio. Einw.

Potsdam *Berlin*
3,4 Mio. Einw.

Magdeburg

Nordrhein-Westfalen
17,1 Mio. Einw.

Sachsen-Anhalt
3,0 Mio. Einw.

Düsseldorf

Erfurt

Sachsen
4,9 Mio. Einw.

Dresden

Hessen
5,7 Mio. Einw.

Thüringen
2,7 Mio. Einw.

Rheinland-Pfalz
3,7 Mio. Einw.

Wiesbaden

Mainz

Saarland
1,1 Mio. Einw.

Saarbrücken

Stuttgart

Bayern
11,2 Mio. Einw.

Baden-Württemberg
9,6 Mio. Einw.

München

Konrad
Adenauer
CDU
1949 – 1963

Ludwig
Erhard
CDU
1963 – 1966

Kurt Georg
Kiesinger
CDU
1966 – 1969

Willy
Brandt
SPD
1969 – 1974

Helmut
Schmidt
SPD
1974 – 1982

Helmut
Kohl
CDU
1982 –

Die Parteien im Bundestag

Verteilung der Sitze 1990		
CDU/CSU	319 Sitze	(43,8 %)
SPD	239 Sitze	(33,5 %)
FDP	79 Sitze	(11,0 %)
PDS	17 Sitze	(2,4 %)
Bündnis 90 / die Grünen	8 Sitze	(1,2 %)

Aus der Presse ... Aus der Presse ... Aus der Presse ... Aus der Presse ...

SCHLAGZEILEN

NRZ NEUE RHEIN ZEITUNG Zeitung für Düsseldorf
RHEINISCH-WESTFÄLISCHE ZEITUNG   UNABHÄNGIG-MEINUNGSFREUDIG   DIE GROSSE ZEITUNG AN RHEIN UND RUHR   DF EINZELPREIS 60 PF I H 3606 A

WZ Westdeutsche Zeitung
Die Überparteiliche   Düsseldorfer Nachrichten   Über 100 Jahre Verlag W. Girardet · Ausgabe D, Nummer 70 · Donnerstag, 22. März 1988, 50 Pfennig

Bald Wahlrecht für Gastarbeiter?

Fußballstar wegen Verletzung ins Krankenhaus drei Wochen

Preiskrieg in der Zigarettenindustrie

Kein Geld für das neue Stadion:
Fußballverein enttäuscht

Italienische Zollbeamte streiken für mehr Lohn

Verkehrsunfall in der Berliner Straße

Durch den Steuerskandal:
Regierungskrise in Portugal

Ärger an der Grenze:
300 Lastwagen müssen warten

Ausländer bald auch im Parlament?

Straßenbahn fuhr gegen einen Bus:
Außer dem Fahrer niemand verletzt

Leere Kassen im Rathaus:
Kein neuer Sportplatz

Bald neues Parlament in Lissabon?

Wegen seiner Knieoperation:
Ohne Rummenigge gegen den HSV

Raucher können jetzt sparen

1. Welche Schlagzeilen bringen die gleiche Nachricht?

Neue Rheinzeitung	Westdeutsche Zeitung
Preiskrieg in der Zigarettenindustrie Kein Geld ...	....

2. Welche Nachrichten gehören zu welcher Rubrik?

Nehmen Sie nur die Schlagzeilen einer Zeitung.

Sie lesen heute

Ausland	Seite 3
Wirtschaft	Seiten 9/10
Lokalteil	Seite 7
Innenpolitik	Seite 5
Sport	Seite 14

Wieder nichts über mich in der Zeitung!

B1

1. Sehen Sie die Bilder an. Was ist da wohl passiert?

2. Welche Schlagzeilen passen zu den Bildern?

3.1

Ergänzen Sie „durch", „für", „ohne", „gegen", „außer", „mit" oder „wegen".

a) Hochhaus fünf Stunden . . . Strom. Viele mußten im Aufzug warten.

b) Junge fand Briefumschlag . . . 10 000,– DM.

c) Pakete und Päckchen für Weihnachten bleiben . . . dem Poststreik liegen.

d) . . . einem Lebensmittel-Laden und einer Bäckerei gibt es keine Geschäfte. Der neue Stadtteil „Gernhof" ist noch immer . . . Einkaufszentrum.

e) 2000 Gastarbeiter demonstrieren . . . das neue Ausländergesetz. Sie wollen in der Bundesrepublik bleiben.

f) Fabrik . . . Feuer zerstört. 500 Angestellte jetzt . . . Arbeit.

g) . . . die Verkehrsprobleme im Stadtzentrum gibt es immer noch keine Lösung.

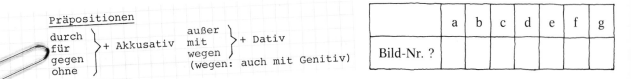

Präpositionen

durch
für   } + Akkusativ
gegen
ohne

außer
mit   } + Dativ
wegen
(wegen: auch mit Genitiv)

	a	b	c	d	e	f	g
Bild-Nr. ?							

3. Interview

Ein Reporter hat vier Personen interviewt, die von den Ereignissen in den Schlagzeilen erzählen.

A. Hören Sie, was die Personen sagen.

B. Welches Interview paßt zu welcher Schlagzeile?

1.	a	b	c	d	e	f	g
2.	a	b	c	d	e	f	g
3.	a	b	c	d	e	f	g
4.	a	b	c	d	e	f	g

Welche Nachrichten haben Sie heute/gestern gehört oder gelesen?

Machen Sie mit Ihrem Nachbarn aktuelle Schlagzeilen zu Politik, Wirtschaft, Sport ...

Wo ist Krieg?

Wo gibt es eine Wahl?

Wo fehlt Geld?

Welche bekannte Frau bekommt ein Baby?

Wo ist der Friede in Gefahr?

Welcher Politiker besucht welches Land?

Wer streikt? Wo? Warum?

Wofür fehlt Geld?

Wer ist gestorben?

Wer ist ... meister geworden (Sport)?

Wo ist etwas Komisches passiert?

AUS DER PRESSE

① **Grüne wollen weniger Geld**
Während die Abgeordneten von CDU/CSU, FDP und SPD im Bundestag höhere Abgeordnetengehälter verlangen, sind die Grünen dagegen.

② **Diskussion über neues Demonstrationsgesetz**
Das neue, schärfere Demonstrationsgesetz der CDU/CSU/FDP-Bundesregierung wurde letzte Woche von der SPD und den Grünen stark kritisiert.

③ **Landtagswahlen in Bayern**
9 Millionen Bayern haben am letzten Sonntag ihren Landtag gewählt. Alter und neuer Ministerpräsident von Bayern ist Max Streibl.

④ **Besuch aus Großbritannien**
Der englische Kronprinz Charles und seine Frau Diana besuchen in dieser Woche die Bundesrepublik. Sie fuhren zuerst zur britischen Rheinarmee nach Paderborn und sind seit gestern in Bonn.

⑤ **Streit zwischen Bundeskanzler und Wirtschaftsminister**
In einer Fernsehdiskussion kritisierte der Wirtschaftsminister diese Woche den Bundeskanzler. Wegen der hohen Arbeitslosigkeit forderte er eine neue Wirtschaftspolitik.

⑥ **Bundesrat kritisiert Mehrwertsteuergesetz**
Der Bundesrat hat heute das neue Mehrwertsteuergesetz kritisiert. Die meisten Länder sind mit dem Gesetz nicht einverstanden, weil sie nach ihrer Meinung zu wenig Geld aus der Mehrwertsteuer bekommen.

ⓐ Der hessische Ministerpräsident erklärte im Bundesrat: »Die Geldprobleme der Länder dürfen nicht noch größer werden!« Jetzt muß der Bundestag einen neuen Vorschlag machen.

ⓑ Die Landtagswahlen in Bayern haben der CSU über 50 Prozent der Wählerstimmen gebracht. Die FDP bekam mehr als 5 Prozent und ist jetzt wieder im bayerischen Landtag. Zur Wahlparty in München kamen auch viele Politiker von der Schwesterpartei CDU.

ⓒ Sie wollen sogar die Hälfte von dem Geld, das sie jeden Monat bekommen, ihrer Partei geben. Dieses Geld soll dann für die politischen Projekte der Grünen ausgegeben werden.

ⓓ Die beiden Parteien sind der Meinung, daß das neue Gesetz demokratische Grundrechte verletzt. Auch einige FDP-Bundestagsabgeordnete sind mit dem neuen Gesetz nicht einverstanden.

ⓔ Nach einem Mittagessen mit dem Bundespräsidenten im Schloß Brühl machten sie einen Spaziergang durch die Bundeshauptstadt.

ⓕ Der Sprecher der Bundesregierung sagte dazu in einem Interview, daß nicht ein Minister, sondern der Bundeskanzler die Politik bestimmt.

1. Setzen Sie die Teile der Zeitungstexte richtig zusammen.

1	2	3	4	5	6

2. Was wissen Sie über das politische System in der Bundesrepublik?

3.2

Parteien, Wahlen, Bundeskanzler, . . .

Das politische Wahlsystem in der Bundesrepublik Deutschland

Bund

16 Länder

Bundeskanzler ⟶ **Minister** Chef der Bundesregierung	**Bundespräsident** repräsen- tative Aufgaben	**Minister** ⟵ **Ministerpräsident** Chef einer Landes- regierung

Bundestag
Parlament 498 Abgeordnete

Bundesrat
2. Parlamentskammer

Landtag
Parlament eines Landes

alle 4 Jahre   alle 4–5 Jahre

Wähler
alle Bundesbürger ab 18 Jahre

1. Interview auf der Straße

A. Hören Sie die Interviews.
B. Wie sind die Antworten der Personen? (r = richtig, f = falsch, ? = er/sie weiß es nicht)

Der Bundestag hat 498 Abge-
ordnete.
Der Bundeskanzler ist
Regierungschef.
Der Bundeskanzler wird vom
Bundestag gewählt.
Der Bundesrat ist die zweite
Parlamentskammer.

Mann	Frau	Kind

2. Berichten Sie über das Wahlsystem in Ihrem Land.

Wie heißt das Parlament? Wie oft wird es gewählt? Gibt es Regionalparlamente?
Wer ist der Regierungschef? Wer wählt oder bestimmt ihn? Wer ist der Staatschef?

POLITIK-QUIZ

1 Die Bundesrepublik gibt es seit
- a ☐ 1933
- b ☐ 1945
- c ☐ 1949

2 DDR heißt
- a ☐ Deutsche Demokratische Republik
- b ☐ Direkte Demokratische Republik
- c ☐ Demokratisches Deutsches Reich

3 Die Bundesrepublik ist eine
- a ☐ parlamentarische Demokratie
- b ☐ sozialistische Republik
- c ☐ Monarchie

4 Die DDR war eine
- a ☐ parlamentarische Demokratie
- b ☐ sozialistische Republik
- c ☐ Monarchie

5 Die Bundesrepublik und die DDR hatten
- a ☐ das gleiche politische System
- b ☐ das gleiche Wirtschaftssystem
- c ☐ verschiedene politische und wirtschaftliche Systeme

6 Die Bundesrepublik ist
- a ☐ ein neutraler Staat
- b ☐ ein Bündnispartner der UdSSR
- c ☐ ein Bündnispartner der USA

7 Die DDR war
- a ☐ ein neutraler Staat
- b ☐ ein Bündnispartner der UdSSR
- c ☐ ein Bündnispartner der USA

8 Willy Brandt war von 1969 bis 1974
- a ☐ Außenminister der BRD
- b ☐ Bundeskanzler der BRD
- c ☐ Bundespräsident der BRD

9 Die beiden größten Parteien in der BRD heißen
- a ☐ CDU und FDP*
- b ☐ SPD und FDP
- c ☐ CDU und SPD

10 Der Bundeskanzler der BRD heißt heute
- a ☐ Helmut Kohl (CDU)
- b ☐ Helmut Schmidt (SPD)
- c ☐ ....

* CDU = Christlich Demokratische Union
SPD = Sozialdemokratische Partei Deutschlands
FDP = Freie Demokratische Partei

Lösung Seite 230

Die Wiedervereinigung

Ein wichtiges politisches Thema der deutschen Nachkriegsgeschichte

1949, vier Jahre nach dem 2. Weltkrieg, gibt es zwei deutsche Staaten: Die Deutsche Demokratische Republik (DDR) im Osten und die Bundesrepublik Deutschland im Westen.

Obwohl sie eigene Regierungen haben, sind die beiden Staaten anfangs nicht völlig unabhängig. In der DDR bestimmt die Sowjetunion die Politik, in der Bundesrepublik sind es Großbritannien, Frankreich und besonders die USA.

Die Unterschiede zwischen den beiden deutschen Staaten werden immer größer. Die DDR und die Bundesrepublik bekommen 1956 wieder eigene Armeen. Die DDR wird Mitglied im Warschauer Pakt und die Bundesrepublik in der Nato. Besonders in der Bundesrepublik protestieren sehr viele Menschen zwischen 1952 und 1958 gegen eine neue Armee und gegen Atomwaffen.

Während der Zeit des »Kalten Krieges« von 1952 bis 1969 gibt es nur Wirtschaftskontakte, aber keine politischen

Ostermarsch – Duisburg nach Dortmund, 1962

B3

Kontakte zwischen den beiden deutschen Staaten. Politische Gespräche zwischen den beiden deutschen Regierungen sind erst seit der ersten SPD/FDP-Regierung 1969 möglich. Im Jahre 1972 unterschreiben die DDR und die Bundesrepublik einen »Grundlagenvertrag«. In diesem Vertrag wird zum ersten Mal offiziell bestätigt, daß es zwei selbständige deutsche Staaten gibt. Die politischen und wirtschaftlichen Kontakte zwischen der DDR und der Bundesrepublik werden seit diesem Vertrag besser. Auch dürfen seit 1972 mehr Bundesdeutsche ihre Verwandten in der DDR besuchen.

Trotzdem sind die DDR und die Bundesrepublik immer noch keine normalen Nachbarstaaten, denn die deutsche Frage ist weiterhin offen. Für die DDR gibt es zwei deutsche Staaten und auch zwei verschiedene Nationen; für die Bundesrepublik zwei deutsche Staaten, aber nur eine deutsche Nation.

Im Spätsommer 1989 öffnet Ungarn die Grenze zu Österreich und macht damit vielen Bürgern der DDR den Weg in die Bundesrepublik frei. Tausende verlassen ihr Land. Bald kommt es in Leipzig, Dresden und anderen Städten der DDR zu Massendemonstrationen. Die SED, die Sozialistische Einheitspartei Deutschlands, verliert in wenigen Wochen ihre Macht.

Am 9. November 1989 fällt die Mauer in Berlin. Die SED sieht sich gezwungen, freie Wahlen zuzulassen. Am 18. März 1990 wählen die Bürger eine neue Regierung. Schon ab 1. Juli gilt die D-Mark der Bundesrepublik auch in der DDR, und noch im gleichen Monat erklärt die sowjetische Regierung, daß sie nichts dagegen hat, wenn ein wiedervereinigtes Deutschland Mitglied der Nato wird. Am 3. Oktober 1990 treten die Länder der DDR der Bundesrepublik bei: Es gibt keine DDR mehr.

DGB-Demonstration – Essen, 1. Mai 1955

Deutsche gegen Deutsche? Nein!

Darum verhandeln! SPD

1. Erstellen Sie eine Zeitleiste.

1949	Es gibt zwei deutsche Staaten.	1956	. . .
1952	Die Sowjetunion . . .		

2. Seit – zwischen – nach – in – vor – von . . . bis – bis.

3.1

a) . . . 1969 gibt es keine politischen Kontakte zwischen der Bundesrepublik und der DDR.

b) Die Bundesrepublik und die DDR gibt es . . . 1949 . . . 1990.

c) . . . 1949 . . . 1963 ist Adenauer Bundeskanzler.

d) Erst . . . dem „Kalten Krieg" gibt es politische Gespräche zwischen den beiden deutschen Staaten.

e) . . . 1949 und 1969 ist die Zeit des „Kalten Krieges".

f) . . . dem „Grundlagenvertrag" sind die Beziehungen zwischen den beiden deutschen Staaten besser.

g) . . . Jahre 1956 bekommen die beiden deutschen Staaten wieder eigene Armeen.

h) . . . der Adenauer-Zeit demonstrieren Tausende gegen eine neue deutsche Armee und gegen Atomwaffen.

3. Wegen – gegen – für.

3.2

a) . . . dem Ost-West-Konflikt gibt es seit 1949 zwei deutsche Staaten.

b) Die Sowjetunion ist 1952 . . . einen neutralen deutschen Staat.

c) 1955 protestieren in der Bundesrepublik sehr viele Menschen . . . die Nato und eine neue deutsche Armee.

d) Die West-Alliierten und die Bundesregierung sind 1952 . . . einen neutralen deutschen Staat.

e) . . . dem „Kalten Krieg" gibt es bis 1969 keine politischen Gespräche zwischen der DDR und der Bundesrepublik.

f) . . . dem „Grundlagenvertrag" werden die Kontakte zwischen den Menschen in der DDR und der Bundesrepublik besser.

4. Schreiben Sie einen kleinen Text zur neueren politischen Geschichte Ihres Landes.

– Machen Sie zuerst eine Zeitleiste.
– Wählen Sie nur wenige wichtige Daten.

Temporale Präpositionen

in
nach
seit
vor
zwischen . . . und . . .
bis
} + Dativ

von . . . bis . . .   + Akkusativ

+ Jahreszahl, Monat, Wochentag, . . .

Vor und nach mir gibt es keine bessere Hexe!

C Die Gefährlichkeit der Rasensprenger (8)

Walter brauchte einen Moment, um zu verstehen, daß er mit dem Besitzer des Herkules sprach.

»Sind Sie noch da?« fragte Herr Köhler.

»Ja«, sagte Walter, »ich höre. Was kann ich für Sie tun?«

»Ich weiß nicht, ob Sie etwas für mich tun können«, antwortete Herr Köhler, »und ich weiß auch nicht, ob ich etwas für Sie tun kann. Aber vielleicht können wir uns einmal treffen?«

»Vielleicht...«, sagte Walter.

»Sagen wir – in acht Tagen?«

»Warum nicht...«

»Bei Ihnen oder bei mir?«

Walter überlegte. Nur jetzt keinen Fehler machen!

»Ich schlage vor«, sagte er, »wir treffen uns am Zaun, zwischen unseren Grundstücken.«

Auch Herr Köhler überlegte.

»Gut«, sagte er dann, »heute in acht Tagen, genau um diese Zeit, am Zaun.«

Als Walter ins Wohnzimmer zurückging, saß die ganze Familie am Tisch. Er hatte plötzlich starke Kopfschmerzen. Er hoffte, daß Lilo etwas sagen würde – aber sie sagte nichts.

»Morgen früh ist Altpapier-Sammlung«, sagte er, »wir dürfen nicht vergessen, unsere Zeitungen

»Ich schlage vor«, sagte er, »wir treffen uns am Zaun, zwischen unseren Grundstücken.«

vor die Tür zu legen.« Niemand antwortete. Oma brach das allgemeine Schweigen:

»Ich bin eine alte Frau«, sagte sie, »und ich verstehe nicht mehr alles. Aber eines habe ich in meinem Leben verstanden: man darf den Menschen keine Angst machen.«

»Aber darum geht es doch gar nicht!«

Walter war gereizt. Er mochte Lilos Mutter, und in diesem Augenblick beneidete er sie um ihr Alter, um ihre Ruhe und darum, daß sie morgens mit einer Tasse Tee zufrieden war.

»Vielleicht geht es doch darum!« sagte Lilo.

Walter stand auf.

»Ich habe Kopfschmerzen...«

Er hatte jetzt nur noch einen Wunsch: schlafen. Nichts mehr hören, nichts mehr sehen – nur noch schlafen.

»Und wie soll es weitergehen?« fragte Lilo ruhig. »Hast du uns gar nichts zu sagen?«

»Wer A sagt, muß auch B sagen«, antwortete Walter. »Vor allem darf ich jetzt keinen Fehler machen.«

Fortsetzung folgt

B1

Jung und alt unter einem Dach?

Lesen Sie, was unsere Leser zu diesem Thema schreiben.

Wir wohnen seit 4 Jahren mit meiner Mutter zusammen, weil mein Vater gestorben ist. Sie kann sich überhaupt nicht mehr helfen: Sie kann sich nicht mehr anziehen und ausziehen, ich muß sie waschen und ihr das Essen bringen. Deshalb mußte ich vor zwei Jahren aufhören zu arbeiten. Ich habe oft Streit mit meinem Mann, weil er sich jeden Tag über Mutter ärgert. Wir möchten sie schon lange in ein Altersheim bringen, aber wir finden keinen Platz für sie. Ich glaube, unsere Ehe ist bald kaputt.

Eva Simmet, 32 Jahre

Viele alte Leute sind enttäuscht, wenn sie alt sind und allein bleiben müssen. Muß man seinen Eltern nicht danken für alles, was sie getan haben? Manche Familien wären glücklich, wenn sie noch Großeltern hätten. Die alten Leute können im Haus und im Garten arbeiten, den Kindern bei den Schulaufgaben helfen, ihnen Märchen erzählen oder mit ihnen ins Kino oder in den Zoo gehen. Die Kinder freuen sich darüber, und die Eltern haben dann auch mal Zeit für sich selber.

Irene Kahl, 35 Jahre

Wir freuen uns, daß wir mit den Großeltern zusammen wohnen können. Unsere Kinder wären sehr traurig, wenn Oma und Opa nicht mehr da wären. Und die Großeltern fühlen sich durch die Kinder wieder jung. Natürlich gibt es auch manchmal Probleme, aber wir würden die Eltern nie ins Altersheim schicken. Sie gehören doch zu uns. Die alten Leute, die im Altersheim leben müssen, sind oft so unglücklich, weil niemand sie besucht und niemand ihnen zuhört, wenn sie Probleme haben.

Franz Meuler, 42 Jahre

Seit meine Frau tot ist, lebe ich ganz allein. Ich möchte auch gar nicht bei meiner Tochter in Stuttgart wohnen; ich würde sie und ihre Familie nur stören. Die jungen Leute brauchen ihre Freiheit. Zum Glück kann ich mir noch ganz gut helfen. Ich wasche mir meine Wäsche, gehe einkaufen und koche mir mein Essen. Einmal in der Woche gehe ich in den Altenclub, weil ich mich gern mit den Leuten dort unterhalte. Sonst bin ich viel allein, aber ich will mich nicht beschweren. Meine Tochter schreibt mir oft Briefe und besucht mich, wenn sie Zeit hat. Ich wünsche mir nur, daß ich gesund bleibe und nie ins Altersheim muß.

Wilhelm Preuß, 74 Jahre

Unser Diskussionsthema für nächste Woche: Wann darf ein Kind allein in den Urlaub fahren? Schreiben Sie uns Ihre Meinung, und schicken Sie ein Foto mit.

1. Wer meint was?

<table>
<tr><td></td><td>Herr ?</td><td>Frau ?</td></tr>
</table>

4.4

a) Alte Leute und Kinder können nicht gut zusammen leben.
b) Probleme mit den Großeltern sind nicht schlimm.
c) Alte Leute sollen nicht allein bleiben.
d) Alte Leute stören oft in der Familie.
e) Alte Leute gehören ins Altersheim.
f) Großeltern können viel für die Kinder tun.
g) Es ist schwierig, mit alten Leuten zusammen zu wohnen.
h) Großeltern gehören zur Familie.
i) Manche Familien sind ohne Großeltern traurig.

2. Was schreibt Herr Preuß? Erzählen Sie.

4.1a), b)

> Seit seine Frau tot ist, lebt er ganz allein.
> Er möchte nicht bei seiner Tochter in Stuttgart wohnen, denn ...

Reflexivpronomen

| Ich | ärgere | mich. | Akku- |
| Er/Sie | ärgert | sich. | sativ |

(sich ausziehen, waschen, beschweren, unterhalten, jung fühlen)

| Ich | helfe | mir. | |
| Er/Sie | hilft | sich. | Dativ |

(sich wünschen, Essen kochen, Wäsche waschen)

Erzählen Sie auch, was die anderen Personen sagen.

3. Sollen Großeltern, Eltern und Kinder zusammen in einem Haus leben?

Was meinen Sie? Diskutieren Sie im Kurs.

Ja,	weil ...	das Familienleben stören nicht allein sein Probleme bekommen
Nein,	wenn ...	aktiv sein wichtig für die Kinder sein krank sein weiterarbeiten
	obwohl ...	mit den Kindern spielen den Kindern helfen
	aber ...	Platz im Haus haben
		die Eltern lieben Streit bekommen sich jung fühlen gesund sein

Ein schöner Lebensabend

Im Seniorenheim »Abendfrieden« wird dieser Wunsch wahr. In hellen, freundlichen Kleinappartements, zum Teil mit Balkon, können unsere Pensionäre sich so einrichten, wie sie gern möchten – mit ihren eigenen Möbeln. Allein ist man bei uns nur dann, wenn man allein sein möchte. Eine Krankenschwester und ein Arzt sind immer da, wenn Hilfe gebraucht wird.

Schreiben Sie für nähere Informationen an
**Seniorenheim »Abendfrieden«, Sekretariat
Friedrichstraße 7, 7000 Stuttgart 12**

Was heißt alt ? Ich bin 278 Jahre jung!

1. Seniorentreffen

A. Hören Sie die Gespräche von der Cassette.

B. Notieren Sie die Angaben zu jeder der 4 Personen.

a) Wie alt sind die drei Rentner und die Rentnerin?
b) Welchen Beruf hatten die Personen früher?
c) In welchem Alter haben sie aufgehört zu arbeiten?
d) Wieviel Rente bekommen sie im Monat?
e) Wohnen sie im Altersheim, bei ihren Kindern oder in einer eigenen Wohnung?
f) Sind sie verheiratet, ledig oder verwitwet?

Rentenversicherung in der Krise

Die Rentenversicherung wird in den nächsten 50 Jahren große Probleme haben. Weil die Deutschen immer früher Rente bekommen (1983 durchschnittlich mit 59 Jahren) und es immer mehr alte Menschen über 60 gibt, muß die Rentenversicherung unbedingt *sparen. Es gibt zwei Lösungen: Entweder die Arbeitnehmer und die Arbeitgeber zahlen mehr für die Rentenversicherung (1983 je 9,25 Prozent des Monatsgehalts) oder die Rentner bekommen weniger Rente (1983 durchschnittlich 45 Prozent des Monatsgehalts).*

2. Rechnen Sie.

Wie hoch ist eine Rente durchschnittlich, wenn man 3000,– DM verdient? Wieviel Rentenversicherung muß ein Arbeitnehmer ungefähr bezahlen, wenn er 3000,– DM verdient?

3. Diskutieren Sie.

Wie kann man die Probleme der Rentenversicherung vielleicht lösen? Sie können folgende Wörter und Sätze verwenden.

Man kann ... Ich würde ... Ich schlage vor/meine, daß ... Sicher, das geht, aber ... Ich finde es │ besser, wenn ... Es wäre Das ist keine gute Lösung, │ weil ... Das ist Unsinn,	selbst Geld für das Alter sparen mehr Kinder bekommen die Familie soll den alten Leuten Geld geben höhere Beiträge verlangen arbeiten bis 70 Jahre weniger Rente bekommen weniger Geld für die │ Armee │ ausgeben │ Kultur │ │ ... │

Endlich ist mein Mann zu Hause

Herr Bauer, 64, war Möbelschreiner. Vor einem Jahr ist er in Rente gegangen. Was tut ein Mann, wenn er endlich nicht mehr arbeiten muß? Er wird Chef im Haus, wo vorher die Frau regierte. Wie das aussieht, erzählt (nicht ganz ernst) Frau Bauer.

So lebte ich, bevor mein Mann Rentner wurde: Neben dem Haushalt hatte ich viel Zeit zum Lesen, Klavier spielen und für alle anderen Dinge, die Spaß machen. Mit meinem alten Auto (extra für mich) fühlte ich mich frei. Ich konnte damit schnell ins Schwimmbad, in die Stadt zum Einkaufen oder zu einer Freundin fahren.

Heute ist das alles anders: Wir haben natürlich nur noch ein Auto. Denn mein Mann meint, wir müssen jetzt sparen, weil wir weniger Geld haben. Deshalb bleibt das Auto auch meistens in der Garage. Meine Einkäufe mache ich jetzt mit dem Fahrrad oder zu Fuß. Ziemlich anstrengend, finde ich. Aber gesund, meint mein Mann. In der Küche muß ich mich beeilen, weil das Mittagessen um 12 Uhr fertig sein muß. Ich habe nur noch selten Zeit, morgens die Zeitung zu lesen. Das macht jetzt mein Mann. Während er schläft, backe ich nach dem Mittagessen noch einen Kuchen (mein Mann findet den Kuchen aus der Bäckerei zu teuer) und räume die Küche auf.

Weil ihm als Rentner seine Arbeit fehlt, sucht er jetzt immer welche. Er schneidet die Anzeigen der Supermärkte aus der Zeitung aus und schreibt auf einen Zettel, wo ich was am billigsten kaufen kann. Und als alter Handwerker repariert er natürlich ständig etwas: Letzte Woche einen alten Elektroofen und fünf Steckdosen. Oder er arbeitet im Hof und baut Holzregale für das Gästezimmer unter dem Dach. Ich finde das eigentlich ganz gut. Aber leider braucht er wie in seinem alten Beruf einen Assistenten, der tun muß, was er sagt. Dieser Assistent bin jetzt ich. Den ganzen Tag höre ich: »Wo ist...?«, »Wo hast du...?«, »Komm doch mal!«, »Wo bist du denn?« Immer muß ich etwas für ihn tun. Eine Arbeit muß der Rentner haben!

So sieht Frau Bauer die neue Situation.

Was glauben Sie, was würde wohl Herr Bauer schreiben? Worüber ärgert er sich? Worüber regt er sich auf?

4.3

1. „Immer will er etwas!"

Erika, ich brauche das Werkzeug.
Bringst du mir das mal?

Ich backe gerade einen Kuchen. Kannst du es Dir nicht selbst holen?

<u>Personalpronomen</u>
Bringst du es mir?
Bringst du mir das?
<u>Definitpronomen</u>

Antja! Kannst du mir das bringen?

Moment! Ich bringe es Dir gleich.

| Pflaster | Farbe | Papier | Seife | Zigaretten | Holz | Brille | bringen suchen holen geben |
| Öl | Kugelschreiber | Lampe | Bleistift | Bürste | Messer | | |

2. Sicher kennen Sie auch alte Leute in Ihrem Land.

Wie leben sie? Was machen sie?

morgens
mittags
nachmittags
abends
jeden Tag
immer
gewöhnlich
manchmal
meistens
oft

im Garten arbeiten   viel schlafen   sich mit | Freunden | treffen
Bekannten
auf die Kinder aufpassen   Verwandte besuchen   viel reisen
telefonieren
allein sein   den Kindern helfen   Karten spielen
Musik hören
Briefe schreiben   immer zu Hause bleiben
Spaziergänge machen   sich unterhalten   lesen
in einem ...-Verein sein   noch arbeiten   viel Besuch haben

Leute von heute

HEINRICH WINTER, Rentner, sucht jetzt, nach vierzig Jahren Büroarbeit als Versicherungskaufmann, Freiheit und Abenteuer. Er hat sein Haus in Michelstadt und seine Möbel verkauft und fährt jetzt mit einem gebrauchten Wohnwagen und einem Kanu durch Afrika. Er will dabei »kein einziges Mal an Europa oder an Deutschland denken«.

KIRSTEN SÖRENSEN, frisch verheiratete Laborantin, und ihr Mann Jens Nielsen, starteten fliegend in die Ehe:

Im Moment macht er eine Foto-safari.

△ Der ist doch ein bißchen verrückt, findest du nicht? So könnte ich nicht leben, wenn ich alt wäre.

○ Na ja, ich finde die Idee gar nicht so schlecht. Was würdest du denn machen, wenn du Rentner wärst?

△ Ich glaube, ich würde jeden Tag lange schlafen und viele Bücher lesen.

○ Dazu hätte ich auch Lust. – Oder ich würde mir ein Haus am Meer kaufen und viel spazieren gehen.

Das ist doch Unsinn. Wie kann man nur so etwas machen? Ich würde das nie machen! So eine verrückte Idee!	Mir gefällt das. Warum soll er das nicht machen? Wie möchtest du denn später leben? Was würdest du denn als Rentner machen?

Ich würde | alte Autos reparieren.
im Garten arbeiten.
ein Buch schreiben.
immer im Café sitzen.
. . .

Das würde ich auch gerne.
Das würde mir auch gefallen.
Vielleicht würde ich auch

eine neue Sprache lernen.
jeden Tag schwimmen gehen.
einen großen Hund kaufen.
. . .

B3

In einem Hamburger »Tanzsalon« haben sie sich 1910 kennengelernt und noch vor dem Ersten Weltkrieg geheiratet: Marianna und Adolf Jancik. Als Schlosser hatte er damals einen Wochenlohn von 38 Mark. »Wenn du deine Arbeit hast, dein Essen und Trinken: Was soll da schwierig sein«, sagt der 93jährige im Rückblick auf seine lange Ehe. Seine 90jährige Frau ist stolz auf ihren Eherekord: »70 Jahre lang jeden Tag Essen kochen – das soll mir erst einer nachmachen!« Das Erinnerungsfoto stammt von der goldenen Hochzeit der beiden im Jahr 1964.

»DIE EIS

Viele Paare feiern nach 25 Ehejahren die »Silberne Hochzeit«, nur noch wenige nach 50 Ehejahren die »Goldene Hochzeit«. Und ganz wenige Glückliche können nach 65 gemeinsam erlebten Jahren die »Eiserne Hochzeit« feiern. Unser Reporter hat drei »eiserne« Paare besucht und mit ihnen gesprochen.

»Liebe Ilona! Glaube mir, ich liebe immer nur Dich. Dein Xaver«. Das hat Xaver Dengler seiner späteren Frau 1912 auf einer Postkarte geschrieben. Die »Liebe für immer« haben schon viele Männer versprochen, aber Xaver Dengler ist nach 70 Jahren wirklich noch mit seiner Ilona zusammen. Sie sitzen in ihrer Drei-Zimmer-Wohnung und lesen ihre alten Liebesbriefe. »Ich hätte keinen anderen Mann geheiratet«, sagt Ilona. »Und ich keine andere Frau«, sagt Xaver. Als sie sich kennenlernten, war sie 14 Jahre alt und er 18. »Das war so«, erzählt Frau Dengler, »meine Schwester und ich konnten schön singen. Wir haben im Garten vor unserem Haus gesessen. Und da ist der Xaver mit einem Freund vorbeigekommen. Sie haben zugehört, wie wir gesungen haben, und dann haben sie gefragt, ob sie sich zu uns setzen dürfen. So hat alles angefangen.« »Ja, das ist wahr«, sagt er und lacht,

»Bei uns kann man wirklich sagen, es war Liebe auf den ersten Blick«, meint Heinrich Rose. Als er und seine spätere Frau Margarethe sich im Jahr 1921 verlobten, war er noch Student. Zwei Jahre später, bei der Hochzeit, arbeitete er schon als Jurist bei einer Bank.

So gut er kann, hilft der 88jährige seiner 87jährigen Frau im Haushalt. Seine Liebeserklärung heute: »Ich würd' dich noch mal heiraten, bestimmt…« Die längste Zeit der Trennung in über 60 Ehejahren? »Sieben Tage warst du einmal allein verreist«, sagt sie, »eine schreckliche Woche!«

ERNEN«

»aber mich habt ihr nie mitsingen lassen.«
Als sie 1916 heirateten, war das erste Kind schon da. »Die Leute im Dorf haben natürlich geredet, aber meine Familie hat es Gott sei Dank akzeptiert. Es war damals Krieg. Wir mußten warten, bis Xaver Heiratsurlaub bekam«, erzählt Frau Dengler. »Ganz so ungewöhnlich war das damals wohl nicht«, meint Herr Dengler. »Die Leute haben es schon verstanden. Nur, geredet haben sie trotzdem.«
70 gemeinsame Jahre – waren Ilona und Xaver das ide-

ale Ehepaar? Eine Traumehe war es wohl nicht. »Er ist jeden Sonntag zum Wandern in die Berge gegangen, und ich war allein zu Hause mit den Kindern. Beim Wandern waren auch Mädchen dabei, das habe ich gewußt. Da habe ich mich manchmal geärgert. Ob er eine Freundin hatte, weiß ich nicht. Ich habe ihn nie gefragt.« Xaver: »Ich hätte es dir auch nicht gesagt. Aber wir beide haben uns doch immer gern gehabt.« Streit haben sie nie gehabt, sagen Xaver und Ilona. Nur einmal, aber das war schnell vorbei. »Ja, du

warst immer ein guter Mann, Xaver«, sagt Ilona.
Was kann man sich noch erzählen, wenn man schon 65 Jahre lang verheiratet ist? Für die Denglers ist das offenbar kein Problem. Ihre Tochter, die bei ihnen wohnt, hört die alten Leute im Bett oft noch stundenlang reden.

B3

1. Was sagen die alten Leute?

a) über ihre Ehepartner?   b) über ihre Ehe?   c) über ihr gemeinsames Leben?

2. Was steht im Text über Xaver und Ilona? Erzählen Sie im Kurs. Hier sind Stichworte.

> – schon 70 Jahre – immer noch – Alter, als sie sich kennenlernten – wie kennengelernt? – Kind schon vor der Ehe – Traumehe? – Wochenende allein – Freundin – Streit – sich viel erzählen – . . .

Xaver und Ilona haben sich vor 70 Jahren kennengelernt. Jetzt sind sie . . .

3. Kürzen Sie den Text über Xaver und Ilona.

Kürzen Sie den Text so, daß er nicht länger ist als die Texte zu den beiden anderen Paaren.

4. Nach wie vielen Ehejahren feiert man in Ihrem Land ein Familienfest?

Auch nach 25, 50 und 65 Jahren? Wie heißen diese Feste?

4.2

5. Auch eine Liebesgeschichte

Ich bin 65 Jahre alt und fühle mich seit dem Tod meiner Frau sehr einsam. Welche liebe Dame (Nichtraucherin) möchte sich einmal mit mir treffen? Ich bin ein guter Tänzer, wandere gern und habe ein schönes Haus im Grünen.
Tel. 77 53 75

Erzählen Sie die Liebesgeschichte. Verwenden Sie folgende Wörter.

Am Anfang	Deshalb
Dann	Schließlich
Später	Am Schluß

sich verabredet
sich verlobt
sich besucht
sich beim Tanzen getroffen
sich gestritten
sich nicht mehr geliebt
sich verliebt

Die Gefährlichkeit der Rasensprenger (9)

Und dann ging alles sehr schnell. Am Montag, schon um halb acht Uhr morgens, hielt vor dem Hause der Gottschalks ein großer Lastwagen. Arbeiter fingen an, schwere Steine in den Garten zu tragen. Die Kinder waren schon auf dem Weg zur Schule, Lilo war im Bad, und Walter wollte gerade frühstücken.

»Hören Sie!« sagte er zu einem der Arbeiter, der offenbar die Anweisungen gab, »Was soll das? Wer sind Sie überhaupt?«

»Und wer sind Sie?« fragte der Arbeiter.

»Gottschalk ist mein Name!«

»Ah, gut, daß Sie da sind«, sagte der Arbeiter, »dann können Sie uns gleich sagen, ob Sie oben auf der Mauer Stacheldraht haben wollen. Der Meter siebzehn Mark achtzig, inklusive Installation, ohne Mehrwertsteuer.«

»Was denn… was denn für eine Mauer…« stammelte Walter.

In diesem Augenblick kam Herr Silberberg, der Mitarbeiter von Herrn Willeke.

»Alles klar?« fragte er den Arbeiter.

»Die Erde ist ziemlich locker«, sagte der Arbeiter, »ich denke, daß wir einen halben Meter Tiefe brauchen für das Betonfundament.«

»Herr Silberberg…!« Walters Stimme zitterte, »wollen Sie mir nicht endlich erklären…«

»Das sind die Leute der Firma Hartmann«, sagte Herr Silberberg trocken, »spezialisiert auf den Bau von Schutzmauern. Sie brauchen eine Höhe von vier Metern – so sind die Sicherheitsvorschriften für Atom-Aggregate.«

Walter rief in seinem Büro an und meldete sich krank. Am Dienstag war die Mauer schon einen Meter hoch, am Mittwochmittag zwei Meter fünfzig. Walter dachte daran, daß er sich am späten Mittwochnachmittag mit seinem Nachbarn Köhler treffen wollte, am Zaun. Aber es war zu spät. Die Mauer war schon so hoch, daß eine Verständigung nicht mehr möglich war. »Ist ja auch egal«, dachte Walter.

Der Garten sah aus wie nach einem Krieg: überall Löcher, Steine und Betonreste, Sträucher und Blumen ausgerissen.

In der Nacht von Mittwoch auf Donnerstag schlief Walter sehr schlecht. Als er gegen 9 Uhr zum Frühstück kam, war der Tisch leer. Nur Oma, Lilos Mutter, saß am Tisch und trank ihren Tee.

»Lilo ist mit den Kindern aufs Land gefahren, zu ihrer Schwester«, sagte Oma. »Sie haben das Wichtigste mitgenommen. Ich soll dir sagen, daß es ihr leid tut.«

Walter nickte müde.

»Ich verstehe… Und du? Bist du wegen mir geblieben?«

»Nein«, sagte die alte Frau, »ich mag nicht mehr fliehen. Ich möchte, wenn es möglich ist, gern in meinem Zimmer bleiben.«

Fortsetzung folgt

Nur Oma, Lilos Mutter, saß am Tisch und trank ihren Tee.

A

Lektion 5

LE PENSEUR

Reime-Baukasten

A Reime mit »...end/...ant«

a) Mein Boot liegt dort unten am Strand.
b) Schon zieht der Sommer übers Land.
c) Weich und warm ist hier der Sand.
d) Die blaue Blume in deiner Hand.
e) Ein Bild von dir an meiner Wand.
f) Du weißt, daß ich es nie verstand.
g) Wo gestern Baum und Haus noch stand.
h) Du glaubst, du hättest mich gekannt.

B Reime mit »...eit/...eid«

a) Hast du heute für mich Zeit?
b) Der Frühling trägt ein buntes Kleid.
c) Der Fluß ist hier so tief und breit.
d) Bis morgen haben wir noch Zeit.
e) Meine Worte tun mir leid.
f) Noch sieben Stunden. Der Weg ist weit.
g) Hörst du die Vögel? Sie haben Streit.
h) Ein Kind ruft laut: »Es schneit! Es schneit!«

C Reime mit »...ir/...ihr/...ier«

a) Ich bin schon seit zwei Jahren hier.
b) Vor mir liegt ein Brief von dir.
c) Ich bin allein. Du bist nicht hier.
e) Ich sehe Fische unter mir.
e) Gehört der kleine Hund zu ihr?
f) Mein Abendessen: drei Glas Bier.
g) Ich zähle die Wolken. Es sind nur vier.
h) Die Stadt ist leer. Kein Mensch, kein Tier.

1. Machen Sie aus den Sätzen kleine Gedichte.

Finden Sie auch einen Titel. Zum Beispiel:

Allein im Sommer
Vor mir liegt ein Brief von dir.
Du glaubst, du hättest mich gekannt.
Ich zähle die Wolken. Es sind nur vier.
Schon zieht der Sommer übers Land.

2. Sie können die Reime auch anders ordnen.

Zum Beispiel:

. . . Land		. . . Land		. . . Wand
. . . Wand	oder	. . . hier	oder	. . . stand
. . . hier		. . . vier		. . . Hand
. . . vier		. . . Wand		. . . Sand

3. Wenn Sie möchten, verändern Sie die Sätze.

Zum Beispiel:

Mein Haus steht dort unten am Strand.
Ich liege mit dir am Strand.
Kommst du mit an den Strand?
. . .

4. Machen Sie selbst noch neue Reime dazu.

Zum Beispiel mit:

. . . Mai
. . . . frei
. . . . vorbei
. . . . zwei
. . . . drei

Ist der Winter erst vorbei, fliegt die Hexe in den Mai.

B1

2

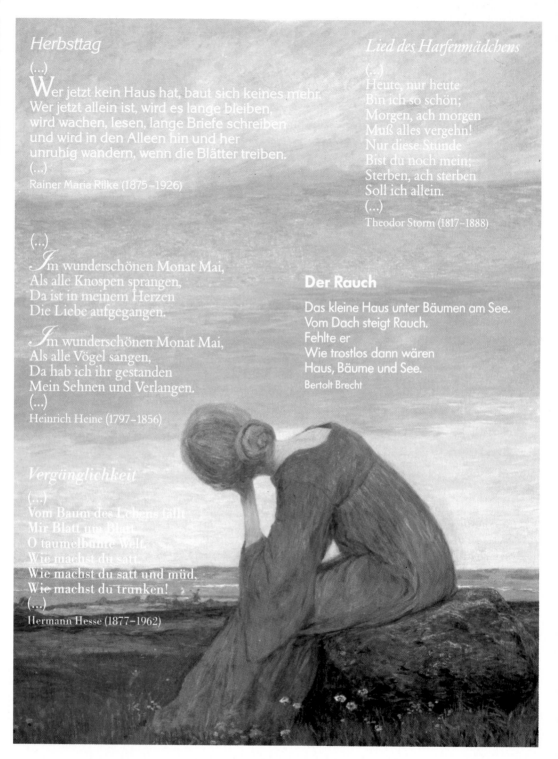

Herbsttag

(...)

Wer jetzt kein Haus hat, baut sich keines mehr.
Wer jetzt allein ist, wird es lange bleiben,
wird wachen, lesen, lange Briefe schreiben
und wird in den Alleen hin und her
unruhig wandern, wenn die Blätter treiben.
(...)

Rainer Maria Rilke (1875–1926)

(...)

Im wunderschönen Monat Mai,
Als alle Knospen sprangen,
Da ist in meinem Herzen
Die Liebe aufgegangen.

Im wunderschönen Monat Mai,
Als alle Vögel sangen,
Da hab ich ihr gestanden
Mein Sehnen und Verlangen.
(...)

Heinrich Heine (1797–1856)

Vergänglichkeit

(...)

Vom Baum des Lebens fällt
Mir Blatt um Blatt,
O taumelbunte Welt,
Wie machst du satt,
Wie machst du satt und müd,
Wie machst du trunken!
(...)

Hermann Hesse (1877–1962)

Lied des Harfenmädchens

(...)

Heute, nur heute
Bin ich so schön;
Morgen, ach morgen
Muß alles vergehn!
Nur diese Stunde
Bist du noch mein;
Sterben, ach sterben
Soll ich allein.
(...)

Theodor Storm (1817–1888)

Der Rauch

Das kleine Haus unter Bäumen am See.
Vom Dach steigt Rauch.
Fehlte er
Wie trostlos dann wären
Haus, Bäume und See.

Bertolt Brecht

Buch-Boutique

Fotos sind bestimmt schön, aber erst Filme bringen Leben ins Bild. Mit einer eigenen Filmkamera kann heute jeder seine Filme billig selbst machen. Das Buch erklärt die Unterschiede zwischen den Kameras und zeigt Ihnen, was Sie damit alles machen können.

Hohe Berge, schöne Dörfer und Sonne. Das suchen alle Touristen in dem wunderbaren Urlaubsland im Norden Italiens. Aber sie kommen auch wegen seiner Kirchen, Burgen, Klöster und Museen. Dieses Buch zeigt Ihnen den Weg dorthin und gibt Ihnen alle Informationen, die Sie brauchen.

Die meisten Leute sind heute zu bequem. Sie sitzen zu viel, fahren U-Bahn, Straßenbahn oder Auto statt zu Fuß zu gehen, sie steigen keine Treppen mehr, sondern nehmen den Aufzug. Deshalb sollte man in seiner Freizeit mehr Sport treiben. Dieses Buch gibt allen Leuten Tips, die nicht in einem Sportverein sind, aber trotzdem mehr tun wollen als nur spazierengehen.

Die Liebe geht durch den Magen, sagt man. Deshalb finden Sie in diesem Kochbuch die bekanntesten Gerichte für Feste und Feiertage. Die Rezepte sind so leicht erklärt, daß jede Hausfrau die Gerichte selbst kochen kann.

In diesem weltbekannten Kunstmuseum aus der Zeit von Peter dem Großen und Katharina II. gibt es heute über 8000 Gemälde und 40000 Handzeichnungen weltbekannter Maler. Die schönsten und wichtigsten davon finden Sie in diesem Buch.

Hercule Poirot sitzt am Frühstückstisch, da bekommt er Besuch von einer jungen Dame, die ihn sprechen möchte, weil sie »vielleicht« einen Mord begangen habe. Da bleibt sogar ein Hercule Poirot nicht beim Frühstück sitzen… Passen Sie auf, daß Ihr Kaffee nicht kalt wird, wenn Sie diesen Kriminalroman zur Hand nehmen!

1. Welcher Text gehört zu welchem Buch?

2. Welches Buch ist ein:

Hobby-Buch, Reisebuch, Kriminalroman, Kochbuch, Kunstbuch, Sportbuch?

3. Was lesen Sie am liebsten?

Warum? Wann und wie oft lesen Sie? Woher bekommen Sie die Bücher?

Bücher sind meine besten Freunde.

Ich lese viel für mein Studium.

Ich lese jeden Tag die Zeitung und sonst nichts.

Ich lese nicht gerne, ich höre lieber Radio.

Ich habe wenig Zeit zum Lesen.

Wenn ich viel lese, bekomme ich Kopfschmerzen.

Ich mag am liebsten Comics.

Ich habe als Kind viel gelesen, aber heute nicht mehr.

Ich muß für meinen Beruf viel lesen.

Ich lese nur im Urlaub.

Ich kaufe viele Bücher.

Ich hole mir Bücher aus der Bücherei.

4. Wo lesen Sie?

in der Bibliothek	weil	besser einschlafen
im Café auf der Toilette		können Zeit haben
zu Hause		Ruhe brauchen
in der Badewanne		nicht gestört werden
im Park in der U-Bahn		frische Luft haben
im Bett am Strand …		allein sein …

Ich lese meistens
in der U-Bahn, weil
ich dann Zeit habe.

5. Welches Buch haben Sie in der letzten Zeit gelesen?

Erinnern Sie sich noch an den Inhalt? Schreiben Sie auf einen Zettel, was Sie noch wissen, und erzählen Sie dann im Kurs.

Michael Ende MOMO

Thienemann

Die Zeit, das sind Minuten, Stunden, Tage, Jahre, aber niemand weiß, was die Zeit wirklich ist.

Die Zeit, die »in den Herzen der Menschen wohnt«, ist das Thema des Romans MOMO – ein Roman aus dem Reich der Phantasie.

Das Mädchen Momo lebt in einem alten Amphitheater in der Nähe einer Großstadt im Süden Europas. Sie ist eines Tages einfach da, und niemand weiß, woher sie kommt.

Momo und ihre Freunde sind arm, aber sie haben ein schönes Leben – bis die »grauen Herren« kommen. Seit es die »grauen Herren« gibt, sparen die Menschen Zeit, und diese gesparte Lebenszeit stehlen die »grauen Herren«. Das Leben der Menschen wird immer kälter, niemand hat mehr Zeit für sich und seine Freunde. Bald gehört die ganze Welt den »grauen Herren«.

Da findet Momo den »Meister Hora«, den geheimnisvollen »Verwalter der Zeit«. Er will der Welt helfen, aber er braucht dazu ein Menschenkind.

Die Welt steht für eine Stunde still. Soviel Zeit hat Momo, um gegen die Armee der »grauen Herren« zu kämpfen.

Von »Momo« erscheinen Übersetzungen in folgenden Sprachen: Afrikaans, Bulgarisch, Dänisch, Englisch (Weltrechte), Finnisch, Französisch, Hebräisch, Holländisch, Italienisch, Japanisch, Koreanisch, Litauisch, Norwegisch, Polnisch, Portugiesisch, Rumänisch, Russisch, Schwedisch, Serbokroatisch, Slowakisch, Slowenisch, Spanisch, Tschechisch.
Gesamtausstattung MICHAEL ENDE in Rom.
23. Auflage. 612. Tausend.

Bestseller August 1983

BELLETRISTIK

1 Eco: Der Name der Rose
Hanser; 39,80 Mark   (1)

2 Ende: Die unendliche Geschichte
Thienemanns; 32 Mark   (2)

3 Ende: Momo
Thienemanns; 22 Mark   (3)

4 Allert-Wybranietz: Trotz alledem
Lucy Körner; 12 Mark   (4)

5 Allert-Wybranietz: Liebe Grüße
Lucy Körner; 12 Mark   (5)

6 Wolf: Kassandra
Luchterhand; 22 Mark   (7)

7 Simmel: Bitte laßt die Blumen leben
Droemer; 36 Mark   (6)

8 Tolkien: Der Herr der Ringe
Klett-Cotta; 45 Mark   (8)

Bestseller September 1981

BELLETRISTIK

1 Ende: Die unendliche Geschichte
Thienemanns; 29,80 Mark

2 Ende: Momo
Thienemanns; 19,80 Mark

3 Fernau: Sprechen wir über Preußen
Herbig; 28 Mark

4 Bredow: Deine Keile kr... doch
Scherz; 29,80 Mark

...

Eines Mittags kamen einige Männer und Frauen aus der näheren Umgebung zu ihr und versuchten sie auszufragen. Momo stand ihnen gegenüber und guckte sie ängstlich an, weil sie fürchtete, die Leute würden sie wegjagen. Aber sie merkte bald, daß es freundliche Leute waren. Sie waren selber arm und kannten das Leben.

angucken: ansehen, anschauen
fürchten: Angst haben
wegjagen: sagen »Geh weg!«

»So«, sagte einer der Männer, »hier gefällt es dir also?«

»Ja«, antwortete Momo.

»Und du willst hier bleiben?«

»Ja, gern.«

»Aber wirst du denn nirgendwo erwartet?«

nirgendwo: an keinem Ort

»Nein.«

»Ich meine, mußt du denn nicht wieder nach Hause?«

»Ich bin hier zu Hause«, versicherte Momo schnell.

»Wo kommst du denn her, Kind?«

Momo machte mit der Hand eine unbestimmte Bewegung, die irgendwohin in die Ferne deutete.

Ferne: Ort, der weit weg ist
deuten: mit dem Finger zeigen

»Wer sind denn deine Eltern?« forschte der Mann weiter.

Das Kind schaute ihn und die anderen Leute ratlos an und hob ein wenig die Schultern. Die Leute tauschten Blicke und seufzten.

Blicke tauschen: einer sieht den anderen an

»Du brauchst keine Angst zu haben«, fuhr der Mann fort, »wir wollen dich nicht vertreiben. Wir wollen dir helfen.«

vertreiben: wegjagen

Momo nickte stumm, aber noch nicht ganz überzeugt.

nicken: mit dem Kopf »ja« sagen
stumm: ohne etwas zu sagen

»Du sagst, daß du Momo heißt, nicht wahr?«

»Ja.«

»Das ist ein hübscher Name, aber ich hab' ihn noch nie gehört. Wer hat dir denn den Namen gegeben?«

»Ich«, sagte Momo.

»Du hast dich selbst so genannt?«

»Ja.«

»Wann bist du denn geboren?«

Momo überlegte und sagte schließlich: »Soweit ich mich erinnern kann, war ich immer schon da.«

überlegen: denken, nachdenken

»Hast du denn keine Tante, keinen Onkel, keine Großmutter, überhaupt keine Familie, wo du hin kannst?«

Momo schaute den Mann nur an und schwieg eine Weile. Dann *Weile: kurze Zeit*
murmelte sie: »Ich bin hier zu Hause.« *murmeln: ganz leise sprechen*

»Na ja«, meinte der Mann, »aber du bist doch ein Kind – wie alt bist
du eigentlich?«

»Hundert«, sagte Momo zögernd. *zögernd: langsam*

Die Leute lachten, weil sie es für einen Spaß hielten.

»Also, ernsthaft, wie alt bist du?«

»Hundertzwei«, antwortete Momo, noch ein wenig unsicherer.

…

»Sag mal«, fragte sie schließlich, »was *ist* denn die Zeit eigentlich?«

»Das hast du doch gerade selbst herausgefunden«, antwortete *selbst herausfinden: selbst*
Meister Hora. *eine Antwort oder Lösung finden*

»Nein, ich meine«, erklärte Momo, »die Zeit selbst – sie muß doch
irgend etwas sein. Es gibt sie doch. Was ist sie denn wirklich?«

»Es wäre schön«, sagte Meister Hora, »wenn du auch das selbst
beantworten könntest.«

Momo überlegte lange.

»Sie ist da«, murmelte sie gedankenverloren, »das ist jedenfalls
sicher. Aber anfassen kann man sie nicht. Und festhalten auch
nicht. Vielleicht ist sie so was wie ein Duft? Aber sie ist auch etwas, *Duft: zum Beispiel ein Parfum*
das immerzu vorbeigeht. Also muß sie auch irgendwo herkommen.
Vielleicht ist sie so was wie der Wind? Oder nein! Jetzt weiß ich's!
Vielleicht ist sie eine Art Musik, die man bloß nicht hört, weil sie
immer da ist. Obwohl, ich glaub', ich hab' sie schon manchmal
gehört, ganz leise.«

…

Meister Hora nickte langsam. Er blickte Momo lange an, dann *anblicken: ansehen*
fragte er: »Möchtest du sehen, wo die Zeit herkommt?«

»Ja«, flüsterte sie. *flüstern: ganz leise sprechen*

»Ich werde dich hinführen«, sagte Meister Hora. »Aber an jenem
Ort muß man schweigen. Man darf nichts fragen und nichts sagen. *schweigen: nichts sagen*
Versprichst du mir das?«

Momo nickte stumm.

…

1. Wo stehen diese drei Textteile im Buch?

Was glauben Sie? Am Anfang, in der Mitte, am Schluß?

2. Vergleichen Sie die drei Textteile mit der Zusammenfassung auf Seite 59.

Wozu passen sie?

3. Was, glauben Sie, zeigt Meister Hora Momo? Wie sieht der Ort der Zeit wohl aus?

Eine Schulklasse, die MOMO
im Unterricht gelesen hat,
hat einen Brief an den Autor
Michael Ende geschrieben.

Lieber Herr M. Ende!
Wir haben ein paar Fragen an Sie:
Haben Sie Tag und Nacht an dem Buch
gearbeitet? Haben Sie Zeit? Wie sind
Sie auf den Namen "Momo" gekommen?
Haben Sie die Geschichte selbst erlebt?
Wie sind Sie darauf gekommen, das Buch
zu schreiben? Haben Sie noch Zeit für
Ihre Frau, Kinder und Freunde? Haben
Sie Zeit, uns die Fragen zu beantworten?

In seinem Antwortbrief schreibt Michael Ende:

1. Nein, ich habe natürlich nicht Tag und Nacht an dem Buch geschrieben.
   Der größte Teil der Arbeit eines Schriftstellers besteht gar nicht im
   eigentlichen Schreiben, sondern im Nachdenken. Denn erst muß man ja einmal wissen, was man schreiben soll. Das dauert oft lang, man braucht
   viel Geduld, bis einem das Richtige einfällt. Das Niederschreiben geht
   dann meistens ziemlich rasch.

2. Ja, ich habe Zeit für alles, was ich wichtig finde. Manchmal muß man
   sich auch zwischen mehreren Dingen für das wichtigste entscheiden. Aber
   dann muß man es mit Liebe und ohne Hetze tun.

3. Den Namen "Momo" hat Momo selbst gesagt, als ich von ihr schrieb. Das
   passiert manchmal, daß für einen Schriftsteller eine seiner Personen so
   lebendig wird, daß sie in seiner Phantasie zu reden anfängt.

4. Ich habe mir die Geschichte ausgedacht und habe sie trotzdem selbst erlebt. Ich weiß nicht, wie ich Euch das erklären soll. Phantasie ist ja
   auch etwas, was man erlebt. Davon handelt gerade mein nächstes Buch "Die
   unendliche Geschichte".

5. Ich bin darauf gekommen, das Buch "Momo" zu schreiben, weil ich mich darüber gewundert habe, daß alle Menschen immerfort Zeit sparen und trotzdem (oder gerade deshalb) immer weniger haben.

6. Kinder habe ich keine (leider), aber eine Frau und viele Tiere (Hund,
   Katze, Schildkröten, Fische) und auch Freunde, die mich besuchen. Und
   natürlich habe ich Zeit für sie alle.

7. Und ich habe Zeit, Eure Fragen zu beantworten - wie Ihr seht!

Mit herzlichen Grüßen

Euer Michael Ende

1. Wie gefällt Ihnen Momo? Möchten Sie gerne das ganze Buch lesen?

2. Welche Fragen hätten Sie an einen Autor?

C

Die Gefährlichkeit der Rasensprenger (10)

Titan, der Rasensprenger der dritten Generation, wog zwei Tonnen und kostete ein Vermögen. Um ihn auf dem Grundstück aufzustellen – dort, wo einmal ein Rasen war – mußten eine Tanne und ein Apfelbaum verschwinden. Als der Koloß endlich stand, kamen die Techniker und Spezialisten. Sie legten Kabel durchs ganze Haus und installierten im Wohnzimmer das Steuergerät mit Hunderten von Schaltern und Knöpfen, die nur Techniker und Spezialisten bedienen konnten.

Die Techniker und Spezialisten besetzten alle Zimmer. Sie wollten auch Omas Zimmer besetzen – aus sachlichen und strategischen Gründen, wie sie sagten. Aber Walter hatte gerade noch die Zeit und die Kraft, das Zimmer abzuschließen und den Schlüssel wegzuwerfen.

Am Samstagnachmittag war Titan fertig installiert. Herr Silberberg kam, sah alles genau an, drückte hier einen Schalter, dort einen Knopf und sagte schließlich: »Okay!« Dann wandte er sich Walter zu:

»Wir können zufrieden sein, Herr Gottschalk, alles ist gut verlaufen. Jetzt können Sie wieder ruhig schlafen.«

»Vielleicht«, sagte Walter sehr müde, »aber wo?«

»Wo…?« Herr Silberberg zeigte zum ersten Mal so etwas wie ein Lächeln, »alle Probleme können wir für Sie auch nicht lösen.«

Walter nahm ein paar warme Decken und ging in den kleinen Schuppen, der hinten im Garten stand und in dem sich – außer allerlei Gartengerät – zum Glück auch eine alte Matratze befand. Er richtete sich ein, so gut es ging. Langsam kam der Abend, kam die Nacht. In seinem Haus gingen die Lichter an, aus allen Fenstern fiel Licht in den Garten. Von Zeit zu Zeit trat ein Techniker durch die Terrassentür ins Freie, zündete sich eine Zigarette an, ging auch mal um Titan herum und kehrte dann zu seinen Geräten ins Wohnzimmer zurück. Es sah fast so aus, als ob man im Haus ein kleines Fest feiern würde.

Nur Omas Fenster blieb dunkel.

Ein Glück, dachte Walter, daß sie mir den Geräteschuppen gelassen haben. Er legte sich auf die Matratze und schlief sofort ein.

Drei oder vier Stunden später, mitten in der Nacht, wachte Walter auf – von einem sonderbaren Geräusch. Zuerst wußte er nicht, woher dieses Geräusch kam. Es war ein tiefes, gleichmäßiges Brummen. Er stand auf, ging durch den Garten. Titan stand schwarz und schwer vor ihm – ein stummer Riese. Und jetzt wußte Walter: das Geräusch kam von nebenan, vom Grundstück seines Nachbarn Köhler, jenseits der vier Meter hohen Mauer.

Die Nacht war kalt. Walter fing an zu zittern. Er ging zurück in seinen Schuppen, legte sich unter die warmen Decken.

Es half nichts. Er hörte nicht auf zu zittern.

Ende

Es sah fast so aus, als ob man im Haus ein kleines Fest feiern würde.

B1

Wohnen...

1

...vor 10 000 Jahren

...vor 200 Jahren

...vor 1000 Jahren

...heute

...vor 500 Jahren

...in 100 Jahren?

1. Sehen Sie sich die Bilder genau an.

Woran sehen/erkennen Warum glauben	Sie, daß...

Aus welchem Material	sind	die Bauten?
	waren	die Möbel?

Womit hat man	geheizt?/gekocht?
	Licht gemacht?

Wozu braucht/brauchte man wohl...?
Seit wann gibt es...?

Beton   Öl   ...Stockwerke
Kunststoff   Erde   Stall   dicke Mauern
Kohle   Strom   Scheune
Stein   brennt leicht
Gas   Holz   Vieh   niedrige Räume
   Speicher
zuwenig Wärme

2. Wie baut man in Ihrem Land?

Wie wohnen Indianer, Eskimos, Beduinen,...? Welches sind die Vorteile und Nachteile der verschiedenen Bauformen?

Wo würden Sie am liebsten wohnen?

Ich würde am liebsten...
Für mich wäre....
Am besten würde es mir
gefallen,...zu...

Ich finde,...
Das Wichtigste wäre...
Meiner Ansicht nach...

...wäre es...
...könnte man...
...hätte man...

im obersten Stockwerk

innerhalb der Stadt

Neubau   Hochhaus

außerhalb der Stadt

Vorort   Altbau

am Fluß entlang spazierengehen

...ist | direkt | gegenüber
       | gleich | nebenan
       | | um die Ecke

nahe   ruhige Gegend

herrliche Aussicht

...liegt gegenüber dem Park

kurze Entfernungen zu...

6.1

Junge Familie mit Kind sucht 3-Zi.-Whg. bis ca. DM 800,– incl. im Anzeigenbereich (Ablöse kein Problem), S-Bahn nicht erforderlich. Tel. vormittags: (089) 39 17 26 od. abends: (089) 7 25 71 66

SOS, jg. Ehepaar, 2 Kinder, su. drgd. Haus, evtl. auf Leibrente, Miete incl. NK bis 1000,– DM, im S-Bahnbereich. Wer hat ein Herz für uns. Angebote Tel. (089) 40 88 47

Junge Familie mit 2 Kindern sucht Haus mit Garten zu mieten. Tel. (089) 72 49 43 03 (Mo.–Fr. 8–17 Uhr), priv. (073 92) 64 38 Wochenende

Junges Ehepaar sucht 2–3-Zi.-Wohnung m. Garten od. kleines Haus v. Privat. Tel. (089) 66 32 49

Wir vier (2 Frauen, 2 Kinder) suchen unser Traumhaus (gerne reparaturbedürftig). Tel. (0 81 41) 1 86 90

Bitte helfen Sie uns bei der Suche nach einer preiswerten 4- bis 5-Zi.-Whg. oder Haus mit Garten. Gesucht von einer jungen Fam., 2 Ki., in einer Gegend, in der man noch familiengerecht wohnen kann. Tel. (089) 87 95 42

Musiker-Ehepaar sucht Wohnung, kleines Haus od. Bauernhaus. Tel. (0 81 93) 77 88

Sprachenschülerin sucht ab sofort 1-Zi.-App. in FFB, Buchenau od. Puchheim, bis DM 300,– incl., seriöse Angebote unter Tel. (0 81 91) 7 02 25

Dringend: Suche unmöbl. Zimmer od. Wohngemeinschaft in Germ. für meinen 18jähr. Sohn. Tel. 84 36 89

Junger Mann sucht Zimmer i. Anzeigenbereich. Angebote erbeten an den Verlag unter Chiffre-Nr. 23276

Familie (3 Erw., 3 Kinder) mit Hund (Pudel) sucht dring. 5-Zi.-Whg. im Stadtzentrum bis max. 650,– DM inkl., Ang. Tel. 17 25 69

1. Wer muß am längsten suchen?
Was meinen Sie?

2. Schreiben Sie zu dritt eine Anzeige.

Sie möchten zusammen eine Wohnung mieten. Was brauchen Sie?

Ich glaube, das Musiker - Ehepaar....

Vielleicht die zwei Frauen mit Kindern, weil....

Der lange Weg zum Eigenheim 339 200 DM

Gesamtkosten eines Einfamilienhauses* in DM   154 500   66 600

1962 1972 1982

Dafür mußte ein Arbeitnehmer arbeiten

10,8 Jahre   12 Jahre   15 Jahre

*Durchschnitt

Von zehn Haushalten in der Bundesrepublik haben bis heute nur vier ein Ziel erreicht, von dem viele träumen: im eigenen Haus oder in der eigenen Wohnung zu leben. Weit mehr als die Hälfte aller Haushalte wohnt dagegen zur Miete.

Für normal verdienende Arbeitnehmer wird der Weg zum eigenen Heim tatsächlich immer länger. Vor zwanzig Jahren reichten noch knapp elf Netto-Jahreseinkommen für den Bau eines Einfamilienhauses; inzwischen sind die durchschnittlichen Kosten für Grundstück und Hausbau auf fünfzehn Jahreseinkommen gestiegen. Aber nicht nur die Bau- und Grundstückspreise sind gestiegen – auch die Ansprüche an das Eigenheim. Heute haben Einfamilienhäuser größere Wohnflächen, eine bessere Ausstattung und mehr Komfort als vor zwanzig Jahren.

Wohnen und Umwelt

Keine Klagen über Lärm und andere Störungen haben von je 100 Europäern in:

Bauernhaus 66
Einfamilienhaus 58
Doppelhaus 52
Reihenhaus 42
kleines Mietshaus 32
großes Mietshaus 22

3. Was ist richtig?

	richtig	falsch
a) Rund 60% aller Haushalte müssen für ihren Wohnraum Miete zahlen.		
b) Der Weg von der Wohnung zur Arbeit wird immer länger.		
c) Die Kosten für ein Eigenheim sind schneller gestiegen als die Löhne und Gehälter.		
d) In den letzten zwanzig Jahren sind Einfamilienhäuser im Durchschnitt größer geworden.		
e) Die Bau- und Grundstückspreise sind nicht gestiegen.		

Das Häuschen im Grünen

Wenn man Bundesbürger fragt, wie sie am liebsten wohnen würden, so entwerfen sie in ihrer Phantasie ideenreiche Gebilde: in der Erdhöhle, im Wohnmobil, im Baumhaus oder im Luftschloß. Aber diese Wünsche stoßen schnell auf finanzielle und räumliche Grenzen. Was bleibt, sind die Tatsachen des Wohnungsmarktes: »3 ZKB mit ZH, möglichst mit Balkon, auch Altbau«.

Auch in der reichen Bundesrepublik ist der Wohnungsmarkt kein Markt wie jeder andere. Das Angebot ist knapp und teuer. Und trotzdem finden sich Käufer und Mieter, die es sich in ihren Wohnungen gemütlich machen.

Befragungen zeigen ein überraschendes Ergebnis: 70 bis 90 Prozent sind mit ihrer Wohnung zufrieden. Und das über Jahrzehnte hinweg. Selten gab es größere Proteste der Bürger gegen den Wohnungsbau. Proteste gab es nur individuell.

Was wünschen sich die meisten? Größere Wohnungen, bessere Ausstattung, ruhigere Wohngegenden mit »ein bißchen Natur« (Garten, Park in der Nähe, Balkon, Aussicht) in kleineren Gebäuden. Das aber heißt: Wohnen außerhalb der Großstädte. Man möchte auch lieber eine eigene Wohnung als zur Miete wohnen.

Diese Wohnwünsche haben das Angebot beeinflußt. 1962 noch hatte jede Person knapp 20 Quadratmeter zur Verfügung, 1972 waren es schon 25 und 1978 gar 30 Quadratmeter. Auch die Ausstattung hat sich verbessert. 1962 hatten nur 10 Prozent der Wohnungen ein Bad, WC und Zentralheizung. 1972 waren es schon 42 Prozent und 1978 60 Prozent. Wohnungen ohne eigenes WC findet man kaum noch.

Und wie sieht es außerhalb der vier Wände aus? Eins ist klar: Es ist überall lauter geworden, die Straßen sind kein Freiraum mehr, und die Luft ist schlechter geworden. Verbesserungen dauern lange. Auch deshalb ziehen die Leute aus der Stadt aufs Land. So verlor z. B. Stuttgart in den letzten Jahren 50 000 Einwohner. Das sind fast 10 Prozent. Die Großstädte werden kleiner, die Dörfer und Kleinstädte größer.

Dabei sind viele Bürger aus Etagenwohnungen zur Miete in eigene Wohnungen oder Häuser gezogen und konnten sich so viele Wünsche erfüllen. Das eigene Haus ist immer noch ein wichtiges Lebensziel aller Deutschen. 1957 besaßen nur 29 Prozent Wohneigentum, 1972 waren es schon 34 Prozent und heute haben schon 40 Prozent eine eigene Wohnung oder ein eigenes Haus. Das heißt: Die Bilanz ist positiv.

Heute aber entstehen neue Probleme. Die Gehälter steigen nicht mehr so wie früher, viele Leute sind sogar arbeitslos geworden. Und nun müssen auch noch höhere Preise für die erfüllten Wünsche bezahlt werden. Die Kosten für die Heizung, das Wasser und den elektrischen Strom steigen weiter an. Viele Familien fragen sich: Können wir uns auf die Dauer die Wohnung noch leisten? Die jungen Leute finden oft keine Wohnung, die sie bezahlen können. Die Folge ist: Sie bleiben zu Hause bei der Familie. Neue billigere Wohnungen werden nicht gebaut, weil es sich nicht lohnt. Es kommt noch hinzu, daß die alten Leute nicht aus ihren großen Wohnungen ausziehen. Das Ergebnis: Die Jungen sind enttäuscht. Auch für Wohngemeinschaften und andere alternative Wohnformen ist kein Platz. Kein Wunder, daß diese Situation zum Protest und zur Resignation führen kann.

6.2

1. Wie wohnen Sie?

Wie wohnt Ihre Familie? Wie viele Leute wohnen in Ihrem Land im eigenen Haus? Gibt es bei Ihnen auch Eigentumswohnungen?
Welche Wohnwünsche haben die Menschen in Ihrem Land? Was gehört zur Ausstattung einer Wohnung?

2. Was bedeutet Ihnen Ihre Wohnung oder Ihr Haus?

Eine Zwischenstation zwischen Arbeiten und Freizeit, eine Insel.

Der Ort, wohin ich mich zurückziehe, wenn ich ungestört sein will, wo ich es mir gemütlich mache, wo ich in Ruhe lesen, fernsehen, Briefe schreiben kann. Natürlich freut man sich über gelegentlichen Besuch, aber erst in zweiter Linie.

Familientreffpunkt, unsere Heimat.

Ist zum Leben da, für uns zwei; Mann und Frau.

Da spielt sich sozusagen alles ab. Kinder spielen hier, ich selbst bin den ganzen Tag zuhause.

Da lebe ich, da mach' ich alles.

Dort will ich allein sein, ausruhen und Überlegungen anstellen.

Mein Palast, meine vier Wände, wo ich mich zurückziehen kann.

My home is my castle! Aber ich habe auch gerne Besuch, wenn mir die Personen sympathisch sind.

Zufluchtsort für mich selber und um Gäste zu empfangen.

Ich habe in meinem Haus meine Frau, meine Tochter und mein Enkelkind. Das ist mir genug, um zufrieden zu sein.

Unsere Blitzumfrage:

Wenn Geld keine Rolle spielen würde – was würden Sie bauen?

Schöner alter Bauernhof, Scheune als Garage und Schwimmbad ausgebaut. Wiese mit Pferden; Obstgarten, gleichzeitig als Pferdekoppel. Große Wohnräume, alte Bauernmöbel.

Auf dem Lande mit großen hellen Räumen, Garten, Veranda.

Ein schönes Haus am Waldrand würden wir bauen, vielleicht ein bis zwei Zimmer mehr wie hier, und die Zimmer ein bißchen größer, auch ein Balkon und ein Garten dabei.

In einem großen geräumigen Bauernhaus, wo man viel basteln kann und viel Leute einladen.

Am Stadtrand einer Großstadt, im eigenen Haus. Ich würde mir ein Haus bauen lassen, mit einem Architekten zusammenarbeiten. Die Innenausstattung würde ich selber übernehmen. Ich würde mich im spanischen Stil einrichten.

Dann möchte ich so am Waldrand wohnen mit einem Teich oder Bach in der Nähe zum Angeln.

Im eigenen Haus, nach eigenem Plan gebaut, mehr Zimmer, großer Hobbyraum, große Küche, Garage.

Ein freistehendes größeres Haus auf einem größeren Grundstück (vielleicht Landhaus-Stil) mit viel Holz, rustikal, mit Schwimmbad, mit Kamin, mit großen Räumen; eine Empore, so eine Art zweite Etage, die aus dem Wohnraum zu erreichen ist; große Schiebetüren, damit man viel Natur mit hereinholen kann; Fußboden-Heizung.

3. Und Sie? Was würden Sie bauen?

6.2

4. Wie gut ist Ihre Wohnlage? Was könnte besser sein?

Von	mir	ist	es	mit	dem Auto	...Minuten	zum	...
	meinem Zimmer	sind			der U-Bahn		zur	
	unserer Wohnung	brauche ich			...			
	...				zu Fuß			

| Zum | ... | sollten es | höchstens/mindestens | ...Minuten sein. |
| Zur | | | etwa/ungefähr | |

Arzt	Hauptverkehrsstraße	Realschule und Gymnasium
Autobahn	Hundebaum	Stadtbücherei
Fabrik	Kaufhaus	Supermarkt
Flughafen	Kindergarten	Tankstelle und Autowerkstatt
Freibad	Kinderspielplatz	Tante-Emma-Laden
Garage	Kino	U-Bahn-Station
Grund- und Hauptschule	Krankenhaus	Universität
Handwerker	Nachbarn	Zeitungskiosk
Hauptbahnhof	Oper und Theater	

Spiel: Beste Wohnlage

1. Machen Sie vier Wunschlisten, eine für jede Farbe.

eine Minute zu Fuß	fünf Minuten zu Fuß	fünf Minuten fahren	fünfzehn Minuten fahren
Arzt	Freibad Garage	Autobahn	Fabrik Flughafen

2. Würfeln Sie.

Das Spiel beginnt im Stadtpark.

Wenn der Ort, an den Sie kommen, in der „richtigen" Liste steht, also z. B. ein Ort auf dem grünen Kreis in der grünen Liste („fünfzehn Minuten fahren"), dann bekommen Sie drei Punkte.

Wenn Sie die richtige Liste um eine Farbe verfehlen, also wenn z. B. ein Ort auf dem blaugrünen Kreis in der orangen Liste steht, bekommen Sie zwei Punkte.

Wenn Sie die richtige Liste um zwei Farben verfehlen, bekommen Sie einen Punkt, und wenn Sie sogar um drei Farben daneben liegen, bekommen Sie keinen Punkt.

In die Wohnung darf man erst hinein, wenn der Schlüssel paßt: Man muß genau die richtige Punktzahl würfeln. Wer als erster in der Wohnung ist, bekommt drei Zusatzpunkte; der zweite bekommt zwei, der dritte einen. Wer am meisten Punkte hat, wohnt in der besten Wohnlage!

B2

4

MOMENT MAL!

Eva Kramer, Studentin

Würden Sie gern in einer Wohngemeinschaft leben?

Uta Kraus, Studentin

Ja Nicht nur, weil es billiger ist, wenn man sich eine Wohnung teilt, sondern auch, weil ich es angenehmer finde, mit ein paar Leuten zusammenzuwohnen. <u>Es ist immer jemand da, mit dem man reden, zusammen in der Küche stehen und kochen, zusammen essen kann.</u> Ich finde es schrecklich, wenn ich nach Hause komme und die Wohnung leer ist. Die beste Voraussetzung für eine Wohngemeinschaft ist natürlich, daß man sich mit den Mitbewohnern versteht. Aber auch wenn man einen davon nicht besonders sympathisch findet, ist das meiner Meinung nach nicht schlimm. <u>Man lernt so, sich auseinanderzusetzen, den Mitmenschen zu respektieren, partnerschaftlich zusammenzuleben.</u> In einer Wohngemeinschaft kommt es immer zu einem Gedankenaustausch. Und der ist viel intensiver als der mit Freunden, die man nur ab und zu trifft. Natürlich, auch in einer Wohngemeinschaft braucht jeder seinen Freiraum.

Nein Denn mit mehreren Menschen auf meist engem Raum zusammenzuleben erfordert viel Toleranz und Disziplin. Und dazu bin ich nicht immer bereit. Laute Musik aus dem Nebenzimmer, wenn ich gerade Ruhe haben will, stört mich eben. Und es paßt mir auch nicht, aus Rücksicht auf die anderen meinen Abwasch in der Küche sofort zu erledigen, wenn ich gerade etwas Wichtigeres zu tun habe. <u>Ich mag mich nicht immer nach meinen Mitbewohnern richten.</u> Lieber spare ich an anderen Dingen und leiste mir eine kleine Wohnung, in der ich meine Ruhe habe. Ich will auch nicht, daß jeder über mein Privatleben, meine Besucher, meine Gewohnheiten, meine Stimmungen Bescheid weiß. Ab und zu möchte ich gern allein sein. In einer Wohngemeinschaft kann man zwar die Zimmertür hinter sich schließen, <u>aber allein ist man deshalb noch lange nicht.</u> Bei so vielen Leuten ist doch immer etwas los.

6.3

Was meinen Sie?

Ich	finde meine glaube	nicht, auch,	daß...
Ich	würde gern mal... möchte jedenfalls nicht...		

billiger Privatleben junge Leute lernen

langweilig diskutieren lustig helfen

zusammenpassen auf Kinder aufpassen

GROMANN

Gromann Baugesellschaft KG · Ostendstr. 27 · 6000 Frankfurt 3

Herrn
Gerhard Klaasen
Mainufer 67
6000 Frankfurt 17

Bezug: Ihr Schreiben vom 27.8.85

Sehr geehrter Herr Klaasen,
Ihr Schreiben vom 27.8., in dem Sie Ihre Wohnung in
unserem Gebäude Mainufer 67, 13. Stock, kündigen, haben
wir erhalten. Wir erlauben uns, Sie daran zu erinnern,
daß Sie laut Mietvertrag verpflichtet sind, die Wohnung
in demselben Zustand zu verlassen, in dem sie war, als
Sie eingezogen sind. In den nächsten Tagen schicken wir
unseren Mitarbeiter Herrn Bogner zu Ihnen, damit er den
Zustand der Wohnung kontrollieren und alles Notwendige
mit Ihnen besprechen kann.

Mit freundlichen Grüßen

i.A. *Unterschrift*

Willy Plaß · Installateur · Bettinastr. 3 · 6050 Offenbach

Herrn Gerhard Klaasen
Mainufer 67   10. Oktober 85
6000 Frankfurt 17

Rechnung   423,89 DM
Wasserleitung repariert:

Ernst Rottmann   Schneckenhofstr. 42
Malermeister   6000 Frankfurt 2

Herrn Gerhard Klaasen   Frankfurt, den 7. 10. 1985
Mainufer 67
6000 Frankfurt 17

Kostenvoranschlag

Auszuführende Arbeiten:
Zimmerdecken streichen, Wände tapezieren, Teppichboden
verlegen, 1 Fenster streichen.

Arbeitslohn:
ca. 27 Arbst. à 45 DM/Std.   1215,-- DM
Material:
ca. 23 kg Wandfarbe weiß   34,-- DM
Fensterfarbe, 1 kg   18,20 DM
Teppichboden (Auslegeware, 22 qm)   424,60 DM
Tapete Rauhfaser einfach, ca. 210 qm)   153,-- DM
Kleinmaterial   30,-- DM
Summe   1874,80 DM
                       Mwst. 14%   262,47 DM
Endsumme: 2137,27 DM

---

1. Hören Sie den Dialog.

2. Welcher Schaden ist in welchem Raum?

Loch im Teppichboden
Wasserleitung undicht
Licht geht nicht an / Birne oder Schalter kaputt
Fenster nicht dicht / es zieht

Wohnzimmer   Kinderzimmer   Bad
Flur
Schlafzimmer   Küche   Eßzimmer

3. Welche Arbeiten muß Herr Klaasen noch machen bzw. machen lassen, bevor er auszieht?

Räume tapezieren – Türen streichen – Zimmerdecken streichen – Dusche in Ordnung bringen –
Küchenschrank reparieren – Wohnung reinigen

4. Was meinen Sie, welche Arbeiten kann er selber machen, welche sollte er machen lassen?

5. Finden Sie es richtig, daß Herr Klaasen alle Schäden in der Wohnung selbst bezahlen soll?

B3

○ Mensch, Carlo, was machst du denn für ein Gesicht?

☐ Ach, mein Vermieter hat mir gekündigt.
Jetzt muß ich schon wieder ein neues Zimmer suchen.

○ Wie kommt das denn? Du bist doch erst vor einem halben Jahr eingezogen.

☐ Ja, und jetzt soll ich schon wieder umziehen.
Der Vermieter braucht das Zimmer selbst, behauptet er.

○ Sag mal, du hast doch einen Mietvertrag abgeschlossen, nicht? Was steht denn da drin?

☐ Na ja, ich wohne ja nur als Untermieter; wenn der Vermieter das Zimmer selbst braucht, kann er mir kündigen.

○ Ach was! Das muß er erst mal beweisen!
Es gibt schließlich ein Mieterschutzgesetz!

☐ Was nützt mir das?

○ Du solltest erst einmal zum Mieterverband gehen.
Dort kannst du dich nach deinen Rechten erkundigen.

6.3
6.4

Meinst du? Vielleicht sollte
ich das wirklich versuchen...

Ach weißt du, ich möchte keinen Ärger haben.
Ich suche mir lieber ein neues möbliertes Zimmer.

Was	ist denn mit dir los?
	hast du denn?
Ist was?	

Meine Wohnung	ist mir gekündigt worden.
Mein Zimmer	
...	

Du bist doch	gerade erst	eingezogen.
	erst vor...	
	erst seit...da drin.	

Der	Besitzer	will	den Raum selbst benutzen.
	Vermieter		das Haus renovieren.
			...

| Was | steht denn in | deinem Mietvertrag? |
| | ist denn mit | |

| Ich habe ja | nur ein möbliertes Zimmer/... |
| | gar keinen Mietvertrag. |

Die Wohnung	kann	innerhalb eines Monats
...		fristlos/ohne weiteres
		gekündigt werden.

Das heißt noch gar nichts.
Da bin ich nicht so sicher.
Es gibt doch gesetzliche Vorschriften.

Das	nützt	doch nichts. Der macht ja doch,
	bringt	
		was er will.

| Kennst du überhaupt deine Rechte? |
Erkundige dich mal	beim Mieterverband.
	bei deinen Nachbarn.
	...

Vielleicht hast du recht.

Ach nein, ich will keine Schwierigkeiten haben.

| Ich | suche lieber wieder etwas Neues. |
| | gehe lieber zur Zimmervermittlung./zu... |

Was sagt man dazu?

A. Sehen Sie sich das Bild genau an.
B. Was könnten die Leute sagen (oder denken)?
   Finden Sie Worte oder Sätze für die Sprechblasen.
C. Spielen Sie einige der Situationen.

Kurt Tucholsky

DAS IDEAL

Ja, das möchste:
Eine Villa im Grünen mit großer Terrasse,
vorn die Ostsee, hinten die Friedrichstraße;
mit schöner Aussicht, ländlich-mondän,
vom Badezimmer ist die Zugspitze zu sehn –
aber abends zum Kino hast dus nicht weit.

Das Ganze schlicht, voller Bescheidenheit:

Neun Zimmer, – nein, doch lieber zehn!
Ein Dachgarten, wo die Eichen drauf stehn,
Radio, Zentralheizung, Vakuum,
eine Dienerschaft, gut gezogen und stumm,
eine süße Frau voller Rasse und Verve –
(und eine fürs Wochenend, zur Reserve) –,
eine Bibliothek und drumherum
Einsamkeit und Hummelgesumm.

Im Stall: Zwei Ponies, vier Vollbluthengste,
acht Autos, Motorrad - alles lenkste
natürlich selber – das wär ja gelacht!
Und zwischendurch gehst du auf Hochwildjagd.

Ja, und das hab ich ganz vergessen:
Prima Küche - erstes Essen -
alte Weine aus schönem Pokal -
und egalweg bleibst du dünn wie ein Aal.

Und Geld. Und an Schmuck eine richtige Portion.
Und noch ne Million und noch ne Million.
Und Reisen. Und fröhliche Lebensbuntheit.
Und famose Kinder. Und ewige Gesundheit.

Ja, das möchste!
Aber, wie das so ist hienieden:
manchmal scheints so, als sei es beschieden
nur pöapö, das irdische Glück.
Immer fehlt dir irgendein Stück.
Hast du Geld, dann hast du nicht Käten;
hast du die Frau, dann fehln dir Moneten –
hast du die Geisha, dann stört dich der Fächer:
bald fehlt uns der Wein, bald fehlt uns der Becher.

Etwas ist immer.

Tröste dich

Jedes Glück hat einen kleinen Stich.
Wir möchten so viel: Haben. Sein. Und gelten.
Daß einer alles hat:
                    das ist selten.

Berlin, 1926

Was machen die Leute?

7.1

Warum oder wozu machen sie diese Sachen?
Welche Beschäftigungen finden Sie sinn-
voll, welche nicht?
Welche Gefahren sehen Sie bei einigen
Beschäftigungen?

Der	fröhliche	Junge	auf dem Dach	…
Die	dicke	Kaminfeger	am Ufer	
Das	junge	Oma	mit der Brille	
	…		in …	
		…	unter…	

fotografieren   Eisenbahn spielen

reiten   faul | sein   winken   festhalte

fröhlich   sich freuen   rauchen

in Gedanken

beobachten   ein Kind am Haken habe

ein Comic-Heft | lesen   tropfen

ein Taschenbuch | Besuch begrüße

in der Wirtschaft | essen   radfahren   schauen   turnen   Bahn | fahren   segeln
im Gasthaus | sitzen   tanzen   dunkles/helles Bier trinken   Schiff | denken
auf der Bank | | Boot |
auf dem Berg | sich ins Wasser stürzen   stehlen   bauen   sich sonnen   ein Fest feiern   nähen

stricken   Antenne aufstellen   Pause | machen   wandern   springen   Brief schreiben
Musik | abfliegen
dichten   sich ... ansehen   ein Picknick | Yoga
ein Stück Kuchen probieren   laufen   Besuch haben   einen Nagel in die Wand schlagen
angeln

1. Was machen Sie in Ihrer Freizeit?

A. Was tun Sie außerhalb Ihrer Arbeitszeit? Ergänzen Sie die nebenstehende Liste.

B. Vergleichen Sie die Angaben in der Liste mit Ihren eigenen Gewohnheiten. Was tun Sie häufiger als die durchschnittlichen Bewohner der Bundesrepublik? Was weniger häufig? Was nie?

2. Was ist richtig?

A. Lesen Sie die beiden Grafiken.

B. Was ist richtig?

a) ☐ Die Bundesdeutschen gehen während 55% ihrer Freizeit spazieren.

☐ Etwa die Hälfte der Deutschen geht oft spazieren.

☐ 55% der Deutschen gehen in der Freizeit nur spazieren.

b) ☐ Ein gutes Drittel der Freizeit vergeht mit Besuchen.

☐ Nur 36% besuchen ihre Bekannten und Verwandten.

☐ 36% sagen, daß sie ihre Verwandten und Bekannten häufig besuchen.

c) ☐ Die Bundesbürger geben für Radio und Fernsehen mehr aus als für Bücher und Zeitungen.

☐ Für Bücher, Zeitungen, Radio und Fernsehen gibt der Bundesbürger weniger aus als für das Auto.

☐ Kino, Theater und Konzert kosten mehr als ein Garten oder Haustiere.

Häufigkeit von Freizeitaktivitäten

55%	Spazierengehen
44%	Ausflüge machen
36%	Besuch bei Verwandten/Bekannten
34%	Baden und Schwimmen
32%	Wandern in der Natur
23%	Sport und Spiel
20%	Zuschauen bei Sportveranstaltungen
15%	sich bilden, sich fortbilden
12%	Radfahren zum Vergnügen
12%	Besichtigung von Sehenswürdigkeiten

Der Etat für die Freizeit

Jahresausgaben mittlerer Arbeitnehmerhaushalte für Urlaub und Freizeit in DM

1983
5259

1978
4173

1973
2514

davon für:

1383	Urlaub
91	Foto, Filmen
822	Auto (nur für Freizeitzwecke)
141	Kino, Theater u.ä.
639	Radio, Fernsehen
219	Heimwerken
525	Bücher, Zeitungen
238	Spiele, Spielzeug
467	Camping, Sport
418	Garten, Haustiere
316	sonstiges

G 5189 © Globus

Je kürzer die Arbeitszeit, je länger der Urlaub und je höher das Einkommen, desto mehr Geld hat der Bundesbürger für Reisen und Erholung, für Unterhaltung und Hobby, für Sport und Spiel übrig. Ein Vier-Personen-Arbeitnehmerhaushalt mit mittlerem Einkommen hat 1983 für diese Zwecke insgesamt 5259 DM ausgegeben. Vor zehn Jahren war es noch nicht einmal halb so viel.

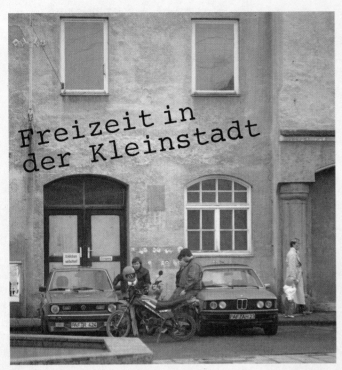

Freizeit in der Kleinstadt

Was heißt es für einen jungen Menschen, in der Provinz zu leben?

Höxter/Westfalen: 33 000 Einwohner, 8000 von ihnen sind Jugendliche. Kein Jugendamt und kein Jugendzentrum.
»Daß Du viel reisen mußt. Du reist von einer Gegend in die andere, überall, wo was los ist. Ich habe, glaube ich, erkannt, daß ich dieses Leben mit Inhalt füllen muß und auch füllen will. Aber es fällt mir ungeheuer schwer, da laß ich lieber mal was sausen und geh meinen Gewohnheiten nach. Geh in die Flipperhalle, weil ich da andere Typen treffe, da sind alle. Da kannste wenigstens reden. Aber zu Hause Dich hinsetzen, das ist einfach nicht drin. Du bist abgeschlafft... Ich resigniere manchmal, ganz einfach, weil ich nicht mehr weiter weiß... Ich bring es einfach nicht.« »Sich selbst eine Aufgabe stellen und was unternehmen ist furchtbar schwierig, weil man auf Schritt und Tritt doch auf seine Grenzen gestoßen wird. Wenn man permanent frustriert wird, weicht man aus und verzichtet auf die großen Projekte.« »Freizeit, das heißt bei uns, Badeanstalt im Sommer, im Winter gammeln zu Hause. Die Initiative wäre vorhanden bei einigen. Aber es fehlt der Mut, sich zusammenzuschließen. Es fehlt an Räumlichkeiten. Dann werden viele von den Eltern ziemlich streng gehalten. Viele hören von den Eltern, sie hätten es früher auch nicht besser gehabt. Am Wochenende treffen wir uns manchmal und diskutieren ein bißchen oder fahren in die Stadt und gehen Eis essen. Mehr ist sowieso nicht los. Oder die Diskothek. Aber Probleme kann man da auch nicht besprechen.«

Obernkirchen/Westfalen: 8060 Einwohner, davon 2500 Jugendliche. Die Kleinstadt wird von der einzigen größeren Fabrik, einer Glasfabrik, bestimmt. Die meisten Bewohner von Obernkirchen arbeiten hier. Dem Jugendlichen bleiben nicht viele Möglichkeiten der Berufswahl: ein paar Kleinbetriebe und die Glasfabrik. Nächste Arbeitsmöglichkeit ist das 20 km entfernte Minden. Als Treffpunkt dient eine Kneipe.
»Man weiß hier gar nicht, wie man eigentlich zusammenleben müßte. Hier hat jeder sein Einfamilienhaus, jeder ist mit seinem Garten beschäftigt und ist zufrieden.« »Man kennt seine Nachbarn und damit ist es dann aus. Die Kinder werden genauso erzogen. Tut einer was, was außerhalb der allgemeinen Regeln steht, wird er ausgestoßen. Man traut dem Jugendlichen auch zu wenig zu. Man sagt, die Älteren haben Erfahrungen und die Älteren können es machen. Die Jüngeren müssen erst sehr alt werden, um überhaupt was zu unternehmen. Das zeigt sich im Stadtjugendring: Von 17 Vertretern sind nur vier unter dreißig Jahren.«

---

1. Warum sind die Jugendlichen in Höxter und Obernkirchen mit ihrer Freizeit nicht zufrieden?

2. Vergleichen Sie.

Wie unterscheiden sich die Freizeitmöglichkeiten der Jugendlichen in Höxter und Obernkirchen von Ihren eigenen Freizeitmöglichkeiten? Warum unterscheiden sie sich?

Steile Berge, alte Burgen

Mit dem Rad am Rhein entlang

Mein Freund Stephan und ich sind in den Osterferien mit dem Rad den Rhein hinauf bis Straßburg gefahren, also von Norden nach Süden. Mein Vater hat uns mit dem Auto auf der Autobahn von Köln bis ins Siebengebirge gefahren. Das liegt östlich von Bonn. So konnten wir gleich am Anfang der Fahrt etwa 12 km bergab ins Rheintal nach Linz hinunterfahren. Das war super. In den vielen Kurven mußten wir stark bremsen. Darum bin ich immer rund 100 Meter hinter Stephan geblieben. So sind wir auch durch das alte Stadttor nach Linz hineingefahren.

Linz ist eine alte kleine Stadt mit vielen bunten Fachwerkhäusern. Südlich von Linz wird das Rheintal immer enger. Hoch oben über den Weinbergen sind Burgen, Schlösser und Burgruinen. Am besten kann man die auf der anderen Seite des Rheins sehen. Die Straße führt oft direkt am Rhein entlang. Hier fahren nur wenige Autos. Von Leutesdorf aus sind wir mit der Autofähre nach Andernach hinübergefahren. Das ist nicht teuer und macht viel Spaß. Andernach hat eine alte Stadtmauer aus dem Mittelalter. Südlich von Andernach wird das Rheintal wieder breiter. Dort gibt es viel Industrie und ein Atomkraftwerk. Nach einer Stunde fuhren wir auf einer Brücke über die Mosel nach Koblenz hinein. Dort fließt die Mosel, die mit vielen Windungen von Westen kommt, in den Rhein. Wer aus Frankreich, Belgien oder Luxemburg kommt, sollte über Trier und Cochem die Mosel abwärts zum Rhein fahren.

Als wir nun wieder über den Rhein fuhren und zur Jugendherberge in der Festung Ehrenbreitstein wollten, mußten wir unsere Fahrräder einen steilen Berg (13 %) hinaufschieben. Als wir durch das erste Tor kamen, sahen wir nur Schießscharten. Danach ging es durch weitere Tore, bis wir auf einem großen Platz standen – mit Blick hinunter auf den Rhein. Hier standen noch im Ersten Weltkrieg (1914–1918) die großen Kanonen. In der Jugendherberge war es sehr kalt, viel kälter als draußen. Wir haben die ganze Nacht gefroren.

Nach einem guten Frühstück fuhren wir den steilen Berg hinunter. Bei Lahnstein mit Burg Lahneck fuhren wir über die Lahn weiter nach Süden bis Braubach. Dort stellten wir unsere Räder in einen Hinterhof und stiegen hinauf zur Marksburg. Es ist die älteste Burg am Rhein. Die ältesten Teile sind aus dem 13. Jahrhundert. Wir konnten noch viele Kanonen und Rüstungen aus dem 16. Jahrhundert sehen. In der Folterkammer hat der Burgführer die Folterinstrumente ganz genau erklärt.

Von Boppard fuhren wir mit einem Rheinschiff nach St. Goar. Von der Flußmitte konnten wir rechts die Burg Rheinfels und links die Burgen Liebenstein und Sterrenberg sehen. Man nennt sie die feindlichen Brüder, weil sie immer wieder Krieg gegeneinander gemacht haben. Sie stehen sehr dicht beieinander. Zwischen ihnen steht aber eine dicke hohe Mauer. Weiter südlich kann man Burg Katz und Burg Maus sehen. Diesen Namen nach waren die Burgherren sicher auch nicht gerade die besten Freunde. Von St. Goar fuhren wir über Oberwesel nach Bacharach. Dort mußten wir wieder unsere Räder zur Burg Stahleck hochschieben, denn in der Burg ist eine sehr schöne Jugendherberge. Der Blick hinunter auf den Rhein bei Nacht ist wunderschön. Fahrt doch auch mal an den Rhein, dort gibt es gute Radwege! Viel Spaß! Norbert (14)

7.2
7.3

1. In welcher Reihenfolge haben Norbert und Stephan die Orte a) bis f) gesehen?

Sehen Sie sich die sechs Orte gut an. Dann folgen Sie noch einmal dem Weg der beiden Radfahrer auf der Karte.

1	2	3	4	5	6
b)					

a)

d)

b)

e)

c)

f)

2. Wie heißen die Orte?

a) _____   d) _____

b) _____   e) _____

c) _____   f) _____

Die Grenze zu »drüben« gibt es heute nicht mehr – seit 1990 ist die ehemalige DDR ein Teil der Bundesrepublik. In den Jahren zuvor war diese Grenze jedoch nicht zu übersehen ...

Sonderbus nach »Drüben«

Mit aufgeblendeten Scheinwerfern nimmt unser Bus die letzte Kurve, am Ende der Straße das leuchtend gelbe Schulhaus, davor eine dunkle Menschengruppe, offenbar die wartenden Eltern. Der Bus hält: Fernseh- und Rundfunkleute stürzen sich mit Kamera und Mikrofon auf die Schüler, die aus dem Bus steigen. Erste Eindrücke sprudeln nur so hervor: »Alle Erwartungen sind übertroffen worden!« »Wir hätten ruhig noch länger bleiben können!« »Einfach super, diese Fahrt!«

Erst ein Brief der 28 Oberstufenschülerinnen und -schüler des Nord-Berliner Gabriele-von-Bülow-Gymnasiums an den Staatsratsvorsitzenden der DDR Erich Honecker hatte den Weg freigemacht für diese erste Mehrtagesfahrt einer Westberliner Schülergruppe in die DDR. Am 4. Juni 1984 startete unser Sonderbus nach »drüben«. Ungläubiges Staunen bei den Grenzbeamten diesseits und jenseits der Mauer am Übergang Heiligensee/Stolpe im Berliner Norden. Nein, eine Westberliner Schülergruppe habe man hier noch nicht durchfahren lassen, sagten die DDR-Kontrolleure. Zuerst waren sie unsicher, aber das Empfehlungsschreiben vom Staatsrat wirkte Wunder: die Tore öffneten sich, Personen und Gepäck wurden unkontrolliert durchgelassen. Der Chef des DDR-Kontrollpunktes bat nur darum, daß er von dem Empfehlungsschreiben eine Kopie machen dürfe – zur Erinnerung, sozusagen.

Kurz hinter der Grenze stieg Harald, unser »Jugendtourist«-Reiseleiter, zu uns in den Bus. Er bot uns spontan das »Du« an. Dann rollten wir durch die Republik auf der F 96 nach Norden. Die Schüler sprachen miteinander über ihre Vorstellungen, Erwartungen, möglichen Erlebnisse. Nach der Fahrt haben sie dann einige ihrer Eindrücke aufgeschrieben. Carola (17) beginnt ihren Bericht so: »Vor unserer Fahrt in die DDR hatte ich mir nicht vorgestellt, daß wir so viel erleben würden. Wir hatten uns ja intensiv auf die Reise vorbereitet, und deshalb fühlte ich mich schon vorher gut informiert; daß aber noch so viel neue Erfahrungen dazukommen würden, hätte ich nicht gedacht.« Also, lassen wir diese Erfahrungen für sich sprechen!

Häuser sahen allerdings oft ziemlich angegriffen aus. Das einzige, das kaum zu übersehen war, waren die häufigen Plakate, die ganz plötzlich hinter Fenstern oder an einer Straßenecke auftauchten, wie: ›Unter dem Banner des Marxismus-Leninismus zum Sozialismus…!‹«

Neubrandenburg

Iris (17): »Ich weiß heute noch nicht, warum ich so erstaunt war, daß die Jugendlichen genauso waren wie wir. Sobald sie ihr Blauhemd ausziehen, unterscheidet sie nichts von uns. Sie haben die gleichen Wünsche wie wir, möchten gerne ein Motorrad haben und feiern gerne Feten. Und – sie wollen schrecklich gerne in die Bundesrepublik fahren, um Kontakte zu schließen, nicht unbedingt, um da zu bleiben. Vor allem über Schule wollten sie viel wissen und waren schier begeistert über das Oberstufensystem unserer Gymnasien. Sie selber haben gar keine Möglichkeit, ihre Fächer zu wählen.«

Erlebnis Landschaft

Birgit (17): »Es war richtig herrlich, die Alleen entlangzufahren. Rechts und links der Straße lagen oft Mohn- und Schlüsselblumenfelder. Ganz lich ist, sich der Natur ›anzupassen‹. Auch bei unserer ersten Rast in Carwitz bestätigte sich nur mein anfänglicher Eindruck, daß hier die Natur noch ›unberührt‹ war. (Vielleicht lag es auch daran, daß wir aus der

Besuch des Fallada-Hauses in Carwitz: Nicht gesucht, aber auf einem Umweg in der Feldberger Schweiz gefunden

An der Ostseeküste

Birgit (17): »Rostock zeigte schon ein wenig mehr ›Großstadtflair‹ als Neubrandenburg. Das Zentrum bildete eine zur Fußgängerzone ernannte Einkaufsstraße, wo sich verschiedene Geschäfte befanden. Weiter gab es dort auch viele Cafés. Bei schönem Wetter war hier bestimmt ein allgemeiner Treffpunkt. Der Bummel durch das Kaufhaus ›Centrum‹ zeigte die große Preisdifferenz zwischen

abgesehen von vielen kleinen Seen, Teichen und Flüssen. Die kleinen Häuser gliederten sich so richtig in das Bild ein, jedenfalls soweit es für Häuser möglich Großstadt kamen!?). In den kleinen Städten war es ausgesprochen sauber, und man fand keine Häuserwände mit Werbeplakaten beklebt. Die

Luxusgütern und Lebensmitteln. (›Walkman‹: 990 Mark). Sonst gab es viele Buchläden, in denen man allerhand Auswahl hatte, auch wenn die hauptsächlichen Autoren meist aus sozialistischen Ländern stammten.«

Carola (17): »An der Ostsee war es echt schön. Abends haben wir noch eine Küstenwanderung gemacht. In der Nähe des Ufers schwammen friedlich zwei Schwäne; die Ironie jedoch lag darin, daß man gleichzeitig am Horizont ein Küstenwachtschiff sehen konnte, das einem DDR-Bürger jeden Ansatz von einem Freiheitsgefühl gleich wieder zerstört hätte.«

Kontakte, Kontakte...

7.4

Iris (17): »An ein Gespräch denke ich noch gerne zurück,

und zwar ging es da um des DDR-Bürgers liebstes Kind, den ›Trabbi‹. Beide kritisierten wir an dem Preßpappemodell herum, aber auf so komische Weise, daß wir vor Lachen Tränen in

Das durch das Treffen von Helmut Schmidt und Erich Honecker hier bekannt gewordene Rathaus in Güstrow

den Augen hatten. Man merkte, daß er seinen ›Trabbi‹ doch liebte, auch wenn er im Herbst vor Nässe stehenbleibt und im Sommer wegen des trockenen Motors.«

Matthias (18): »Ein Junge zeigte große Enttäuschung da-

rüber, daß ich nicht Break-Dance konnte. Dieses Bild der westlichen Jugend als ›computerspielende Breakdancer‹ tauchte oft auch bei anderen Begegnungen auf.«

Fazit:

Annette (17): »Diese Reise war, glaube ich, die schönste und beeindruckendste Fahrt, die ich je gemacht habe.
Es ist eben doch etwas Besonderes, unsere Nachbarn jenseits der Mauer zu besuchen.«

1. Welche Zusammenfassung paßt zum Text?

a) Die Landschaft ist das schönste in der DDR. Die Leute waren auch ganz nett, aber viel zu neugierig. Sie wollten alles von uns wissen. Trotzdem war diese Reise sehr schön.

b) In der DDR gibt es noch sehr viel Natur. Es war sehr interessant, mit den Leuten dort zu sprechen. Wir haben viel gelernt und auch viele Auskünfte gegeben.

c) In der DDR gibt es viele Seen, aber nur wenige Häuser. Die Deutschen in der DDR haben die gleichen Wünsche wie wir, und sie möchten gern in die Bundesrepublik ziehen.

d) Die DDR ist besonders sauber, aber die Häuser sind zum Teil ziemlich alt. Die Jugendlichen sind sehr kontaktfreudig. In den Kaufhäusern und Geschäften ist alles sehr teuer.

2. Was hat die Schüler in der DDR überrascht?

Was war so, wie sie es erwartet hatten?

3. Hat dieser Text Ihre Vorstellungen über die DDR verändert?

Was ist so, wie Sie es erwartet hätten? Was war ganz neu für Sie? Was wäre für Sie der wichtigste Grund, einmal in die DDR zu fahren?

Leipziger Messe   Weimar   ...
Kultur   Preise   Natur

1. Wie sieht Ihre Traumreise aus?

Wenn Geld keine Rolle spielen würde:
Wohin würden Sie fahren?
Wo würden Sie da wohnen?
Was würden Sie am häufigsten tun?
Was würden Sie sicher nie tun?
Wie lange würden Sie bleiben?

2. Verkehrshinweise

Herr und Frau Gebhardt aus Flensburg sind mit dem Auto unterwegs nach Süden. Sie wollen ihren Urlaub an der italienischen Riviera, in San Remo, verbringen. In Karlsruhe haben sie bei Verwandten übernachtet. Zur Zeit sind sie auf der Autobahn A 5 Karlsruhe – Basel kurz vor Freiburg im Breisgau. Zur Urlaubszeit ist auf diesem Autobahnabschnitt immer besonders dichter Verkehr.

A. Hören Sie den Dialog.

B. Schauen Sie sich die Karte an. Welche Strecke will Herr Gebhardt fahren?

C. Hören Sie noch einmal die Verkehrshinweise. Welche Verkehrsbehinderungen bestehen an welchem Streckenabschnitt?

a) Grenzübergang Basel (D – CH)
b) A 81 zwischen Ausfahrt Oberndorf und Rottweil (D)
c) Grenzübergang Schaffhausen (D – CH)
d) San Bernardino-Tunnel (CH)
e) Grenzübergang Como (CH – I)
f) An keiner dieser Stellen.

1. Es hat einen Unfall gegeben.
2. Ein Stau wird gemeldet.
3. Die Strecke ist gesperrt.
4. Die Autofahrer müssen die Autobahn verlassen.
5. Die Wartezeit bei der Einreise in die Bundesrepublik beträgt mindestens eine Stunde.
6. Die Wartezeit bei der Ausreise aus der Bundesrepublik beträgt mindestens eine Stunde.
7. Es gibt eine Umleitung.

D. Herr Gebhardt will jetzt eine andere Strecke fahren. Überlegen Sie zusammen mit Ihrem Nachbarn: Welche Strecken kommen für ihn in Frage? Welche Strecken lohnen sich überhaupt? Wo ist der Umweg zu groß? Welche Verkehrshinweise sind dann für ihn wichtig?

B3

2

Längere Urlaubszeiten und höhere Löhne haben die Bundesbürger zu "Weltmeistern" im Reisen gemacht. Die Zahl derjenigen, die im Urlaub ins Ausland reisen, ist im Vergleich zu anderen Ländern viel größer. Es wird damit gerechnet, daß mehr als die Hälfte aller Bundesbürger Urlaub außerhalb ihres Heimatortes machen. Und meist fahren sie mit dem eigenen Auto dorthin. Urlaubsreisen und das Auto sind für die Deutschen von größter Bedeutung. Allein für Auslandsreisen geben sie jährlich mehr als 20 Milliarden Mark aus. Untersuchungen zeigen, daß sich die Bundesbürger am Urlaubsort nur erholen und ausschlafen wollen. Das gilt vor allem für die mittlere Generation der Berufstätigen. Die Mehrheit der jungen Leute dagegen sucht im Urlaub Kontakt zu anderen. Sie ziehen das Bade- und Strandleben vor oder den abendlichen Bummel. Aber nicht alle Bundesbürger können verreisen, trotz Urlaub und höherem Einkommen. Die Zahl derjenigen, die wegen der Wirtschaftskrise im Urlaub zu Hause bleiben, nimmt zu; und auch viele kinderreiche Familien, alleinstehende Mütter, in der Landwirtschaft Beschäftigte und arme Leute haben meistens keine Möglichkeit, wegzufahren.

○ Was machst du denn dieses Jahr im Urlaub?
□ Ich bleibe ausnahmsweise zu Hause.
○ Wirst du dich da nicht langweilen?
□ Aber nein. Angenehme Beschäftigungen gibt es auch zu Hause jede Menge. Für eine teure Urlaubsreise habe ich außerdem kein Geld.
○ Das ist natürlich ein Grund. Aber was wirst du denn den ganzen Tag machen?
□ Ich werde lesen, schwimmen gehen...

○ Hast du schon Pläne für den Urlaub?
□ Oh ja, ich werde eine Schiffsreise machen. Meinen Platz habe ich schon gebucht.
○ Toll! Aber hör mal, ist das nicht teuer?
□ Na ja, es gab da ein Sonderangebot vom Reisebüro. Willst du nicht mitkommen? Es sind sicher noch Plätze frei.
○ Nein danke. Schiffsreisen sind nichts für mich. Dabei werde ich immer seekrank. Außerdem habe ich meinen Urlaub auch schon gebucht. Ich werde...

7.5
7.6

mit dem Rad den Rhein entlangfahren   meine Angehörigen in Rostock besuchen
mich auf eine Prüfung vorbereiten   mich operieren lassen   mein Zimmer tapezieren
jeden Tag laufen   einen Tanzkurs machen, um die modernsten Tänze zu lernen
mir die Schlösser an der Loire ansehen   eine Abenteuerreise durch die Sahara machen
Fahrstunden nehmen und die Führerscheinprüfung machen   seltene Vögel beobachten
in den Alpen klettern   Urlaub im Zelt machen   Urlaub auf dem Bauernhof verbringen
Im Harz wandern und jeden Abend in einer anderen Unterkunft übernachten

Radfahren kann man auch zu Hause.

Das Schönste, was ich mir vorstellen kann, ist ein Bad im Meer.

Kultur strengt mich an.

Fremde Länder und ferne Kontinente finde ich aufregend.

Große Hitze hasse ich.

Campingplätze mag ich nicht. Zuviel Betrieb! Zu laut und schmutzig!

Spiel: Städte im deutschen Sprachraum

Zwei Spieler oder zwei Gruppen, A und B, spielen gegeneinander.

A wählt eine der 18 eingezeichneten Städte und gibt das passende Kärtchen an.

B muß nun aus den Städten, die mit der ersten Stadt durch eine Linie verbunden sind, eine neue Stadt auswählen und zu dieser zweiten Stadt auch das passende Kärtchen angeben.

A macht von dieser Stadt aus weiter.

Jede richtige Zuordnung zählt einen Punkt.

Jede falsche Zuordnung zählt einen Punkt für den Gegner.

Die 18 Städte sind:	
Basel	Chemnitz
Berlin	Köln
Bern	Leipzig
Dresden	Linz
Frankfurt	Magdeburg
Essen	München
Graz	Salzburg
Hamburg	Wien
Innsbruck	Zürich

f Textilindustrie
Versteinerter Wald
1953–1990: Karl-Marx-Stadt

h Gruga-Halle
Krupp
Ruhrgebiet

i Festspiele
Mozart
Nockerln

e Nymphenburg
Süddeutsche Zeitung
Hofbräuhaus

g Karwendelgebirge
Goldenes Dachl
Olymp. Winterspiele '76

d Erasmus
Rheinhafen
Pharma-Industrie

j Deutsche Bundesbank
Paulskirche
Goethe

c Gottfried Keller
Limmat
Bahnhofstraße

k Rösti
Bär
Bundeshauptstadt

b Humboldt
Pergamon-Museum
Alexanderplatz

l Paradiespforte im Dom
Mechthild
Reiter

a Herder
Johann Seb. Bach
Messe

m Semper-Oper
Gemäldegalerie
Zwinger

r Albertina
Sacher
Prater

o Pressestadt
Alster
Reeperbahn

n Uhrenturm
Kaiser Ferdinand II.
Hauptstadt Steiermark

q Dom
Heinzelmännchen
Eau de toilette

p Brucknerhaus
Voest
Torte

C

Eine Folgeerscheinung des Frostes ist mir noch heute in lebhafter Erinnerung. Sie könnte für Sie, meine Herren, vielleicht zum Gegenstand philosophischer Spekulation werden. Ich reiste, da mein Pferd in der Türkei geblieben war, Tag und Nacht mit der Postkutsche. Es fügte sich, daß wir plötzlich in einen sehr engen, von hohen Dornenhecken eingesäumten Hohlweg kamen. Ich bat den Postillion, er möge doch mit seinem Horn ein Signal geben, damit wir nicht mit entgegenkommenden Reisenden zusammenstießen. Er blies auch sogleich mit aller Kraft ins Horn, doch waren seine Bemühungen vergebens. Keinen einzigen Ton brachte er heraus. Dies war ihm völlig unerklärlich, da er doch ein ausgezeichneter Hornist war, und auch mir war es ein Rätsel. Nach kurzer Zeit standen wir tatsächlich einer anderen Kutsche gegenüber. Das war nun, besonders bei diesem Wetter, sehr ärgerlich, und an ein Vorbeikommen war nicht zu denken. Was blieb mir anderes übrig, als aus dem Wagen zu springen, die Pferde auszuspannen, die Kutsche mit den vier Rädern und allem Gepäck auf meine Schulter zu nehmen und damit über Ufer und Hecke zu springen. Dies war wegen der Schwere der Kutsche keine Kleinigkeit. Dann eilte ich zurück zu den Pferden, nahm unter jeden Arm eins und brachte sie auf die gleiche Weise herüber. Als die fremde Kutsche vorbeigefahren war, setzte ich nach zweimaligem Sprunge Pferde und Kutsche wieder auf den Weg, ließ die Pferde anspannen und zur nächsten Herberge fahren, wo wir zufrieden und glücklich in die warme Stube traten. Der Postillion hängte seinen Rock und sein Horn an den Nagel, setzte sich nahe ans Herdfeuer und vergaß seine Sorgen. Ich setzte mich an die andere Seite des Ofens und tat dasselbe.

Nun hört, Ihr Herren, was geschah! Auf einmal ging's los: Tereng Tereng Tereng teng teng! Wir machten große Augen und fanden erst jetzt die Ursache heraus, warum der Postillion sein Horn nicht hatte blasen können. Die Töne waren in dem Horn festgefroren und kamen nun, sowie sie nach und nach auftauten, hell und klar wieder heraus. So geschah es, daß uns der brave Bursche für eine ganze Weile mit einer Fülle von Melodien und Modulationen unterhielt, ohne daß er auch nur ein einziges Mal sein Horn an den Mund geführt hätte. Da hörten wir den »Preußischen Marsch«, »Durch die Wälder, durch die Auen«, »Gestern abend war Vetter Michel da«, · so manchen anderen Schlager und sogar das Abendlied »Nun ruhen alle Wälder«. Mit diesem letzten endete denn auch das Taukonzert, sowie auch ich hiermit meine russische Reisegeschichte beenden möchte.

B1

1. Wer arbeitet wo?

im Gasthaus – in einer Klinik – in einem größeren Werk – an der frischen Luft – in der Klasse – in einem Laden – zu Hause – in der Kirche – bei anderen Leuten

2. Wer ist gerade mit einer dieser Tätigkeiten beschäftigt?

eine Anzeige schreiben – streichen – Gäste bedienen – unterrichten – messen – eine Spritze geben – malen – diktieren

3. Was meinen Sie?

Wer hat ein festes Gehalt?
Wer wird vom Staat bezahlt?

Wer verdient am meisten?
Wer arbeitet am längsten?
Wem macht die Arbeit Spaß? Wem nicht?
Wer steht am frühesten auf?
Wer muß sonntags arbeiten?
Wer hat eine geregelte Arbeitszeit?
Wer hatte die längste Ausbildung?
Wer kann sich bei seiner Arbeit hinsetzen?
Wer hat Konferenzen?
Wessen Arbeit ist kostenlos?
Wer braucht einen Schreibtisch?
Wer schwitzt häufiger?
Wer muß kräftig sein?
Wem gibt seine Arbeit Macht?
Wer muß häufiger Mißerfolge akzeptieren?
Wer muß eine gut lesbare Schrift haben?

Wer hat vielleicht die Meisterprüfung gemacht?
Wer ist möglicherweise Doktor?
Wem sind die Leute besonders dankbar?
Wer bekommt Trinkgeld?
Wer kriegt bei seiner Arbeit den größten Appetit?
Wer arbeitet manchmal unter Lebensgefahr?
Wer hat eventuell mit geheimen Informationen zu tun?
Wer hat mit Vieh zu tun?
Wer braucht keine besondere Ausbildung?
Wer hat Abitur?
Wer braucht einen Hochschulabschluß?
Wer braucht ein Diplom?
Wer hat die meiste Freizeit?
Wer kann arbeiten, wann er will?
Wer muß manchmal nachts arbeiten?
Über wen ärgern sich die Leute?

Polizist   Priester   Friseuse
Feuerwehrmann   Bauer
Maler   Soldat   Sekretärin
Pfarrer   Hausfrau   Matrose
Kunstmalerin
Lehrerin   Krankenpflegerin
Serviererin   Landwirt
Rechtsanwalt   Schreiner
Schlosser   Bäcker   Seemann

Ferienjobs

wir suchen Arbeit

Ich, m, 26, gelernt. Schriftsetzer, Abi (Techn.), 2 Sem. Politik, schreibe recht passabel, versiert am Bau, Rockmusiker (Gitarre) suche Arbeitskollektiv o.ä., die so jemanden brauchen und für die es nicht nur die Arbeit gibt. Stefan, 784628

Gymnasiast (16) sucht seriösen und lukrativen Job fürs Wochenende. Tel. 29 55 77 (Emmanuel)

Suche Job ab 6. Juli bis 31. August. Führerschein 3 vorhanden und Schreibmaschine, Angela, 7 23 16 75 abends

Student, 27, Alleskönner (fast), sucht für Juli Job evtl. in Café, Kneipe o. ä. oder auch Job als Fahrer, Führerschein vorhanden   Chiffre 7292

28jähriger sucht Arbeit, jegliches und jederzeit. Tel. 29 35 23

Industriekaufmann, 23 J., sucht für Aug./Sept. möglichst interessanten Job; Tel. 5 80 10 08, gegen 8 Uhr

Verlagskfm. (21, w) mit Erfahrung su. Job in kl. Verlag. Tel. (0 8170) 527, Elisabeth

Suche Praktikanten- od. Ausbildungsstelle als Fotografin. Tel. (0 8170) 527, Elisabeth

Schülerin (18) sucht Job für die Sommerferien. Bevorzugt in einer Boutique oder ähnlichem. Eventuell auch Büro (Maschinenkenntnisse vorhanden). Meldungen nachmittags. Tel. 87 55 44 Claudia.

Wer hat für zwei Schülerinnen, leider erst 15, in den S'Ferien einen Job in Boutique, Shop oder so? Tel. Gabi 39 42 14.

wir bieten Arbeit an

Fähiger 16 mm-Amateur (oder Team) gesucht als Mithilfe bei der Verfilmung einer Bergsteigervision. Nötig: Eigene Ausrüstung, Sportsgeist und Freude an unserer Geschichte. Info: Tächl K. jun., Schmidhammerstr. 2, 8031 Maisach

Für unsere Kneipe in Neuhausen suchen wir ab Mitte Juli noch Leute für Küche und Bedienung. Tel. 4 31 29 82

Nebenjobs wie Sand am Meer. Gratisinfo von U. Greiner, Mendelssohnstr. 52, in 6700 Ludwigshafen.

Wir suchen ab sofort einen Drucker zweimal wöchentlich halbtags, der bereit ist, eine Gruppe an der Offset-Druckmaschine anzuleiten. Der Aufgabenbereich ist ausbaufähig.   Chiffre 7291

---

1. Haben Sie schon einmal „gejobbt"?

Was haben Sie da gemacht?
Wie war Ihre Erfahrung?

> Ich habe in einem Café serviert.

> Ich war ...

> Ich mußte ...

> Ich bin ganz schlecht bezahlt worden.

> Ich ...

2. Sie und Ihr Kursnachbar suchen einen Ferienjob

Überlegen Sie, welche Arbeit Sie zusammen machen können und möchten. Schreiben Sie dann eine Anzeige.

Als ich mich zu diesem Beruf entschloß, hatte ich kaum noch Illusionen, weil meine Mutter ein eigenes Büro hat und ich von klein an mit ins Geschäft gegangen bin. Der Traum, tolle Reisen für Kunden zusammenzustellen oder selbst Reiseangebote zu testen, wird selten wahr. Auch Routinearbeiten dürfen einen nicht erschrecken: Staubwischen, Prospekte einsortieren, Tickets ausschreiben...
Man sollte sich überlegen, ob man in einen Groß- oder Kleinbetrieb geht. Im kleinen Büro kommt man an alles ran, sogar an die Lottotheke, mal kommt man mit den Kunden zusammen, mal hockt man in der Buchungsabteilung. Langeweile kommt selten auf. Im großen Büro sieht das alles ganz anders aus: Man wird gezielt in einzelne Abteilungen gesteckt, sieht dann

Berufsbilder (25)

Eva Kaczmarek, Reisebürokaufmann:
Ich hab's noch nicht bereut

wochenlang nichts anderes. Das finde ich schon ziemlich nervtötend.
Auf jeden Fall würde ich jedem raten, an Praktika oder Lehrgängen teilzunehmen, auch wenn das mal ein bißchen Freizeit kostet, bei Abendlehrgängen zum Beispiel; man lernt nämlich doch so einiges dazu. Die Berufsschule fand ich ganz gut, wir haben dort eigentlich nur das gelernt, was wir in unserem Beruf auch wirklich

brauchen, z. B. Buchführung, Geographie usw.
Auch wenn ich hier einige Schattenseiten aufgezählt habe, so bin ich doch gerne in meinem Beruf. Ich arbeite nämlich in einem kleinen Büro, wo ich alle Aufgabenbereiche erledigen muß und ständig Kontakte zu Kunden habe.

3. Wie ist der Beruf?

Machen Sie eine Aufstellung.

a) Reisebürokaufmann
b) Sekretärin
c) Möbelschreiner
d) ...

	Kleinbetrieb	Großbetrieb
Vorteile		
Nachteile		

Berufsarbeit: damals und heute

③

Wie war es früher? Wie ist es heute?

Früher wurde die Buchhaltung handschriftlich und im Stehen gemacht. Heute ...
Konfektionskleider wurden von Hand genäht. Heute ...
Auch in der Schwerindustrie wurde vieles von Hand gemacht. Heute ...

8.1

So ist „Themen 3" entstanden

1. Welcher Text gehört zu welchem Bild? Ordnen Sie.

a) An diesem Gerät sind bei der Firma Auer in Donauwörth zuerst mal die »Mengentexte« gesetzt worden, d.h. alles, was in der Grundschrift im Buch steht (in der auch dieser Text geschrieben ist).

b) Das ist die Maschine, auf der »Themen 3« gedruckt worden ist. Sie kann bis zu 6000 Papierbogen pro Stunde bedrucken. Ein Bogen enthält meistens 16 Buchseiten; bei »Themen« sind es allerdings 24 Buchseiten.

c) Das Lager im Verlag. Von hier aus ist Themen 3 zu Ihnen gekommen: entweder über eine Buchhandlung oder über eine andere Verteilerorganisation. Oder sind Sie der Lehrer? Dann ist das Buch vielleicht direkt von hier an Sie geschickt worden.

d) Das Manuskript ist dann von Herrn Aufderstraße und dem Lektor, Herrn Bönzli, fertiggestellt worden. Die Fotos haben sie bei verschiedenen Verlagen gefunden, ein paar hat Herr Bönzli selber gemacht.

e) Herr Lohfert und Herr Aufderstraße haben das Material für dieses Buch gesammelt und das Manuskript geschrieben. Aber bevor sie es fertig abgeben konnten, ist Herr Lohfert von seinem Arbeitgeber nach New York versetzt worden.

f) Herr Schuster macht seine Zeichnungen genau in der Größe, die ihm von Herrn Faltermeier angegeben worden ist. Die Fotos müssen dagegen meistens vergrößert oder verkleinert werden. Oft wird auch nur ein Ausschnitt benutzt.

g) In diesem Raum ist das Buch gebunden worden, das Sie gerade in der Hand halten. Es wird innen am Rücken mit Fäden zusammengehalten. Das ist zwar teurer als ein nur geklebtes Buch, aber dafür hält es auch länger.

h) Wenn die Grundschrift gesetzt ist, macht Herr Faltermeier das Layout für jede einzelne Seite. Er hat zu entscheiden, wie die Texte und die entsprechenden Bilder auf der Seite stehen, und rechnet aus, wie groß die anderen Schriftarten und die Abbildungen sein dürfen, damit alles Platz hat und gut aussieht.

8.2

2. Überlegen Sie: Von wem sind wohl diese Tätigkeiten bei der Herstellung von „Themen" übernommen worden:

Autoren – Lektor – Hersteller – Druckerei – Geschäftsleitung

Umfang des Buches nach Seiten bestimmen
Zahl der Zeilen pro Seite bestimmen
Änderungen im Manuskript festlegen
bestimmen, wann das Buch erscheinen soll
Kopien auf Fehler hin durchsehen

Linien und Kästen zeichnen
die Autoren beraten
vorläufige Kopien herstellen
den endgültigen Preis bestimmen
…

3. Schreiben Sie einen kleinen Bericht: „Wie ein Buch entsteht".

Ein wahrer Umbruch ist nach einer Untersuchung des Rheinisch-Westfälischen Instituts für Wirtschaftsforschung in den letzten zwanzig Jahren in vielen Berufen eingetreten. Viele Produktionsberufe wie beispielsweise Metallarbeiter, Schneider, Maurer oder Bergleute haben an Gewicht verloren. Gewinner der beruflichen Umschichtung waren vor allem Büro- und Dienstleistungsberufe, Techniker und Ingenieure sowie der staatliche Bereich mit Lehrern, Krankenschwestern, Kindergärtnerinnen, Sozialhelfern, Polizisten und Soldaten. Gleichzeitig besteht ein größerer Bedarf an Arbeitskräften, die schnell angelernt, notfalls aber auch schnell wieder entlassen werden. Die Zahl der »Hilfsarbeiter« hat sich seit 1960 fast vervierfacht.

> **Eigentum verpflichtet. Sein Gebrauch soll zugleich dem Wohle der Allgemeinheit dienen.**
> *Grundgesetz für die Bundesrepublik Deutschland Artikel 14, Absatz 2*

»...Der Mensch steht keinesfalls etwa – wie Neoromantiker der Sozialpolitik es so gern sähen – im Mittelpunkt des Betriebes. Dort steht etwas ganz anderes. Dort steht die Produktion, der sachliche, der wirtschaftliche Erfolg. Denn um ihretwillen ist der Betrieb da. Sein alleiniger Zweck ist die Produktion von Gütern, von Waren, die andere brauchen. Alle seine Mittel sind darauf ausgerichtet, dieses Ziel bestmöglich zu erreichen, das heißt so billig wie möglich und so gut wie möglich so viel Güter zu produzieren und abzusetzen wie möglich. Damit dies erreicht wird, muß der Betrieb funktionieren, muß jeder seiner Teile funktionieren, müssen alle seine technischen und organisatorischen Mittel funktionieren.

Zu den Mitteln, die er hat und deren er sich bedient und bedienen muß, damit das Ziel erreicht wird, gehören auch die Menschen. Da alle Mittel funktionieren müssen, müssen auch die Menschen funktionieren. Der Betrieb braucht die Menschen nicht als Menschen, die Gott bei ihrem Namen gerufen hat, sondern als Funktionen. Er braucht nicht den Franz S., nicht den Ernst K., nicht den Heinz B., sondern er braucht einen Schlosser, einen Kraftfahrer, einen Buchhalter. Franz S. ist der Schlosser, Ernst K. der Kraftfahrer und Heinz B. der Buchhalter. Der Betrieb braucht sie in diesen Funktionen, in keinen anderen. Braucht er keinen Buchhalter mehr, weil dessen Arbeit von einer Rechenmaschine übernommen wird, so muß er sich von Heinz B. trennen, so wertvoll dieser auch als Mensch sein mag. Denn dem Betrieb nützt der wertvollste Mensch nichts, sondern ihm nützte bisher der Buchhalter.

Wird Ernst K. so nervös, daß er den Straßenverkehr nicht mehr bewältigen kann, so muß der Betrieb sich von Ernst K. trennen. Es kann ihm nicht auf den Menschen, sondern nur auf den Kraftfahrer Ernst K. ankommen. Da K. nicht mehr Kraftfahrer sein kann, muß er gehen, und der Betrieb muß einen neuen Kraftfahrer einstellen, denn den braucht er.

Das klingt unmenschlich und ist auch unmenschlich. Aber es ist nicht im moralischen Sinne unmenschlich, sondern in einem ganz nüchtern sachlichen. Der Mensch ist vom Betrieb nicht als Mensch, sondern als Funktion gefragt. Der Mensch als solcher ist für den Betrieb nichts, die Funktion, die er ausüben kann, alles. Ganze Berufe fallen weg, und die Menschen, die sie ausübten, werden überflüssig, wenn sie nicht anders nutzbar sind: umgeschult oder umgelernt...«

(Aus der Rede eines Fabrikdirektors)

1. Was steht im Text?

a) ☐ Die Menschen haben im Betrieb die wichtigste Funktion.
   ☐ Die Maschinen haben im Betrieb die wichtigste Funktion.
   ☐ Der Betrieb braucht immer das, was am besten funktioniert.

b) Der Betrieb ist dazu da,
   ☐ daß er so gut wie möglich funktioniert.
   ☐ daß er so viel Geld wie möglich einbringt.
   ☐ daß Menschen arbeiten können.

c) ☐ Der Betrieb macht Menschen überflüssig.
   ☐ Der Betrieb muß Menschen entlassen.
   ☐ Der Betrieb muß Menschen umschulen.

2. Was meinen Sie?

Arbeitet man besser, wenn man weiß, daß man vielleicht bald entlassen wird?
Ist das, was im Text gesagt wird, für jeden Produktionsbetrieb richtig? Gilt es auch für Angestellte in Führungspositionen?
Sollte sich der Staat zu seinen Angestellten auch so verhalten, wie es im Text beschrieben wird?

Für das qualitative Wachstum

Schaffen wir Arbeit – da, wo sie gebraucht wird: im Umweltschutz, in sozialen Diensten, für eine bessere Lebensumwelt.

Bund, Länder und Gemeinden müssen investieren. Fünf Jahre lang zusätzlich zehn Milliarden Mark. So kommt die Wirtschaft in Schwung, und die Arbeitslosigkeit wird abgebaut.

Demokratie in die Wirtschaft tragen

Wir brauchen mehr Mitbestimmung. Weil besser entschieden werden muß. Unser großes Ziel ist die paritätische Mitbestimmung in allen Großunternehmen.

Auch das Betriebsverfassungsgesetz muß dringend verbessert werden. Denn mehr Mitbestimmung ist nötig:

– bei Rationalisierung und Einführung neuer Technologien
– bei der Arbeitsgestaltung
– bei Personalplanung und -entscheidungen
– bei der Verarbeitung von Personaldaten
– bei Betriebsänderungen.

Die Vorteile der Mitbestimmung: Eine menschlichere Arbeitswelt, weniger Wechselbäder bei der Personalpolitik, mehr Qualifizierung, Schutz der Persönlichkeit und mehr Freude an der Arbeit.

– **Die Arbeitslosigkeit ist gestiegen**

– **Die sozialen Unterschiede werden immer krasser**

– **Die Rechte der Arbeitnehmer und ihrer Gewerkschaften werden abgebaut**

Schluß
mit der Politik für wenige

Arbeit für alle
Mitbestimmung
Soziale Gerechtigkeit

Solidarität
ist
unsere Stärke

DGB

Schluß mit der Politik für wenige!

Mehr Freizeit für alle

Wir machen weiter mit der Arbeitszeitverkürzung. Denn ohne sie wird es nie wieder Vollbeschäftigung geben. Wir müssen die Arbeit gerechter verteilen.

Die 35-Stunden-Woche schafft und sichert rund 1,4 Millionen Arbeitsplätze. Beweis: 100 000 Arbeitsplätze durch die 38,5-Stunden-Woche allein in der Metallindustrie! Ein finanziell gut gesicherter Vorruhestand kann 500 000 Arbeitsplätze schaffen.

Jede Überstunde weniger ist ein Stück mehr Chance für einen Arbeitslosen.

Soziale Produktivitätsentwicklung

Die Technik soll dem Menschen dienen. Bei der Arbeit und im Leben.

Statt sich mit Leistungsverdichtung abzufinden, fordern wir Neueinstellungen.

Stärkung freier Gewerkschaften

Nur eine geschlossene Interessenvertretung der Arbeitnehmer kann verhindern, daß der Mensch im Arbeitsleben dem Diktat der Unternehmer unterworfen wird. Kleine Arbeitnehmer-Vereine können nur bitten und betteln. Sozialer Fortschritt ist damit nicht zu erreichen. Darum darf die Einheitsgewerkschaft weder durch Gesetz noch durch die Rechtsprechung geschwächt werden.

Wie denken Arbeitnehmer über ihre Situation?

1984 wurde eine Untersuchung durchgeführt. Man wollte wissen: Wie denken Arbeitnehmer über die Unternehmer, die Gewerkschaften, Arbeitslosigkeit, Gründe und Folgen der Krise?

A. Hören Sie die Interviews! Welche Personen sprechen über welche Themen?

– Die Rolle der Gewerkschaften
– Das Verhalten der Arbeitgeber
– Rationalisierung und Automatisierung

– Die Möglichkeit, arbeitslos zu werden
– Löhne
– Möglichkeiten, die Probleme zu lösen

B. Hören Sie sich die Interviews noch einmal an. Wer äußert die folgenden Standpunkte?

– Die Unternehmer benutzen die Wirtschaftskrise nur, um Mitarbeiter zu entlassen.
– In Wirklichkeit geht es der Industrie gar nicht schlecht.
– Die Gewerkschaften müßten mehr für die Arbeitnehmer tun.
– Man kann die Unternehmer verstehen.
– Es wäre nicht so schlimm, arbeitslos zu werden.
– Das Wichtigste ist, daß man nicht arbeitslos wird.
– Eigentlich geht es den Arbeitnehmern gut.
– Man konnte voraussehen, daß viele Arbeiten jetzt von Robotern gemacht werden.
– Als Arbeitgeber hat man ein Interesse daran, Gewinne zu machen.
– Die Gesellschaft müßte grundsätzlich verändert werden.

2

G e b r a u c h s a n w e i s u n g

CASOMAT CX-PLUS –
die Käsebrot-Maschine

Das Gerät dient zur Herstellung größerer Mengen von Käsebroten. Es besteht aus einem Toaster, einem Rad mit Gabeln und einem Käseofen, der von zwei Kerzen geheizt wird. Um das Gerät zu bedienen, werden zwei Personen gebraucht. Eine Person legt die Toastscheiben auf den Toaster, nimmt jeweils die fertigen Brote von den Gabeln und legt sie auf einen Teller. Gleichzeitig steckt sie eine neue Scheibe auf die Gabel. Die zweite Person dreht das Rad mit den Gabeln. Sobald eine Brotscheibe auf dem Toaster fertig ist, wird das Rad weitergedreht. Dann zieht die zweite Person an einem Draht. Dadurch wird ein Ventil geöffnet, aus dem der heiße Käse auf die Brotscheibe fließt. Das Gerät leistet 100 kb/h (Käsebrote pro Stunde).

Erfinden Sie zusammen mit Ihrem Nachbarn ein Gerät, das die Arbeit in der Fabrik, im Büro oder im Haushalt leichter macht.

Machen Sie eine Zeichnung und schreiben Sie eine Gebrauchsanweisung. Haben Sie auch Lust, ein Werbeplakat für Ihr Gerät zu zeichnen? Finden Sie einen guten Werbeslogan! Stellen Sie Ihre neue Maschine dann den anderen Kursteilnehmern vor.

Hier ein paar Ideen für Geräte, die dringend gebraucht werden:

– elektrischer Bierflaschenöffner
– Automat für heiße Trinkschokolade
– automatische Knopfnähmaschine
– elektronisch geregelte Handschuhheizung

Denken Sie zum Beispiel an folgende Fragen: Welche Maße hat Ihr Gerät (Länge, Breite, Höhe)? Aus welchen Teilen ist das Gerät gebaut? Wie schaltet man es ein und aus? In welcher Reihenfolge wird das Gerät bedient? Welche Sicherheitsvorschriften muß man beachten?

3

○ Mir ist gekündigt worden.

☐ Mit welcher Begründung denn?

○ Es gibt kaum noch Aufträge in der Branche. Und jetzt müssen sie 200 Leute entlassen.

☐ Und was machst du nun?

○ Mal sehen. Vielleicht mache ich mich selbständig.

☐ Aber dazu braucht man doch Kapital.

○ Nun, ich kann ja erst mal einen Kredit aufnehmen…

○ Hast du schon gehört? Georg hat seine Stellung aufgegeben.

☐ Ist der denn wahnsinnig? Das hätte ich aber nicht getan an seiner Stelle!

○ Er scheint etwas Besseres gefunden zu haben.

☐ So? Was denn?

○ Er soll, glaube ich, Vertreter einer deutschen Firma im Ausland werden.

☐ Das ist ja höchst interessant…

Ursachen in einer Firma

Gründe für einen Arbeitnehmer

8.3
8.4

Die Firma kann nur noch 150 Leute beschäftigen.

...hatte nur Mißerfolge mit ihrem neuen Produkt.

...war gezwungen, ein ganzes Werk zu schließen.

...konnte ihre Kreditverpflichtungen nicht mehr erfüllen.

...hatte im letzten Kalenderjahr überdurchschnittliche Verluste.

...hat den Anschluß an die wirtschaftliche Entwicklung verpaßt.

...hat zu viele Leute eingestellt in den letzten Jahren.

Für Fachleute seiner Art besteht kein Bedarf mehr in der Branche.

Die Verkaufszahlen haben sich schlechter entwickelt, als vorausgesehen.

Die Geschäftsleitung hat zu viele Pannen verursacht in den letzten Monaten.

Die Macht der Konkurrenz war zu groß.

Er will sich beruflich verbessern.

...sich eine eigene Existenz aufbauen.

...mehr Verantwortung tragen.

Er hat ein großzügiges Angebot bekommen von einer Firma im Ausland.

...keine Lust mehr, als kleiner Angestellter zu arbeiten.

...keine Lust mehr, immer nur Maschinen zu bedienen.

...eine interessantere Stellung gefunden.

Die Aussichten in anderen Branchen sind besser.

Aussichten/Pläne/Möglichkeiten

ein eigenes Verfahren entwickeln zur Herstellung von...

erst mal einen Gelegenheitsjob machen

einen Zeitungskiosk aufmachen

ein ganz neues Projekt realisieren

Vertreter einer ausländischen Gesellschaft werden

einen ganz neuen Artikel herstellen

mit Ersatzteilen für Computer handeln

Taxi fahren

eine Zeitung herausgeben für Arbeitslose

Einen solchen Schritt würde ich mir aber dreimal überlegen!

Für sowas braucht man doch Erfahrung!

Das würde ich auch tun, unter diesen Voraussetzungen.

Das kann er sich doch gar nicht leisten in seiner Lage!

Fachleute werden immer gesucht, und er ist ein Fachmann auf seinem Gebiet.

Dazu fehlen ihm doch mit Sicherheit die Mittel!

FRAGEN EINES LESENDEN ARBEITERS

Wer baute das siebentorige Theben?
In den Büchern stehen die Namen von Königen.
Haben die Könige die Felsbrocken herbeigeschleppt?
Und das mehrmals zerstörte Babylon –
Wer baute es so viele Male auf? In welchen Häusern
Des goldstrahlenden Lima wohnten die Bauleute?
Wohin gingen an dem Abend, wo die Chinesische Mauer fertig war
Die Maurer? Das große Rom
Ist voll von Triumphbögen. Wer errichtete sie? Über wen
Triumphierten die Cäsaren? Hatte das vielbesungene Byzanz
Nur Paläste für seine Bewohner? Selbst in dem sagenhaften Atlantis
Brüllten in der Nacht, wo das Meer es verschlang
Die Ersaufenden nach ihren Sklaven.

Der junge Alexander eroberte Indien.
Er allein?
Cäsar schlug die Gallier.
Hatte er nicht wenigstens einen Koch bei sich?
Philipp von Spanien weinte, als seine Flotte
Untergegangen war. Weinte sonst niemand?
Friedrich der Zweite siegte im Siebenjährigen Krieg. Wer
Siegte außer ihm?

Jede Seite ein Sieg.
Wer kochte den Siegesschmaus?
Alle zehn Jahre ein großer Mann.
Wer bezahlte die Spesen?

So viele Berichte.
So viele Fragen.

Bertolt Brecht

Stundenplan Klasse 8c

Zeit	Montag	Dienstag	Mittwoch	Donnerstag	Freitag	Samstag
$8.^{10} - 8.^{55}$	Geschichte	Erdkunde	Sport	Wirtschaft	Latein	
$8.^{55} - 9.^{40}$	Biologie	Biologie	Latein	Deutsch	Geometrie	
$9.^{45} - 10.^{30}$	Englisch	Algebra	Geometrie	Englisch	Erdkunde	
$10.^{55} - 11.^{40}$	Deutsch	Latein	Deutsch	Algebra	Geschichte	
$11.^{45} - 12.^{30}$	Kunst	Deutsch	Religion	Latein	Physik	
$12.^{30} - 13.^{15}$	Musik	Physik	Englisch	Sport	Englisch	

In welchem Fach waren Sie am besten?
Welche Fächer hatten Sie am liebsten?
Welche Lehrerinnen oder Lehrer fanden Sie am nettesten?
Welcher gab die schlechtesten Noten?
Welche gaben am meisten Hausaufgaben?
Haben Sie in der Schule etwas besonders Lustiges oder besonders Trauriges erlebt?

Schule — damals und heute

1. Was hat sich geändert?

Früher	mußten durften konnten brauchten ...	die	Schüler Kinder Mädchen Jungen Lehrer ...	immer fast nie nicht nur ...	...
Heute	müssen ...				

9.1a), b)

im Kreis sitzen

ganz still in den Bänken sitzen

in Gruppen lernen

ihre Meinung frei sagen

eine Uniform anziehen   Noten geben

schwatzen   Hausaufgaben machen

politisch aktiv sein   Kinder schlagen

selber Vorschläge machen

auch nachmittags in die Schule

anziehen, was sie wollen

Hosen tragen

sich eine Aufgabe aussuchen

2. Wie war es bei Ihnen? Erzählen Sie.

Wir haben immer alles auswendig lernen müssen.

Wir haben nie ... dürfen.

Ich habe manchmal ... müssen.

Wenn ich schlechte Noten nach Hause brachte, durfte ich nicht mit den anderen spielen.

9.1c)

Zwei Lebenswege

In der zweiten Klasse der Grundschule sitzen sie nebeneinander: Claudia und Michael. Beide sind sieben Jahre alt. In der Pause tauschen sie Tierfotos gegen Buntstifte. Am Nachmittag gehen beide zum Schwimmtraining ins Schwimmbad. Viele glauben, daß Claudia und Michael Geschwister sind. Aber sie sind in Wirklichkeit sehr weit voneinander entfernt.

Claudia hat in der zweiten Klasse Grundschule keine schlechteren Noten als Michael. Nach zwei Jahren geht sie zur Hauptschule. Danach sinken ihre Leistungen in der Schule. Mit 13 Jahren muß sie die Klasse wiederholen. Im Unterricht ist sie still, macht ihre Hausaufgaben nicht immer regelmäßig und bleibt zum zweitenmal sitzen. Die Lehrer sagen, daß es ihr an Fleiß, Interesse und Begabung fehlt. Claudia macht keine Abschlußprüfung in der Hauptschule. Nach einem halben Jahr zu Hause findet sie einen Job in einer Schuhfabrik.

Michael dagegen wechselt nach dem 4. Schuljahr ins Gymnasium und hat durchschnittliche Noten. Mit fünfzehn Jahren bekommt er Schwierigkeiten in Mathematik und Physik. Deshalb bekommt er nach dem Unterricht Privatunterricht: 35 Mark für 45 Minuten. Mit 16 und 17 Jahren entwickelt Michael sehr gute Leistungen in Deutsch und Geschichte. Am Ende macht er ein befriedigendes Abitur. Nach dem Dienst in der Bundeswehr studiert er Jura und wird später Rechtsanwalt.

Claudias Vater ist Bauarbeiter, hat drei Kinder und wohnt mit seiner Familie in einer Wohnung mit zweieinhalb Zimmern und Küche. Die Familie hat ein Einkommen von 1600 DM. Die Mutter verdient halbtags in einer Schuhfabrik dazu.

Michaels Vater ist Beamter. Er ist Richter am Landgericht. Er hat nur ein Kind und bekommt ein Gehalt von 4300 DM im Monat. Die kleine Familie wohnt in einer Viereinhalb-Zimmer-Wohnung mit Küche.

Claudia hat kein eigenes Zimmer. Die Hausaufgaben macht sie am Küchentisch. Helfen können die Eltern nicht. Die Familie besitzt und liest keine Bücher. Zuhause wird Dialekt gesprochen, fast nur in einfachen Sätzen, der Vater meist in der Befehlsform. Beim Abendessen läuft das Fernsehen. Diskutiert wird nicht. Andere Anregungen sind sehr selten.

Michaels Zuhause ist anders. Sein Vater hat viele Bücher gelesen. Er will und kann auch mit seinem Sohn diskutieren. Die Mutter spielt Klavier. Die Familie spricht Hochdeutsch und legt großen Wert auf Sitten und Gebräuche. Alle in der Familie haben das Recht, ihre Meinung zu sagen. Fehler werden nicht nur bestraft, sondern die Strafe wird auch begründet. Der Familie macht es keine Schwierigkeiten, sich mit der Bürokratie auseinanderzusetzen, um ihr Recht zu wahren.

Zwei Kinder, zwei Normalfälle. Zwei verschiedene Lebenswege.

Vergleich

	Claudia			Michael
Beruf des Vaters	Bauarbeiter	○	○	Richter
Schulabschluß des Vaters (wahrscheinlich)		○	○	
Einkommen des Vaters		○	○	
Einkommen pro Person in der Familie		○	○	
Wohnung: Zahl der Zimmer		○	○	
Zimmer pro Person in der Familie		○	○	
Zahl der Geschwister		○	○	
Wieviel Zeit hat die Mutter für jedes Kind pro Tag?		○	○	

Vergleichen Sie die Aussagen und kreuzen Sie jeweils an, was Sie für vorteilhafter halten.

Chancengleichheit

Jedes Mädchen und jeder Junge soll unabhängig vom Wohnort, von Beruf, Einkommen und Bildungsabschluß der Eltern im Bildungswesen die gleichen Chancen haben. Arbeiterkinder sind nicht dümmer als andere; sie sind aber oft dümmer dran, weil z.B. Vater und Mutter ihrem Kind bei den Hausaufgaben nicht so leicht helfen können.

Noch immer sind große Gruppen der Bevölkerung in den »höheren« Bildungsgängen stark unterdurchschnittlich vertreten. Chancengleichheit ist so lange nicht verwirklicht, so lange in unserem Bildungswesen der Grundsatz »Fördern statt Auslesen« nicht selbstverständlich geworden ist. Es ist wichtig, Sozialbarrieren im Schulsystem abzubauen, aber Chancengleichheit bedeutet zum Beispiel auch:

— daß es keine Familientragödie mehr sein darf, wenn ein Akademikerkind statt des Abiturs »nur« eine handwerkliche Ausbildung macht;
— daß Mädchen in gleicher Weise wie Jungen zur Gestaltung ihres zukünftigen Lebens in Familie, Beruf und öffentlichem Bereich befähigt werden;
— daß Erwachsene ein Leben lang die Möglichkeit erhalten, das, was sie als

Kinder und Jugendliche schulisch versäumt haben, durch Weiterbildung nachzuholen und ihre Kenntnisse und Fähigkeiten weiterzuentwickeln.

Vieles hat sich schon verbessert:

— Früher gingen nur wenige Kinder in den Kindergarten. Heute gibt es für fast alle Fünfjährigen einen Kindergartenplatz.

— Den Übergang von der Grundschule in Realschule oder Gymnasium schaffen heute mehr Kinder als früher. Die soziale Zusammensetzung der Schüler an den Realschulen entspricht sogar schon der Sozialstruktur in der Gesellschaft als ganzem.

— Der neue Schultyp der Gesamtschule hilft besonders denjenigen, denen bisher der Weg zu einem höheren Bildungsabschluß meistens verschlossen war.

— Auch an den Hochschulen hat sich in den letzten Jahren das Sozialgefüge erfreulich verändert.

— Am Geldbeutel braucht eine Ausbildung kaum noch zu scheitern: Im Jahre 1983 wurden rund 960000 Schüler und Studenten nach dem Bundesausbildungsförderungsgesetz (BAföG) finanziell unterstützt.

Deutsche Studenten im 1. Hochschulsemester nach beruflicher Stellung des Vaters in Prozent

Selbständige	Beamte	Angestellte	Arbeiter
1966: 28,9%	1966: 25,8%	1966: 32,3%	1966: 10,3%
1977: 21,4%	1977: 19,8%	1977: 36,1%	1977: 18,0%
1983: 19,8%	1983: 19,2%	1983: 39,2%	1983: 17,6%
Anteil an den Erwerbstätigen: 6,3%	Anteil an den Erwerbstätigen: 8,2%	Anteil an den Erwerbstätigen: 37,1%	Anteil an den Erwerbstätigen: 40,3%

9.2

B2

1. Was steht im Text?

	steht im Text	steht nicht im Text
a) Die Kinder von Akademikern sind intelligenter als die Kinder von Arbeitern.		
b) Wirkliche Chancengleichheit gibt es noch nicht.		
c) Manche Akademiker glauben, daß ihre Kinder auf jeden Fall das Gymnasium schaffen müssen.		
d) Heute wollen nicht mehr so viele Kinder den Kindergarten besuchen.		
e) Der Anteil von Arbeiterkindern bei den Realschülern und Gymnasiasten wächst.		
f) Wenn Schule oder Studium für die Eltern zu teuer wird, zahlt der Staat.		

2. Was meinen Sie?

Finden Sie es richtig, daß in der Schule die Schwächeren stärker gefördert werden? Oder glauben Sie, daß man im Gegenteil die intelligentesten Kinder mehr fördern sollte? Können Sie Ihre Meinung begründen?

③

Die Schülervertretung der Gesamtschule Hemmingen:
Wir sprachen mit Thomas Bilitewski (8. Kl.), Carola Krahn (11. Kl.) und Detlef Schröther (11. Kl.) sowie zwei Vertrauenslehrern: Wolfgang Göpfert und Bernd Nause.

Demokratie in der Schule
Ein Interview aus der Schülerzeitschrift »treff«

»treff«: Warum macht ihr bei der SV mit?
Carola: Mich hat gestört, daß einige Klassensprecher und einzelne Schüler so ohne Interesse waren, deshalb wollte ich mich einmal selber um Rechte und Pflichten der SV kümmern.
Thomas: Ich habe Interesse bekommen, als ich gesehen habe, was eine SV so alles machen kann.
»treff«: Was macht eure SV?
Detlef: Unsere Aufgabe besteht darin, schulinterne Dinge zu ordnen und zu organisieren. Zum Beispiel Arbeitsgemeinschaften, wie unsere Schülerzeitung, Schüleraustausch, Feten. Wir bemühen uns auch um bessere Kontakte zu den Elternvertretern und um bessere Zusammenarbeit mit dem Landesschülerrat.
Thomas: Es gab eine Menge zu regeln, wie schulfreier Samstag, Raucherhäuschen, Mitspracherecht und so weiter.
Carola: Wir haben einen Briefkasten vor unserem SV-Zimmer, hier können Schüler ihre Probleme oder Fragen aufschreiben und reinstecken.
»treff«: Wie sind SV-Arbeit und Schularbeiten zu schaffen?
Detlef: Die Einarbeitungszeit war nicht so einfach, aber jetzt komme ich mit der Arbeit gut hin. Für die SV arbeiten wir aber auch in unserer Freizeit.
Thomas: Die Lehrer haben für unsere Arbeitsbelastung Verständnis. Probleme können wir jederzeit mit unserem Schulleiter besprechen.
»treff«: Wie ist euer Verhältnis zu den Lehrern?
Carola: Im großen und ganzen gut.
Thomas: Unser Schulleiter und unsere Vertrauenslehrer informieren uns über unsere Rechte…
Detlef: …und sie geben uns Hilfestellung beim Aufbau der SV.
»treff«: Wie ist das Interesse der Schüler an der SV-Arbeit?
Detlef: Die jüngeren Klassen sind daran weniger interessiert, aber ab 7. Klasse ist die Beteiligung gut.
Carola: Mich sprechen viele Mädchen direkt an und fragen dieses oder jenes.
»treff«: Wie stehen die Lehrer zur SV?
Wolfgang: Ich finde, daß Schülervertretungen wichtig sind, und ich unterstütze die SV. Man muß den Schülern helfen, mit der Arbeitsbelastung umzugehen, damit nicht aus Überlastung Unzufriedenheit erwächst.
Bernd: Die SV stößt bei den Lehrern kaum auf Schwierigkeiten. Es ist wichtig, daß die Schüler, die ja gezwungenermaßen zur Schule gehen, in die Verantwortung für ihren Schulalltag einbezogen werden.

Fassen Sie das Interview zusammen.

Schauen Sie dabei nicht auf den Text im Buch. Schreiben Sie in wenigen Worten, was die Schülervertretung macht, wie sich die Schüler an der Arbeit der SV beteiligen und was die Lehrer dazu sagen.

München
Magnet
für
Studenten

Jede Warnung vor Überfüllung bleibt ungehört: In Bayerns Hauptstadt studieren 80 000 junge Menschen.

München leuchtet. Ein blauer Himmel spannt sich über die Stadt. Wie vergoldet glänzen die Kirchen; wie ein südlicher Boulevard präsentiert sich die Ludwigstraße im strahlenden Licht des Vormittags. »Man lebt hier angenehmen Zwecken«, so schrieb einmal Thomas Mann über diese Stadt.
Ohne Hast verlassen die Studenten das Hauptgebäude der Ludwig-Maximilians-Universität. Sie gehen in ihren »Open-air-Campus«, den Englischen Garten. Nicht zum Studium: Die Bücher halten sie zum Schutz vor der Sonne vor die Nase!

Kommt nicht hierher! – das hat der Universitätsrektor schon vor mehr als zwanzig Jahren gesagt. Damals erreichte die Studentenzahl bereits 20000. Aber es half nichts, es kamen immer mehr Studenten nach München.
Im Sommersemester 1984 studierten 48000 junge Menschen an der Universität und 19000 an der Technischen Universität. Dazu kommen noch die verschiedenen Fachhochschulen. Zusammen sind es rund 80000 Studenten. Damit ist München die größte Studentenstadt der Bundesrepublik. Nur Berlin hat noch ein paar Studenten mehr. Eine Massenuniversität also – mit allen Folgen: Sitzplätze in den Hörsälen sind Luxusware. Oft kennen einander nicht einmal die Professoren. Es sind fast tausend. Allein die beiden

Uni-Fachbereiche Medizin und Rechtswissenschaft könnten mit über 12000 Studenten eine Kleinstadt füllen.
Besonders überlaufen sind Uni-Fächer wie Maschinenbau. Schon in den Anfangssemestern werden Studenten »hinausgeprüft«. Kein Grund also, nach München zu kommen, so sollte man meinen. Aber sie kommen. Warum bloß kommen sie? Oder: Warum bleiben sie? Denn siebzig bis achtzig Prozent der Studenten kommen aus Bayern. Dabei könnten sie aber auch in Würzburg, Bamberg oder Passau studieren.
Für die Münchner gibt es eine einfache Antwort: Weil es billiger ist, bei den Eltern zu wohnen. Die zweite Antwort ist ebenso kurz: »Freizeitwert«. Mit ihrer südländischen, locke-

ren Atmosphäre ist die Stadt näher mit Rom und San Diego verwandt als etwa mit Stuttgart und Hamburg.

»Ich mag nirgends anders hin«, sagt Christine Knittel, 21 Jahre, im vierten Semester Maschinenbau. Sie wohnt bei ihren Eltern. Christine war auch schon in anderen Städten. In Stuttgart zum Beispiel: Dort ist sie einmal von einer Wiese getrieben

Acht große Theater und vierzig Kleintheater in München, 73 Kinos, 20 Musikkneipen, Discos gar nicht mitgezählt. Wer von der BAfög lebt, muß allerdings sehen, wie er zurechtkommt. Die Mieten für eine Studentenbude haben Manhattan-Niveau. Darum bilden viele Studenten Wohngemeinschaften. Darum wird auch viel gejobbt, was in München besser geht als anderswo. Es gibt Messen und Volksfeste das ganze Jahr hindurch, da finden Studenten immer einen Job. Gefragt sind die Studenten auch als Skilehrer, Bergführer und Dolmetscher bis hin zu Hostessen für die Modemesse und für Kongresse. Aber es gibt auch Jobs in Studentenkneipen,

berkäs gibt und wo die Studentenrevolte von 1968 noch lange nicht zu Ende diskutiert ist. Aber die Studentenkneipe oder das Studentenviertel gibt es nicht. Der Campus heißt einfach München. Die Münchner Studenten studieren nicht, wie z.B. die in Bochum, in Lernmaschinen aus Glas und Beton, die am Wochenende leer und ausgestorben am Stadtrand liegen. Trotzdem: Vor München sei gewarnt. Zu Beginn des Wintersemesters 1984/85 gab es einen neuen Rekord von Studentenzahlen. An der Uni immatrikulierten sich rund 50 000, an der Technischen Universität 20 000. Dabei waren zum ersten Mal die Frauen in der Überzahl.

Eine Uni ohne Uniform: Wer vom ehrwürdigen Foyer in einen der Hörsäle kommt, kann sein wahres Platzwunder erleben – wo keiner ist, wird welcher geschaffen, notgedrungen nicht ohne Zwang, aber auch recht zwanglos.

worden, auf der sie sich ausruhen wollte. Nein, sowas ist ihr in München noch nie passiert.

Zuhause in München, das heißt auch: eine halbe Autostunde zum Surfen auf den Seen, drei Stunden zum Klettern nach Südtirol in die Alpen, vier Stunden an die Adria nach Jugoslawien, eine Stunde zum Skifahren in die bayerischen Berge. Wer will da schon in den kalten Norden? Und dann die Möglichkeiten am Abend! Große Kunst und Kleinkunst.

und einige stellen sich sogar als Babysitter für die Kinder des Vermieters zur Verfügung und bekommen dafür das Zimmer billiger.

Natürlich haben auch die Münchner Studenten Angst vor der Zukunft. Aber eine »Nofuture«-Stimmung? Nein; dazu fehlt hier auch – sonst typisch für eine Universitätsstadt – das »Studentengetto«, wo man immer nur dieselben Leute trifft. Es gibt zwar Kneipen – besser gesagt: Wirtschaften – wie den »Atzinger«, wo es billigen Le-

Das bayrische Staatsministerium für Unterricht und Kultus, das für die Hochschulen des Landes zuständig ist, erhöhte die Zahl der Numerus-clausus-Fächer um zwei (Geschichte und Romanistik) auf jetzt insgesamt 25, und die Leitung der Universität denkt bei solchen Zahlen schon laut darüber nach, ob man auch am Samstag Vorlesungen haben sollte. Aber die Studenten sind optimistisch. Sie planen trotzdem schon das nächste Skiwochenende in den Alpen.

1. Was paßt zusammen?

Der Rektor hat vor einem Studium in München gewarnt,	weil das billiger ist.
Einige Studenten arbeiten als Babysitter,	weil die Hochschulen schon überfüllt sind.
In München gibt es kein Studentengetto,	weil die Mieten in München so hoch sind.
In Stuttgart wollte Christine Knittel nicht bleiben,	weil die Räume nicht mehr reichen.
Manche Studenten wohnen gern bei ihren Eltern,	weil die Stadt einen hohen Freizeitwert hat.
München ist für Studenten besonders interessant,	weil die Universität nicht außerhalb der Stadt liegt.
Viele Studenten müssen zusätzlich Geld verdienen,	weil man sich dort nicht mal auf eine Wiese legen darf.
Vielleicht gibt es bald auch am Samstag Vorlesungen,	weil man so Geld sparen kann.
Wohngemeinschaften sind beliebt,	weil sie dann weniger Miete bezahlen müssen.

2. Was meinen Sie?

9.3

Wenn Sie sich für eine Universität in der Bundesrepublik Deutschland entscheiden müßten:
Was wäre für Sie der wichtigste Grund, nach München zu gehen?
Welches wäre der wichtigste Grund, nicht nach München zu gehen?

Ich würde auf jeden Fall da studieren, weil ...

München wäre bestimmt toll. Stellt euch doch mal vor: Da gibt es ...

München käme für mich nicht in Frage, weil ...

Ich könnte da nicht studieren, denn ...

"Uni München"? Noch nie davon gehört.

Für mich käme nur eine Stadt in Frage, ...

Wenn ich ein schönes Zimmer fände ...

Ich ginge lieber in eine Stadt, wo es ... gäbe.

Für mich gäbe es nur einen Grund, nach München zu gehen, nämlich ...

Wenn ich ein Stipendium bekäme ...

Antonio Vargas lebt schon seit zwei Jahren in der Bundesrepublik Deutschland.

Vor zwei Jahren ist er als Neunzehnjähriger nach Düsseldorf gekommen. Damals konnte er noch fast kein Deutsch; er verstand nur ein paar Worte. Aber dann hat er an der Volkshochschule Deutsch gelernt. Jetzt möchte er die Zertifikatsprüfung „Deutsch als Fremdsprache" machen.

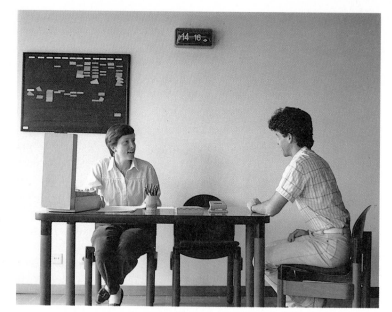

A. Hören Sie den Dialog.

B. Welche Aussagen sind richtig? Korrigieren Sie die falschen Aussagen.

a) Antonio weiß nicht genau, welche Voraussetzungen er für die Prüfung erfüllen muß.
b) Es gibt pro Jahr einen Prüfungstermin.
c) Die nächste Prüfung findet in einem halben Jahr statt.
d) Es gibt keine besonderen Vorbereitungskurse für die Zertifikatsprüfung.
e) Um sich für die Prüfung anzumelden, muß Antonio ein Antragsformular ausfüllen.
f) Die Gebühr für die Prüfung beträgt 25 DM.
g) Antonio bekommt Bescheid, wann genau die Prüfung stattfindet.

Volkshochschule der Stadt NEUSS

In unserem Kurs »Freies Sprechen - freie Rede« sind noch Plätze frei! Wenn Sie Ihre Ausdrucksfähigkeit verbessern wollen, weil Sie in Beruf oder Studium häufig frei sprechen müssen, nehmen Sie an diesem Kurs teil! Sie lernen, Ihre Diskussionsbeiträge vorzubereiten und kleine Vorträge zu halten. Voraussetzungen: Entweder Deutsch als Muttersprache oder fließend Deutsch sprechen. Telefonische Anmeldung bis 13. 9. 1986: 86 42 07

ADAC – Geschäftsstelle Bielefeld

Pannenkurs für Anfänger
Für alle, die kleinere Schäden oder Pannen an ihrem Auto selbst reparieren wollen: Reifen wechseln, Fehler in der elektrischen Anlage suchen, richtiges Abschleppen usw. Technisches Interesse vorausgesetzt.
Drei Abende 25,– DM.

Deutsches Rotes Kreuz

Sofortmaßnahmen am Unfallort
Drei Abende (kostenlos). Programm: Erste Hilfe bei Verkehrsunfällen, Verletzte behandeln, Wunden verbinden. Der Besuch dieses Kurses ist Bedingung für die Anmeldung zur Führerscheinprüfung.

Hedwig Dörnbachschule – Familienbildungsstätte

Natürliche Heilmittel im Haushalt
Man muß sich nicht für jede Erkältung, jeden Husten, jede kleine Verletzung gleich teure chemische Medikamente aus der Apotheke verschreiben lassen. In 10 Doppelstunden zeigt eine Pharmazeutin, wie man selbst nützliche Salben, Tees und Tropfen auf natürliche Art herstellen kann, die sowohl preisgünstig als auch ungefährlich sind.

━━━━━━━━VHS der Stadt Herford━━━━━━

Skulpturenkurs – 20 Doppelstunden.
Wer eine künstlerische Begabung hat und mit Hammer und Zange umgehen kann, der sollte diesen Kurs besuchen. Unter der Leitung eines erfahrenen Künstlers werden Figuren aus den verschiedensten Materialien hergestellt: Holz, Stein, Eisen, Draht. Nach Schluß des Kurses Ausstellung der hergestellten Skulpturen im Forum der VHS.

○ Du, ich habe mich für einen Informatikkurs bei der Volkshochschule angemeldet.
□ Aha, wie bist du denn darauf gekommen?
○ Na, ich will meine beruflichen Aussichten verbessern.
□ Erfüllst du denn überhaupt die Voraussetzungen für so einen Kurs?
○ Na klar; man muß nur ein bißchen in Mathematik Bescheid wissen.
□ Und was wird in diesem Kurs gemacht?
○ Man wird sowohl in die Methoden der Datenverarbeitung als auch in die wichtigsten Computersprachen eingeführt.
□ Hmm, sag mal, ob da wohl noch Plätze frei sind?
○ Ja, sie nehmen noch Anmeldungen an...

Ich	mache	jetzt einen ...kurs bei...	mit.
	besuche		–

Wie bist du denn auf die Idee gekommen?
Wozu machst du das denn?

Das	kann	ich gut	in meinem Beruf	gebrauchen.
		man immer mal	bei...	–
	brauche ich		für...	
Ich will	meine Kenntnisse		auf diesem Gebiet	verbessern.
	mein Wissen			erweitern.

Braucht man da	irgendwelche
Muß man dazu	bestimmte
	Voraussetzungen	?
	Vorkenntnisse	haben?

Vorkenntnisse	braucht man nicht.
Besondere Kenntnisse	werden nicht vorausgesetzt.
	sind dafür nicht notwendig.
Man muß nur ein bißchen	Ahnung von...	haben.
	Interesse an...	

Und was	wird da genau gelernt?
	macht man da so?

Man	lernt,	mit... umzugehen.		
		wie man....		
	wird	sowohl	in...	als auch	in ... unterrichtet.
	teils		und teils	

9.4

B3 Test: Lernen und Behalten von Wörtern

Die folgenden drei Tests können Sie zusammen mit Ihrem Nachbarn machen. Danach macht Ihr Nachbar die Tests mit Ihnen.

1. Nonsens-Wörter

Die nebenstehenden zehn Wörter sind Phantasiewörter. Sie haben keine Bedeutung. Zeigen Sie sie Ihrem Nachbarn 20 Sekunden lang. Danach geben Sie ihm 30 Sekunden lang leichte Rechenaufgaben (z. B. 3 mal 7, 19 minus 12 usw.). Dann soll Ihr Nachbar die Wörter nennen, an die er sich erinnert. Schreiben Sie auf, wieviele er behalten hat.

Schripp	Philz
Geblutz	Knuster
Zarm	Verzumpung
Witzan	Ammehne
Schmurgel	Blommeranze

2. Wörter ohne Zusammenhang

Wenn Sie den Test mit den Phantasiewörtern gemacht haben, dann machen Sie den gleichen Test mit diesen zehn „normalen" Wörtern. Klären Sie vorher zusammen ihre Bedeutung; benutzen Sie dazu das Glossar oder ein Wörterbuch. Wieviele Wörter hat Ihr Partner nach den Rechenaufgaben diesmal behalten?

Taschentuch	Waschlappen
Rasierklinge	Kamm
Rückfahrkarte	Speisekarte
Nadel	Notausgang
Kleingeld	Mißtrauen

3. Wörter mit bestimmtem Zusammenhang

Dieser Test enthält Wörter, die man in einen Zusammenhang bringen kann. Ein Beispiel: Die Wörter „Hausaufgaben", „Küchentisch", „Bücher", „Schwierigkeiten" könnte man sich merken, indem man eine Gedankenverbindung herstellt: „Ich sitze am Küchentisch vor meinen Büchern und mache meine Hausaufgaben, aber ich habe Schwierigkeiten damit". Man braucht diese Tatsache nicht aussprechen oder als Satz behalten, es genügt, sie sich als Bild vorzustellen. Bitten Sie Ihren Partner also, sich die folgenden Wörter zu merken und dabei eine bildliche Gedankenverbindung herzustellen. Notieren Sie dann wieder, wieviele Wörter er nach dem Rechnen behalten hat.

Drucksache	Rezept
Absender	Einschreiben
Zahnarzt	Empfänger
Notruf	Luftpost
Briefträger	Krankenkasse

Jetzt kann Ihr Partner den gleichen Test mit Ihnen machen, oder Sie beide machen ihn mit einer anderen Testperson. Dafür müssen Sie natürlich selbst drei Listen von Wörtern zusammenstellen (Glossar oder Wörterbuch).

Auswertung: Vergleichen Sie die Ergebnisse der drei Tests. Auf welche Art kann man neue Wörter am besten behalten? Wie könnte man die Ergebnisse bei Test 1 und 2 noch verbessern?

Max *Wilhelm Busch*

und Moritz

VORWORT

Ach, was muß man oft von bösen
Kindern hören oder lesen!
Wie zum Beispiel hier von diesen,
Welche Max und Moritz hießen;
Die, anstatt durch weise Lehren
Sich zum Guten zu bekehren,
Oftmals noch darüber lachten
Und sich heimlich lustig machten.
…

Aber wehe, wehe, wehe!
Wenn ich auf das Ende sehe!!
Ach, das war ein schlimmes Ding,
Wie es Max und Moritz ging!
Drum ist hier, was sie getrieben,
Abgemalt und aufgeschrieben.
…

VIERTER STREICH

Also lautet ein Beschluß,
Daß der Mensch was lernen muß.
Nicht allein das Abc
Bringt den Menschen in die Höh';
Nicht allein in Schreiben, Lesen
Übt sich ein vernünftig Wesen;
Nicht allein in Rechnungssachen
Soll der Mensch sich Mühe machen,

Sondern auch der Weisheit Lehren
Muß man mit Vergnügen hören.
Daß dies mit Verstand geschah,
War Herr Lehrer Lämpel da.
Max und Moritz, diese beiden,
Mochten ihn darum nicht leiden;
Denn wer böse Streiche macht,
Gibt nicht auf den Lehrer acht.
Nun war dieser brave Lehrer
Von dem Tobak ein Verehrer,
Was man ohne alle Frage
Nach des Tages Müh und Plage
Einem guten, alten Mann
Auch von Herzen gönnen kann.
Max und Moritz, unverdrossen,
Sinnen aber schon auf Possen,
Ob vermittelst seiner Pfeifen
Dieser Mann nicht anzugreifen.

Einstens, als es Sonntag wieder
Und Herr Lämpel, brav und bieder,
In der Kirche mit Gefühle
Saß vor seinem Orgelspiele,

Schlichen sich die bösen Buben
In sein Haus und seine Stuben,
Wo die Meerschaumpfeife stand;
Max hält sie in seiner Hand;

Aber Moritz aus der Tasche
Zieht die Flintenpulverflasche,
Und geschwinde, stopf, stopf, stopf!
Pulver in den Pfeifenkopf. –
Jetzt nur still und schnell nach Haus,
Denn schon ist die Kirche aus. –

Eben schließt in sanfter Ruh
Lämpel seine Kirche zu;
Und mit Buch und Notenheften
Nach besorgten Amtsgeschäften
Lenkt er freudig seine Schritte
Zu der heimatlichen Hütte,

Und voll
Dankbarkeit sodann
Zündet er
sein Pfeifchen an.

»Ach!« – spricht er – »Die größte Freud
Ist doch die Zufriedenheit!!«

Rums!! – Da geht die Pfeife los
Mit Getöse, schrecklich groß.
Kaffeetopf und Wasserglas,

Tobaksdose, Tintenfaß,
Ofen, Tisch und Sorgensitz –
Alles fliegt im Pulverblitz. –

Als der Dampf sich nun erhob,
Sieht man Lämpel, der gottlob
Lebend auf dem Rücken liegt;
Doch er hat was abgekriegt.
Nase, Hand, Gesicht und Ohren
Sind so schwarz als wie die Mohren,
Und des Haares letzter Schopf
Ist verbrannt bis auf den Kopf.

Wer soll nun die Kinder lehren
Und die Wissenschaft vermehren?
Wer soll nun für Lämpel leiten
Seine Amtestätigkeiten?
Woraus soll der Lehrer rauchen,
Wenn die Pfeife nicht zu brauchen?

Mit der Zeit wird alles heil,
Nur die Pfeife hat ihr Teil.
Dieses war der vierte Streich,
Doch der fünfte folgt sogleich.

Heimwerkerbedarf Werkzeug Haushaltsgeräte

Radio + Fernsehen

Möbel

Spielzeug

Sport + Freizeit

Fahrräder

Büro

Herrenkonfektion

Damenkonfektion

Kinderbekleidung

Vorhänge + Stoffe

Lebensmittel

Bücher Schreibwaren

Zeitschriften

Drogerie

Auskunft

1. Was brauchen Sie?

Was kaufen Sie jeden Tag?
Was jede Woche/jeden Monat/
jedes Jahr?
Was brauchen Sie nur alle fünf oder
zehn Jahre kaufen?
Was haben Sie noch nie gekauft?
Würden Sie gern einmal etwas kau-
fen, obwohl Sie es nicht brauchen?
Was zum Beispiel?
Kaufen Sie auch wirklich manch-
mal etwas, obwohl Sie es eigentlich
nicht benötigen? Können Sie ein
Beispiel geben?
Gibt es auch Einkäufe, die Sie
ungern machen?
Was zum Beispiel?

2. In welcher Abteilung bekommen Sie diese Artikel?

Nadel für Plattenspieler

Taschentücher

Briefpapier

Kalender

haltbare Milch

Schere

Gardinen

Tonbänder

Birne für Schreibtischlampe

Stecker und Kabel

Kartenspiel

Stoff für neues Kleid

Vitaminpillen

Zange

Nägel

Margarine

Kleiderhaken für Garderobe

Einkaufen: Damals und heute

1. „Früher war alles besser".

Früher konnte man...

Heute kann man dafür...

In einem Fachgeschäft hat man zwar mehr..., aber...

Die Verkäufer auf einem Markt mußten immer...

Ich finde, die Werbung war früher...

2. Wo kaufen Sie am liebsten ein?

Auf dem Markt,
Im Fachgeschäft,
Im Kaufhaus,
Bei einem Hausierer,
Im Supermarkt,
Per Katalog von einem Versandhaus,
Im Tante-Emma-Laden,
In der Ladenstraße in einer Fußgängerzone,

weil...
denn...
...nämlich...

zurücklegen lassen   Qualität   Fachleute
große Auswahl   Preise vergleichen   Garantie
Markenartikel   alles unter einem Dach   frisch
gute Beratung   holen, was man schnell braucht
gleich um die Ecke   nicht so viele Leute
in Ruhe zu Hause aussuchen   sich beraten lassen
keine Parkplatzprobleme   passende Ersatzteile
zurückschicken, was einem nicht gefällt   billiger
Schaufenster ansehen   auf Kredit einkaufen

10.1

Ein Gang durch den Supermarkt
Damit Sie nicht in Fallen fallen!

Es ist ja so angenehm, im Supermarkt zu kaufen. Da hat man alles zusammen, was man braucht, einiges sogar recht preisgünstig. Ein bequemes Einkaufen also. Wirklich so bequem? Beobachten Sie einmal aufmerksam, wie die Waren verteilt sind. Da werden Sie leicht bemerken, daß alles, was Sie kaufen müssen, wie z.B. Brot, Mehl, Margarine, Zucker usw. in den untersten Regalreihen zu finden ist. Sie müssen fleißig in die Knie gehen, wenn Sie diese Lebensmittel finden wollen. So bequem ist das also gar nicht. Dafür stehen verlockende Angebote in Augenhöhe, Angebote, die Sie nicht nur sehen, sondern auch kaufen sollen. Verkaufsfachleute haben festgestellt, daß der gleiche Artikel je nach Plazierung unterschiedlich gekauft wurde:
– 100mal in Höhe der Augen,
– 70mal in Bauchhöhe,
– 30mal in Kniehöhe.
Daher haben diese klugen Verkaufsspezialisten das, was Sie unbedingt kaufen müssen, in Kniehöhe gestellt, gleichzeitig aber auch all die schönen Sachen, die Kindern so gut gefallen.

Überhaupt gibt es an Ihrem Kaufverhalten fast nichts, was nicht schon untersucht wurde. Und nach den Ergebnissen dieser Tests sind die Supermärkte eingerichtet.

So haben die meisten Menschen einen Rechtsdrall, das heißt, sie drehen sich zuerst nach rechts und greifen entsprechend auch zuerst nach rechts. Also wird an der rechten Regalseite die Ware aufgebaut, die für den Händler die größten Gewinne bedeutet.

Und: Haben Sie schon mal einen Selbstbedienungsladen gesehen, in dem die frischen Nahrungsmittel, Fleisch, Gemüse, Äpfel und Birnen, Milch und Sahne, gleich neben dem Eingang stehen? Nein! Fleisch wird im hinteren Teil des Ladens angeboten. Gemüse und Obst kurz vor der Kasse. So ist man gezwungen, auf seinem Weg zur frischen Ware an vielen schönen Artikeln vorbeizugehen.

Wissen Sie, daß Sie innerhalb von zehn bis zwölf Minuten an etwa 1500 Artikeln vorbeigeführt werden? Wissen Sie auch, daß Ihr Weg zur frischen Ware öfter unterbrochen wird? Zum Beispiel durch Informationen aus dem Lautsprecher, Schilder und Sonderangebote. Große Warenmengen auf Wühltischen sollen den Eindruck machen, daß hier mit den Preisen besonders scharf gerechnet wurde und es sich darum nicht lohnt, die Waren ordentlich ins Regal zu packen. Lose Waren, scheinbare Unordnung, raffinierte Verpackung und absichtlich offen gelassene Flächen sollen einen dazu verführen, eine Ware in die Hand zu nehmen. Und Verkaufspsychologen wissen, daß jede zweite angefaßte Ware in die Einkaufstasche wandert.

Sonderangebote werden nicht immer getrennt angeboten, sondern manchmal zwischen den gleichen Waren versteckt. Und manchmal wird das Sonderangebot sogar an anderer Stelle teurer verkauft.

Sind Superpreise wirklich super? Große Preisschilder, durchgestrichene Preise sollen Sie zum Kaufen überreden. Jedoch kann es in demselben Supermarkt die gleiche Ware zu unterschiedlichen Preisen geben. So findet man verschiedene Marken derselben Qualität, aber in anderer Verpackung.

Lange Warteschlangen an der Kasse? Für den Verkäufer sind sie kein Problem, sondern eher wünschenswert. Beim Warten fällt Ihr Blick auf Zeitschriften, Taschenbücher, Zigaretten, Tafeln Schokolade, Getränke – und nicht zu vergessen: Eis. Das steht ganz nahe bei der Kasse, damit die lieben Kinder mit Eis so schön beruhigt werden können.

10.2

---

1. Fassen Sie zusammen:

a) Wie ist ein Supermarkt aufgebaut?
b) Welche bekannten Verhaltensweisen der Verbraucher spielen bei der Aufstellung der Waren eine Rolle?

2. Schreiben Sie zusammen mit Ihrem Nachbarn oder in Gruppen einen kleinen Ratgeber:

„Die 10 goldenen Regeln für den Gang durch den Supermarkt".
Vergleichen Sie Ihre Ergebnisse und diskutieren Sie sie.

Sonnenbrille

Bahnreisen

Damenbekleidung

Nachthemd   Socken

Bankkredit

Modelleisenbahn

Unterwäsche

Tiefkühlkost   Limonade

Klopapier

Buch   Shampoo

Glücksspiel   Jeans

Hautcreme   Auto

Bier   Flugreisen

Heiratsvermittlung

Zigaretten

Versicherungen

Rasierwasser   Video

Möbel   Schlafmittel

Medikament   Motor-   rad

1. Wofür wird geworben?

„Das Ursprüngliche..." – vielleicht Bio-Kost?

Ich glaube, ich weiß, was...

„Care – Man geht nicht mehr ohne." Hut? Schuhe? Sonnenschirm?

10.5

Ich	nehme an, vermute, kann mir vorstellen,	das ist... Das	könnte dürfte wohl muß	eine Werbung für... sein.
Ob das vielleicht Ich frage mich, ob das nicht		eine Anzeige für... ist?		
Das ist	bestimmt vermutlich möglicherweise	eine Anzeige für...	Das glaube ich nicht; ich vermute eher... Bestimmt nicht! Auf keinen Fall! Das muß etwas anderes sein!	

2. Welche Werbung verspricht...

...Geld?   ...Spaß?   ...Qualität?

...Erfolg?   ...Zufriedenheit?   ...Schönheit?

...Sicherheit?   ...Eleganz?   ...Klasse?

3. Durch welche Werbung fühlen Sie sich angesprochen?

Welche Sätze machen Sie neugierig? Welche finden Sie übertrieben, welche halten Sie für leere Behauptungen? Gibt es hier Sätze, über die Sie sich ärgern?

Anzeige

Der Mensch braucht alles, der Mensch braucht nichts. Der Mensch braucht Licht und Luft, Liebe, Gesundheit, Glück. Die Sonne.

Der Mensch braucht Geld. Viel Geld, wenig Geld, überhaupt kein Geld. Der Mensch braucht ein Hemd.

Eine Hose, eine Jacke, einen Pullover. Schuhe, Strümpfe. Einen Mantel.

Der Mensch braucht seine Arbeit, seine Ruhe, seine eigenen vier Wände.

Der Mensch braucht den Streit, das Chaos und den Frieden.

Der Mensch braucht Autos, dicke Autos, mittlere Autos,

Der Mensch braucht eine Geige, eine Flöte, einen Kontrabaß.

Der Mensch braucht Sex, die Liebe und die Eifersucht.

Der Mensch braucht Ansehen, Aussehen, Luxus. Theater, Opern, Konzerte, Dramen und die Achterbahn. Kino, Fußball und Pommes frites.

Der Mensch braucht sein Landgut, sein Schloß, sein Haus, sein Haus mit Garten, seine Wohnung, sein Zimmer, seine Kammer, seine Bude.

Mallorca, die Berge und das Steinhuder Meer.

Der Mensch braucht sich selbst, den Geliebten, den Vater, die Mutter, den Freund. Die Kinder.

Hängelampe
FOTO
Metallschirm
Ø 21 cm

18.—

Kochtopf
RONDO
Gußeisen
4 l

70.—

Kochmesser
DISTINKT
31 cm

17.—

Nichts gegen Pelzmäntel:
"Wer an der richtigen Stelle einspart…

Nichts gegen Unsinn und Vergnügen:
…kann sich an anderer Stelle…

Was der Mensch so braucht.

kleine Autos. Zweisitzer, Viersitzer, Sechssitzer. Der Mensch braucht die U-Bahn, die Straßenbahn, den Omnibus.

Der Mensch braucht dringend Bücher. Wenigstens das Buch der Bücher. Und das Telefonbuch. Und den IKEA-Katalog. Der Mensch braucht eine Uhr. Die Normaluhr, die Standuhr, die Armbanduhr. Die Eieruhr.

Der Mensch braucht Radio, Video-Recorder, HiFi-Anlagen, Fernseher, Schallplatten.

Der Mensch braucht Messer, Gabel, Schere und Licht.

Der Mensch braucht die Karibik,

Bett
TANA
Kiefer massiv,
klarlackbehandelt,
99 x 207 cm

98.—

CAVIAR
ASTRAKHAN

Nichts gegen den Luxus:
…dies bißchen Luxus und Vergnügen leisten."

Wenn der Mensch ja so viel braucht, was kann IKEA Dir dann bieten? Nicht viel. Bitte umblättern.

1. Was unterscheidet diesen Anzeigentext von einem „normalen" Werbetext?

Überlegen Sie miteinander, welche der folgenden Aussagen diese Frage beantworten.

a) Der Text sagt nichts aus über das Produkt, für das geworben werden soll.
b) Der Text ist so geschrieben, daß er Vertrauen erweckt.
c) Der Text behauptet nicht, daß das Produkt besonders gut sei.
d) Der Text ist phantasievoll, es macht Spaß, ihn zu lesen.
e) Der Text kritisiert Werbung und Konsum.

2. Was haben sich die Leute wohl gedacht, die diese Anzeige gemacht haben?

a) Unsere Produkte kosten nicht viel. Wir müssen im Text den Leuten vor Augen halten, was sie mit dem ersparten Geld machen können.
b) Wir machen einen Text, der mit unseren Produkten gar nichts zu tun hat. Das fällt den Leuten besonders auf.
c) Wir zeigen, daß wir uns über das Leben viele Gedanken machen. Dann wird man auch unseren Produkten vertrauen.
d) Wir schreiben einen interessanten Text, der beim Lesen Spaß macht. Dann wird man auch unsere Produkte gern kaufen.
e) Unsere Produkte sind aus natürlichen Materialien hergestellt. Wir sprechen deshalb im Text über die Natur des Menschen.

Lebensstandard, volkswirtschaftliche Größe, mit der die Ausgaben privater Haushalte für den Kauf von Gütern bezeichnet werden. Der materielle L. ist i. d. R. abhängig vom Einkommen, über das private Haushalte verfügen.
Als Wertvorstellung ist L. nicht meßbar und mit individuell unterschiedlichen Ansprüchen verbunden. So werden unter L. auch Bedingungen der Arbeit, sozialen Sicherheit, Bildung und Ausbildung, Freizeit usw. verstanden, womit sich der Begriff L. dem der → Lebensqualität annähert.

Lebensqualität, gesellschaftspolitische Zielvorstellung, die im Unterschied zum materiellen → Lebensstandard auch die weniger leicht meßbaren menschlichen Grundbedürfnisse berücksichtigt. Der in den 60er Jahren aus Kritik am Wirtschaftswachstum geprägte Begriff meinte zunächst vor allem Ziele wie Humanisierung der Arbeitswelt, Umweltschutz, Chancengleichheit und eine bessere → Infrastruktur, bezeichnet in den 80er Jahren aber meist die Summe der Lebensbedingungen innerhalb einer sozialen Einheit.

Für die Politik der 80er Jahre ist L. ein Schlüsselbegriff, der je nach politischem Standort unterschiedlich verwendet wird. Nach Einschätzung der Bundesbürger hat sich die L. in der BRD seit den 50er Jahren ständig verbessert. Umfragen über die individuelle Lebenszufriedenheit zeigten Anfang der 80er Jahre, daß die Bürger der BRD im privaten Bereich mit Ehe, Familie und Haushalt relativ zufrieden sind, sehr unzufrieden dagegen mit Umweltschutz und öffentlicher Sicherheit (der Fortschrittsglaube war 1982 nur noch bei 27% der Bürger anzutreffen, 1972: 60%).

1. Welche Dinge aus der Anzeige „Was der Mensch so braucht" gehören eher zum Lebensstandard, welche eher zur Lebensqualität?

Was gehört Ihrer Meinung nach noch dazu? Vergleichen Sie Ihre Ergebnisse im Kurs.

Lebensstandard	Lebensqualität
dickes Auto, Video-Recorder	Gesundheit, Glück

2. Was meinen Sie?

Womit kann man am besten zeigen, daß man sich einen hohen Lebensstandard leisten kann? Welche Dinge, die zum Lebensstandard gehören, erhöhen besonders die Lebensqualität?

Zufriedenheit mit dem Leben steigt

	1958	1967	1973	1982
zufrieden	45%	57%	62%	79%
nicht so zufrieden	52%	37%	37%	21%

Von je 100 Haushalten besaßen 1983:

Staubsauger	Telefon	Waschmaschine	Kühlschrank	Fotoapparat	Fernseher	Nähmaschine	Fahrrad	Pkw	Stereoanlage	Geschirr-spülmaschine	Elektrischer Wäschetrockner
96	88	83	79	78	73	67	67	65	38	24	10

10.3

3. Gibt es hier Informationen, die für Sie überraschend sind?

Es ist kaum zu glauben, daß so viele ...

Ich hätte erwartet, daß mehr Leute ...

... das finde ich auch überraschend.

4. Wie ist es wohl zu erklären, daß die Lebenszufriedenheit der Bundesbürger in den letzten 30 Jahren immer weiter gestiegen ist?

Krieg   Sicherheit   Löhne   Arbeitsplatz   Zeit   Familie   Hobby

Auch in der reichen Bundesrepublik Deutschland gibt es arme Menschen: Arbeitslose, alleingelassene Mütter, Rentner. Wenn das Arbeitslosengeld oder die Rente nicht zum Leben reicht oder wenn der geschiedene Mann seine Zahlungen nicht überweist, dann können diese Leute von der Sozialhilfe Geld bekommen.

Die Zahl der Haushalte, die regelmäßig Sozialhilfe brauchen, hat sich von 1978 bis 1983 verdoppelt: von rund 375 000 auf 722 000. Wieviel Not und oft Verzweiflung hinter diesen Zahlen steht, kann man sich gar nicht richtig vorstellen.

Armut und Wohlstand

Die Normalbürger leben nicht luxuriös. Ein Arbeiter verdient brutto 2580 DM im Monat; eine Arbeiterin nur 1770 DM. Bei Angestellten und Beamten sieht es etwas besser aus: 3420 DM für einen Mann, 2200 DM für eine Frau. Aber wenn Steuern und Sozialabgaben vom Gehalt abgezogen worden sind, bleiben für eine Familie mit vier Personen nur noch 2830 DM übrig. Trotzdem: Die meisten sind zufrieden. Sie haben alles, was sie brauchen.

Über die Reichen gibt es wenig statistische Zahlen. Immerhin: Es gibt in der Bundesrepublik 67000 Millionäre, also Leute, deren Vermögen mehr als eine Million Mark beträgt. Es gibt sogar über 10 000 »Einkommensmillionäre«, die also im Jahr mehr als eine Million verdienen. Im Jahr 1974 besaß 1% der Steuerpflichtigen 11,9% des Vermögens aller Steuerpflichtigen; von zehn Steuerpflichtigen besaß einer mehr als die übrigen neun zusammen. Und dabei haben gerade die Höchstverdiener viele Möglichkeiten, einen Teil ihrer Einkünfte steuerfrei zu halten.

5. Was steht im Text?

a) Die Armen werden immer ärmer.
b) Die Zahl der Armen nimmt zu.
c) Geschiedene Männer bekommen von der Sozialhilfe Geld.
d) Wegen der Sozialhilfe gibt es keine armen Leute.
e) Angestellte verdienen mehr als Arbeiter.
f) Die Männer verdienen im Durchschnitt mehr als die Frauen.
g) Vom Netto-Einkommen werden Steuern und Sozialabgaben abgezogen.
h) Ein Millionär ist jemand, der im Jahr mehr als eine Million verdient.
i) Wenige Leute besitzen den größten Teil des Vermögens.

Ich bin eine Normalhexe. Ich habe alles, was ich brauche.

Auf der Bank

1. Herr Fitzpatrick eröffnet ein Konto

A. Hören Sie das Gespräch.

B. Welche Aussagen stimmen?

a) Herr Fitzpatrick möchte ein Girokonto eröffnen.

b) Er möchte ein Sparkonto eröffnen.

c) Seine Staatsangehörigkeit ist irisch.

d) Er ist Praktikant in der BRD.

e) Er kriegt jeden Monat eine Überweisung von seinem Vater.

f) Er kriegt ein Stipendium in Höhe von 1300 DM.

g) Er kriegt alle drei Monate einen Euroscheck.

h) Euroschecks sind nur zusammen mit der Scheckkarte gültig.

i) Die Scheckkarte wird sofort für Herrn Fitzpatrick ausgestellt.

j) Er bekommt seine Scheckkarte erst dann, wenn das erste Geld auf seinem Konto ist.

k) Er bekommt Bescheid, wenn er die Scheckkarte von der Bank abholen kann.

l) Mit den Euroschecks kann man auch Geld aus dem Automaten bekommen.

m) Für die Geldautomaten braucht man die Scheckkarte.

2. Frau Schachtner braucht Geld

A. Hören Sie das Gespräch.

B. Beantworten Sie die Fragen.

a) Wofür braucht Frau Schachtner einen Kredit?

b) Wieviel verdient sie im Monat netto?

c) Wieviel Prozent Zinsen pro Jahr verlangt die Bank für einen Kredit?

d) Die Bankangestellte schlägt Frau Schachtner zwei Möglichkeiten vor:
1. Wieviel muß sie jeden Monat zurückzahlen, wenn sie den Kredit über 3 Jahre laufen läßt?
2. Wieviel muß sie jeden Monat zurückzahlen, wenn die Laufzeit 4 Jahre beträgt?

e) Welche Kreditform wählt Frau Schachtner?

C. Rechnen Sie aus:

a) Wieviel Geld bleibt ihr monatlich übrig?

b) Sie bekommt 15 000 DM von der Bank; aber welche Summe muß sie tatsächlich zurückzahlen?

D. Was ist Ihre Meinung: Lohnt es sich, soviel Schulden zu machen, um ein neues Auto zu kaufen?

Wie bedienen Sie einen Geldautomaten?

Sehr geehrter Kunde,

mit einer gültigen eurocheque-Karte mit Magnetstreifen und Ihrer persönlichen Geheimzahl erhalten Sie Bargeld an allen ec-Geldautomaten im Bundesgebiet und in Berlin (West) – auch wenn die Bankschalter zu sind. Eine Beschreibung, wie diese Geräte zu bedienen sind, finden Sie auf dem Bildschirm. Grundsätzlich gilt für alle Typen von ec-Geldautomaten:

Falls der ec-Geldautomat in der Vorhalle eines Kreditinstituts installiert ist, ist Ihre ec-Karte mit Magnetstreifen auch der »Schlüssel« für die Eingangstür. Die Tür läßt sich öffnen, wenn Sie die Karte durch den »Führungsschlitz« ziehen.

Prüfen Sie, ob der ec-Geldautomat in Betrieb ist.

Stecken Sie Ihre ec-Karte, wie auf dem Automaten abgebildet, in den Karteneingabeschlitz. Achten Sie besonders darauf, ob die ec-Karte mit der Bildseite nach oben oder nach unten einzuführen ist.

Die Sicherheitstür des Automaten öffnet sich, sobald Ihre Karte gelesen wurde.

Tippen Sie Ihre persönliche Geheimzahl ein, sobald der Automat »Bitte Geheimzahl eingeben« anzeigt.

Wählen Sie den gewünschten Betrag.

Beachten Sie die weiteren Beschreibungen auf dem Bildschirm. Bei manchen Automaten müssen Sie Ihre Eingaben bestätigen.

Nach kurzer Zeit werden Sie aufgefordert, Ihre ec-Karte aus dem Karteneingabeschlitz zu nehmen.

Erst nach einer kurzen Bearbeitungszeit wird Ihnen der gewünschte Bargeldbetrag ausgezahlt.

Wichtig: Teilen Sie den Verlust Ihrer ec-Karte sofort Ihrer Bank oder Sparkasse mit, um einen möglichen Mißbrauch auszuschließen!

10.4

B3

3. Erklären Sie mit eigenen Worten, wie ein Geldautomat funktioniert.

Zuerst muß man...

Dann...

Wenn auf dem Bildschirm...

Vertreterbesuch an der Haustür

Haben Sie das schon mal erlebt? Es klingelt an der Haustür, Sie machen auf, und schon steht er mitten in der Wohnung: der Vertreter. Er will Ihnen eine Versicherung, einen Staubsauger oder eine Zahnbürste verkaufen. Und Sie? Wie reagieren Sie? Hören Sie erst mal zu (er könnte ja etwas Interessantes für Sie haben), oder werfen Sie ihn hinaus?
Bereiten Sie in kleinen Gruppen die Rolle des Vertreters und die des Kunden vor. Spielen Sie dann die Situation.

Vorbereitung der Vertreter

– Überlegen Sie, was Sie verkaufen wollen:
  Staubsauger, Zeitungsabonnement, Seife, Haarwaschmittel, Mitgliedschaft in einem Buchclub, Rasierklingen, Knöpfe, Kämme, Kleiderbügel, Handtücher, Wäschestücke, Teppiche, Zahnbürsten ...
– Sammeln Sie Argumente für den Kauf Ihrer Ware.
– Überlegen Sie, wie Sie sich am besten verhalten; was Sie tun sollten, was Sie nicht tun sollten.

Vorbereitung der Kunden

– Sammeln Sie Argumente gegen einen Kauf an der Haustür.
– Überlegen Sie, was Sie tun können, wenn der Vertreter einfach nicht gehen will.
– Wen könnten Sie eventuell zu Hilfe holen? (Mann, Frau, Nachbar, Polizei ...)

Sie haben doch sicher...,
    dann brauchen Sie auch...
Möchten Sie nicht auch .... haben/besitzen?
Ihr(e) Nachbar(in) hat auch schon ...
So ein ... bekommen Sie nirgends billiger!
Denken Sie doch mal daran, daß/wie ...
Darauf haben Sie ... Monate Garantie.
... ist ein Produkt aus der Weltraumforschung.
Dann haben Sie viel mehr Zeit für/zum ...
Sie brauchen nur Ihre Unterschrift unter den
    Vertrag zu setzen.
Sie können in bequemen Raten zahlen.
Das Allerneueste!
Eine einmalige Gelegenheit!
Sie sparen eine Menge Geld!

... brauche ich nicht.
... habe ich schon.
Für sowas habe ich keinen Bedarf.
Ich kaufe grundsätzlich nichts an der Tür.
Ich bin in Eile.
Ich habe keine Zeit.
Darüber muß ich erst mit ... sprechen.
Soll ich vielleicht die Polizei rufen?
Bleiben Sie lieber draußen; wir haben alle
    die Masern!
Reden Sie ruhig weiter; ich kaufe doch
    nichts.

Hans im Glück

Hans hatte sieben Jahre bei seinem Herrn gedient, da sprach er zu ihm: »Herr, ich habe jetzt lange genug gearbeitet, ich will jetzt wieder heim zu meiner Mutter, gebt mir meinen Lohn!« Der Herr antwortete: »Du hast mir treu und ehrlich gedient. Wie deine Arbeit war, so soll dein Lohn sein«, und gab ihm ein Stück Gold, das so groß wie der Kopf von Hans war. Hans wickelte das Gold in ein Tuch, setzte es auf seine Schulter und machte sich auf den Weg nach Hause.

Wie er so dahinging und immer ein Bein vor das andere setzte, kam ihm ein Reiter in die Augen, der frisch und fröhlich auf einem Pferd vorbeitrabte. »Ach«, sprach Hans ganz laut, »was ist das Reiten schön! Da sitzt einer wie auf einem Stuhl, stößt sich an keinen Stein, macht seine Schuhe nicht kaputt und kommt schnell vorwärts.« Der Reiter, der das gehört hatte, hielt an und rief: »Ei, Hans, warum läufst du auch zu Fuß?« – »Ich muß ja wohl«, antwortete er, »wie soll ich sonst mein Gold nach Hause bringen? Es drückt mir auf die Schulter, und ich kann den Kopf nicht gerade halten.« – »Weißt du was«, sagte der Reiter, »wir wollen tauschen: ich gebe dir mein Pferd, und du gibst mir dein Gold.« – »Von Herzen gern«, sprach Hans, »aber ich sage Ihnen, es ist sehr schwer.« Der Reiter stieg ab, nahm das Gold und half Hans aufs Pferd und sagte: »Wenn du schneller reiten willst, mußt du mit der Zunge schnalzen und hopp hopp rufen.«

Hans war glücklich, als er auf dem Pferd saß und so frei dahinritt. Nach einiger Zeit wollte er schneller reiten. Er schnalzte mit der Zunge und rief hopp hopp. Das Pferd begann zu galoppieren, und schon war Hans abgeworfen und lag im Gras. Das Pferd wäre davongelaufen, wenn es nicht ein Bauer festgehalten hätte, der ihm entgegenkam und eine Kuh vor sich hertrieb. Hans war enttäuscht und sagte zu dem Bauern: »Das Reiten macht keinen Spaß, vor allem auf einem Pferd wie diesem, das springt und einen herabwirft, daß man sich den Hals brechen kann. Ich setze mich nie wieder auf dieses Pferd! Wie gut hast du es mit der Kuh, da kann einer gemütlich hinterhergehen und hat jeden Tag seine Milch, Butter und Käse. Ach, hätte ich doch so eine Kuh!« – »Nun«, sagte der Bauer, »ich will die Kuh für das Pferd tauschen, wenn du möchtest.« Hans sagte sofort ja, und der Bauer sprang aufs Pferd und ritt schnell davon.

Hans war glücklich: »Ein Stück Brot finde ich immer; dazu kann ich, so oft ich Lust habe, Butter und Käse essen. Wenn ich Durst habe, melke ich die Kuh und trinke Milch. Was will ich noch mehr?« In einer Wirtschaft aß Hans in der großen Freude alles, was er bei sich hatte, und trank für sein letztes Geld ein Glas Bier. Dann ging er weiter, immer nach dem Dorfe seiner Mutter zu. Es war sehr heiß, so daß ihm die Zunge im Munde klebte: »Ganz einfach«, dachte Hans, »jetzt will ich meine Kuh melken und die Milch trinken.« Er band sie an einen dünnen Baum, und weil er keinen Eimer hatte, so stellte er seine Ledermütze drunter; aber was er auch tat, es kam kein Tropfen Milch. Und weil er es so dumm machte, gab ihm das ungeduldige Tier endlich mit einem der Hinterfüße einen solchen Schlag vor den Kopf, daß er zu Boden taumelte und eine Zeitlang nicht wußte, wo er war. Glücklicherweise kam da ein Metzger mit einem jungen Schwein. »Was ist denn passiert?«, fragte er und half dem guten Hans. Hans erzählte alles. Der Metzger gab ihm seine Flasche und sagte: »Da, trink einmal, das tut gut! Die Kuh will wohl keine Milch geben, das ist ein altes Tier, das höchstens noch zum Ziehen oder zum Schlachten zu gebrauchen ist.« »Ei, ei«, sprach Hans, und strich sich die Haare über den Kopf, »aber ich esse nicht gern Kuhfleisch, es ist mir nicht saftig genug. Ja, wer so ein junges Schwein hat! Das schmeckt anders, und vor allem die Würste!« – »Hör mal, Hans«, sagte der Metzger, »ich will mit dir tauschen und will dir das Schwein für die Kuh geben.« Hans freute sich, ging weiter und dachte darüber nach, wie alles nach seinem Wunsch ging: immer dann, wenn etwas Unangenehmes passierte, hatte er gleich darauf Glück und war alles wieder in Ordnung.

Bald traf er einen jungen Mann, der eine schöne, weiße Gans unter dem Arm trug. Hans erzählte ihm von seinem Glück und wie er immer so vorteilhaft getauscht hätte. Der junge Mann schaute sich nach allen Seiten um und sagte: »Mit dem Schwein ist, denke ich, nicht alles in Ordnung. In dem Dorf, durch das ich gekommen bin, ist vorhin dem Bürgermeister eins gestohlen worden. Ich fürchte, ich fürchte, du hast es da in der Hand. Überall suchen Leute das Schwein; wenn sie dich erwischen...« Der gute Hans bekam einen Schrekken. »Ach Gott, hilf mir«, sprach er, »nimm mein Schwein und gib mir die Gans, denn du kennst hier die Gegend besser als ich.« »Na gut«, sagte der junge Mann, »ganz ungefährlich ist es nicht, was ich mache, aber ich will auch nicht, daß dir ein Unglück geschieht.« Er nahm also das Schwein; Hans war wieder alle Sorgen los und ging mit der Gans unterm Arm der Heimat zu. »Das war wieder Glück«, sagte Hans, »das gibt einen guten Braten, dazu eine Menge Fett und nicht zu vergessen die schönen, weißen Federn für mein Kopfkissen. Was wird meine Mutter eine Freude haben!«

Als er durchs letzte Dorf gekommen war, stand da ein Scherenschleifer, sein Rad drehte sich und er sang dazu:

»Ich schleife die Schere und drehe geschwind, Und hänge mein Mäntelchen nach dem Wind.« Hans blieb stehen und sah ihm zu; schließlich sagte er: »Dir geht's wohl gut, weil du so lustig bist.« – »Ja«, antwortete der Scherenschleifer, »mir geht es gut; ein Scherenschleifer ist ein Mann, der, so oft er in die Tasche greift, auch Geld darin findet. Aber wo hast du die schöne

Gans gekauft?« Hans erzählte ihm die ganze Geschichte. »Du kannst das Geld in deiner Tasche springen hören und ein glücklicher Mensch werden«, sagte der Schleifer. »Wie soll ich das anfangen?«, sprach Hans. »Du mußt ein Schleifer werden, wie ich; dazu brauchst du nur einen Schleifstein, das andere findet sich von selbst. Da habe ich einen, der ist zwar ein bißchen kaputt, dafür brauchst du mir aber auch nur die Gans zu geben. Willst du das?« – »Wie kannst du noch fragen«, antwortete Hans, »ich werde ja zum glücklichsten Menschen auf Erden; habe ich Geld, so oft ich in die Tasche greife, was brauche ich mir da länger Sorgen zu machen?«, gab ihm die Gans und nahm den Schleifstein. »Nun«, sprach der Schleifer und hob einen gewöhnlichen Stein, der neben ihm lag, auf, »da hast du noch einen großen Stein dazu, mit dem kannst du alte Nägel gerade klopfen. Verlier ihn nicht!« Hans nahm den Stein und ging fröhlich weiter; seine Augen leuchteten vor Freude. »Ich muß ein Glückskind sein,« rief er, »alles, was ich wünsche, geschieht auch, wie bei einem Sonntagskind.«

Langsam wurde Hans müde, und er bekam Hunger. Nur mit Mühe konnte er weitergehen und mußte jeden Augenblick halt machen; dabei drückten ihn die Steine ganz furchtbar. Da dachte er, wie gut es wäre, wenn er sie nicht tragen müßte. An einem Brunnen wollte er Wasser trinken. Um die Steine nicht zu beschädigen, legte er sie vorsichtig neben sich auf den Rand des Brunnens. Als er trinken wollte, stieß er gegen die beiden Steine, und sie fielen ins Wasser. Als Hans sie in der Tiefe hatte versinken sehen, sprang er vor Freude auf, kniete dann nieder und dankte Gott mit Tränen in den Augen, daß er ihm auch diese Gnade noch erwiesen und ihn auf so eine gute Art und ohne, daß er sich einen Vorwurf zu machen brauchte, von den schweren Steinen befreit hätte, die ihn nur gestört hatten. »So glücklich wie ich«, rief er aus, »gibt es keinen Menschen unter der Sonne.« Mit leichtem Herzen und frei von aller Last sprang er nun fort, bis er daheim bei seiner Mutter war.

Feste und Bräuche

Advent

Vier Sonntage vor dem Weihnachtsfest beginnt die Adventszeit. In den Wohnungen und Kirchen, manchmal auch in Büros und Fabriken hängen Adventskränze mit vier Kerzen. Am ersten Sonntag wird die erste Kerze angezündet, am zweiten eine zweite Kerze dazu, usw.; am letzten Sonntag vor Weihnachten brennen alle vier Kerzen.
Kinder bekommen einen besonderen Kalender mit kleinen Fächern, in denen Schokoladenstücke stecken – eins für jeden Tag vom 1. Dezember bis Weihnachten.

Nikolaustag

Am 6. Dezember ist der Nikolaustag. Am Abend vorher stellen die kleinen Kinder ihre Schuhe auf eine Fensterbank oder vor die Tür. In der Nacht, so glauben sie, kommt der Nikolaus und steckt kleine Geschenke hinein. In vielen Familien erscheint der Nikolaus (ein verkleideter Freund oder Verwandter) auch persönlich. Früher hatten die Kinder oft Angst vor ihm, weil er sie nicht nur für ihre guten Taten belohnte, sondern sie auch mit seiner Rute für ihre bösen Taten bestrafte.

Weihnachten

Weihnachten ist das Fest von Christi Geburt. In den deutschsprachigen Ländern wird es schon am Abend des 24. Dezember, dem Heiligen Abend, gefeiert. Man schmückt den Weihnachtsbaum und zündet die Kerzen an, man singt Weihnachtslieder (oder hört sich wenigstens eine Weihnachtsplatte an), man verteilt Geschenke. In den meisten Familien ist es eine feste Tradition, an diesem Tag zum Gottesdienst in die Kirche zu gehen.
Ein Weihnachtsbaum stand schon im 16. Jahrhundert in den Wohnzimmern, vielleicht sogar noch früher. Damals war er mit feinem Gebäck geschmückt; im 17. Jahrhundert kamen Kerzen und glitzernder Schmuck dazu. Inzwischen ist der Weihnachtsbaum in aller Welt bekannt und steht auch auf Marktplätzen oder in den Gärten von Wohnhäusern.
Für die Kinder ist Weihnachten wohl das wichtigste Fest des Jahres – schon wegen der Geschenke. Im Norden Deutschlands bringt sie der Weihnachtsmann, angetan mit weißem Bart und rotem Kapuzenmantel, in einem Sack auf dem Rücken. In manchen Familien, vor allem in Süddeutschland, kommt statt des Weihnachtsmanns das Christkind. Es steigt, so wird den Kindern erzählt, mit seinen Engeln direkt aus dem Himmel hinunter zur Erde. Aber es bleibt dabei unsichtbar – nur die Geschenke findet man unter dem Weihnachtsbaum.

Die Heiligen Drei Könige

Am 6. Januar ist der Tag der Heiligen Drei Könige: Melchior, Kaspar und Balthasar. Nach einer alten Legende, die auf eine Erzählung der Bibel zurückgeht, sahen diese drei Könige in der Nacht, in der Christus geboren wurde, einen hellen Stern, folgten ihm nach Bethlehem, fanden dort das Christkind und beschenkten es. Heute verkleiden sich an diesem Tag in katholischen Gegenden viele Kinder als die drei Könige, gehen mit einem Stab, auf dem ein großer Stern steckt, von Tür zu Tür und singen ein Drei-königslied. Dafür bekommen sie dann etwas Geld oder Süßigkeiten.

Silvester und Neujahr

Der Jahreswechsel wird in Deutschland laut und lustig gefeiert. Gäste werden eingeladen, oder man besucht gemeinsam einen Silvesterball. Man ißt und trinkt, tanzt und singt. Um Mitternacht, wenn das alte Jahr zu Ende geht und das kommende Jahr beginnt, füllt man die Gläser mit Sekt oder Wein, prostet sich zu und wünscht sich »ein gutes Neues Jahr«. Dann geht man hinaus auf die Straße, wo viele ein privates Feuerwerk veranstalten.

Fasching und Karneval

Fasching, Karneval, Fastnacht: Diese Namen bezeichnen Gebräuche am Winterende, die schon vor dem Christentum entstanden sind. Die Menschen wollten die Kälte und die Geister des Winters vertreiben.
Die Bräuche sind unterschiedlich, aber zwei Dinge sind immer dabei: Lärm und Masken. Besonders schön und intensiv feiert man am Rhein, von der Basler Fasnacht bis hinunter nach Mainz, Köln und Düsseldorf. Aber auch an vielen anderen Orten sind teilweise sehr alte Karnevalsbräuche lebendig geblieben.
Heute ist der Karneval ein Teil des christlichen Jahresablaufs. Da soll noch einmal gefeiert werden, ehe am Aschermittwoch die Fastenzeit beginnt.

Ostern

Zu Ostern feiern die Christen die Auferstehung von Jesus Christus aus seinem Grab. Aber auch die Osterbräuche sind wohl schon vor dem Christentum entstanden. Eine besondere Rolle spielen die Ostereier: bunt bemalte, gekochte Eier. Aber auch eingepackte Schokoladeneier, Hasen aus Schokolade und allerlei Süßigkeiten werden im Garten versteckt, damit die Kinder sie suchen können. Kleine Kinder glauben, daß der Osterhase die Sachen gebracht und versteckt hat.

11.1
11.2

1. Ordnen Sie die Bilder den Texten zu.

2. Bei welchen Festen spielen diese Dinge eine Rolle?

Geschenke – Verkleidungen – Bräuche aus der vorchristlichen Zeit – Kinderglaube – Tanz – Christi Geburt

3. Welche dieser Feste werden auch bei Ihnen gefeiert?

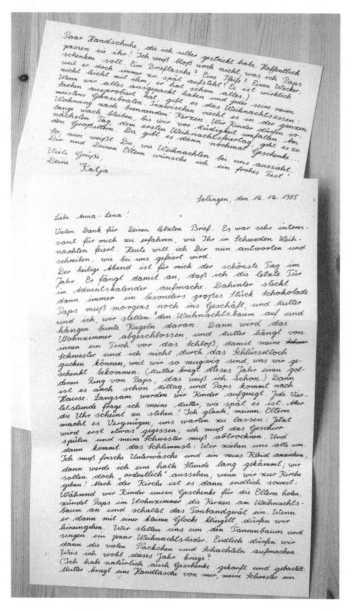

Paar Handschuhe, die ich selber gestrickt habe. Hoffentlich passen sie ihr! Ich weiß bloß noch nicht, was ich Papa schenken soll. Eine Brieftasche? Eine Pfeife? Einen Wecker, weil er doch immer zu spät aufsteht! Es ist wirklich nicht leicht mit ihm, er hat schon alles.) Wenn wir alles ausgepackt haben und seine neuen Sachen ausprobiert hat, gibt es das Weihnachtsessen: meistens Gänsebraten. Inzwischen riecht es in der ganzen Wohnung nach brennenden Kerzen. Wir Kinder dürfen so lange wach bleiben, bis wir vor Müdigkeit umfallen. Am nächsten Tag, dem ersten Weihnachtsfeiertag, geht es zu den Großeltern. Da gibt es dann nochmal Geschenke... So, nun weißt Du, wie Weihnachten bei uns aussieht. Dir und Deinen Eltern wünsche ich ein frohes Fest! Viele Grüße, Deine Katja

Solingen, den 12.12.1985

Liebe Anna-Lena!

Vielen Dank für Deinen letzten Brief. Es war sehr interessant für mich zu erfahren, wie Ihr in Schweden Weihnachten feiert. Heute will ich Dir nun antworten und schreiben, wie bei uns gefeiert wird.

Der heilige Abend ist für mich der schönste Tag im Jahr. Er fängt damit an, daß ich die letzte Tür im Adventskalender aufmache. Dahinter steckt dann immer ein besonders großes Stück Schokolade. Papa muß morgens noch ins Geschäft, und Mutter und ich, wir stellen den Weihnachtsbaum auf und hängen bunte Kugeln daran. Dann wird das Wohnzimmer abgeschlossen, und Mutter hängt von innen ein Tuch vor das Schloß, damit meine Schwester und ich nicht durch das Schlüsselloch gucken können, weil wir so neugierig sind, was wir geschenkt bekommen. (Mutter kriegt dieses Jahr einen goldenen Ring von Papa, das weiß ich schon.) Dann ist es auch schon Mittag, und Papa kommt nach Hause. Langsam werden wir Kinder aufgeregt. Jede Viertelstunde frage ich meine Mutter, wie spät es ist. Aber die Uhr scheint zu stehen! Ich glaube, meinen Eltern macht es Vergnügen, uns warten zu lassen. Jetzt wird erst etwas gegessen, ich muß das Geschirr spülen und meine Schwester muß abtrocknen. Und dann kommt das Schlimmste: Wir ziehen uns alle um. Ich muß frische Unterwäsche und ein neues Kleid anziehen, dann werde ich eine halbe Stunde lang gekämmt; wir sollen doch „ordentlich" aussehen, wenn wir zur Kirche gehen! Nach der Kirche ist es dann endlich soweit: Während wir Kinder unsere Geschenke für die Eltern holen, zündet Papa im Wohnzimmer die Kerzen am Weihnachtsbaum an und schaltet das Tonbandgerät ein. Wenn er dann mit einer kleinen Glocke klingelt, dürfen wir hineingehen. Wir stellen uns um den Tannenbaum und singen ein paar Weihnachtslieder. Endlich dürfen wir dann die vielen Päckchen und Schachteln aufmachen. Was ich wohl dieses Jahr kriege? (Ich habe natürlich auch Geschenke gekauft und gebastelt: Mutter kriegt eine Handtasche von mir, meine Schwester ein

Ein Brief an Anna-Lena

1. Wie stellen Sie sich Katja vor?

Antworten Sie ganz nach Gefühl.
Alter? Haar? Größe?
Grundschülerin? Hauptschülerin? Realschülerin? Gymnasiastin? Lehrling? Studentin?
Lebt sie in einer Großstadt? In einer modernen Stadtrandsiedlung? In einer Kleinstadt? In einem Dorf?
Ist sie die jüngere oder die ältere Schwester? Oder sind die Schwestern Zwillinge?
Vergleichen Sie Ihre Vermutungen und machen Sie ein Durchschnitts- oder Mehrheitsporträt von Katja.

2. Fassen Sie Katjas Tagesablauf am Heiligen Abend zusammen.

Vergleichen Sie ihn mit dem Text über Weihnachten auf Seite 72. Wo liegen Gemeinsamkeiten und Unterschiede?

3. Was beschäftigt Katja am meisten? Worüber schreibt sie nichts?

Lieber Hans Josef b)
zu Deiner Erstkommunion wünscht Dir
alles Gute und Gottes Segen
Dein Taufpate   *Onkel Rudi*

Jetzt geht's zu dritt weiter: a)
Ursula
ist am 8.11.1985 auf die Welt gekommen und
macht uns zur richtigen Familie!

Darüber freuen sich *Bettina und Robert Stoeßel*

Heute morgen entschlief nach schwerem, mit Geduld ertra-
genem Leiden mein lieber Mann, unser treusorgender Vater,
Opa, Schwiegervater, Bruder, Schwager, Onkel und Pate

✝ **Adam Förster** f)
*11.2.1917   †26.1.1986

In stiller Trauer:
Katharina Förster, geb. Hofer
Johannes Förster und Frau Else, geb. Liebig
Wilhelm Jung und Frau Anna, geb. Förster
Anita, Ralf, Gerd, Elke, Andrea, Martina

Tuchtfeld, Marburger Straße 127, den 26. Januar 1985
Die Beerdigung findet am Montag, dem 29. Januar 1985
um 13.30 Uhr von der Friedhofskapelle aus statt.

Wir haben unseren Kram zusammengeschmissen.
Marianne Neubauer-Lambert d)
Martin Kraus
August 1985
8500 Augsburg, Roseggerstr. 17

Herzlichen Dank, auch im Namen meiner Eltern, c)
allen, die mich zu meiner
Konfirmation
so überaus reichlich mit Glückwünschen,
Blumen und Geschenken erfreut haben.
Neustadt/Main, im April 1985
Glücksweg 27   Luise Kemme

MIT FREUDE GEBEN WIR DIE VERMÄHLUNG e)
UNSERER KINDER EDDA UND JOHANNES BEKANNT

ANNEMARIE NEUHAUS geb. Schumann

Oberlandforstmeister a.D. **Dr. KARL HELLER**
und **FRAU RUTH** geb. Keller

3071 Heemsen   **5120 Herzogenrath**
Grünewaldstraße 143   Am Schloßberg 10

1. **Welches Bild gehört zu welcher Anzeige?**

2. **Wo wird . . .**

ein Glückwunsch ausgesprochen? – eine Heirat bekanntgegeben? – eine Geburt angezeigt? –
ein Dank ausgesprochen? – der Tod eines Menschen bekanntgegeben?

3. **Wie heißen die Leute, die geheiratet haben?**

4. **Welche Einstellungen zum Thema „Familie" lassen besonders die Anzeigen a), d), e)
und f) erkennen?**

5. Was sagt man da?

Weihnachten	Geburt	Gäste empfangen
Silvester	Geburtstag	Essen
Neujahr	Namenstag	Abreise
Karneval	Hochzeit	vor einer Prüfung
Ostern	Jubiläum/	nach bestandener
Pfingsten	Pensionierung	Prüfung
Muttertag	Krankheit	neue Wohnung
	Tod	

Alles Gute zu …!
Herzlich willkommen!
Mach's gut! Frohes Fest!
Ich gratuliere herzlich zu …!
Guten Appetit!
Gute Besserung!
Mein herzliches Beileid! Bis bald!
Gute Fahrt! Viel Vergnügen!
Ein glückliches Neues Jahr! Viel Glück!
Kommen Sie gut an!
Herzlichen Glückwunsch zu …!

Welche Äußerung paßt zu welchem Anlaß? Auf welche Äußerungen kann man antworten: „Danke, ebenfalls"? Zu welchem dieser Anlässe lädt man Verwandte/ Freunde/Arbeitskollegen ein?

6. Heirat, Kinder und Kirche in der Bundesrepublik Deutschland – was wissen Sie darüber?

Prüfen Sie, welche Aussagen falsch sind.

a) In der Bundesrepublik kann der Mann den Familiennamen der Ehefrau annehmen.
b) Nur eine Ehe, die in der Kirche geschlossen wurde, ist gültig.
c) Mischehen zwischen Katholiken und Evangelischen sind verboten.
d) Eine Frau kann ihren Verlobten nicht zwingen, sie zu heiraten.
e) Ein Ehemann kann verlangen, daß seine Frau seinen Glauben annimmt.
f) Heiraten darf nur, wer mindestens 21 Jahre alt ist.
g) Wer schuldig geschieden ist, darf nicht wieder heiraten.
h) Eine Frau, die ein Kind erwartet, bekommt von ihrem Arbeitgeber zehn Wochen Urlaub.
i) Aus medizinischen oder sozialen Gründen kann eine Schwangerschaft bis zum dritten Monat unterbrochen werden.
j) In der evangelischen Kirche werden Kinder erst im Alter von 14 Jahren getauft.
k) Katholische und evangelische Kinder bis vierzehn müssen den Religionsunterricht besuchen. Danach können sie selbst entscheiden, ob sie damit weitermachen wollen.
l) Evangelische Kinder, die sich auf die Konfirmation vorbereiten, müssen zwei Jahre lang einen besonderen kirchlichen Unterricht besuchen.

Wie denken Sie über diese Dinge?
Berichten Sie auch, wie diese Punkte in Ihrem Land geregelt sind.

11.3

Ich finde es	normal/selbstverständlich/gar nicht so schlecht,	daß …
Für mein Gefühl ist es	ganz natürlich/merkwürdig/typisch für die Deutschen,	
Bei uns	ist das	ganz anders.	In der Regel	sollte …
In …		ganz ähnlich.	Im allgemeinen	
		genauso.		
Es ist doch nur logisch/fair, wenn …	Es spielt doch keine Rolle, ob …	

Die Kirchen in Deutschland

Die meisten Feste und Bräuche stehen in Verbindung mit den christlichen Kirchen. Aber die Bedeutung der Kirchen für das Leben der Bürger ist geringer geworden. Früher war der sonntägliche Kirchgang eine Selbstverständlichkeit – heute sind es gerade noch ein knappes Viertel aller Bürger, die sonntags in die Kirche gehen. Nur zu Weihnachten sind die Kirchen voll, zumindest die katholischen; da gehört die Christmesse wohl irgendwie mit zur Weihnachtsdekoration. Aber auch wenn die meisten nicht in die Kirche gehen – Christen wollen sie doch bleiben. Das zeigt sich schon daran, daß sie ihre Kirchen für Taufen, Hochzeiten und bei Todesfällen in Anspruch nehmen und damit eine alte Tradition wahren.

Nicht nur die Einstellung der Menschen zu ihrer Kirche ist heute anders; auch die Kirchen selbst haben sich verändert. Sie haben neue soziale Aufgaben übernommen. Sie kümmern sich um alte Menschen, sie bemühen sich um Jugendliche in den Großstädten, sie setzen sich ein für den Frieden und unterstützen die Friedensbewegung, und sie leisten Hilfe für die Armen in der ganzen Welt. Zur Zeit wohnen in der Bundesrepublik 43 % Protestanten und 42 % Katholiken. Zur jüdischen Religion gehören knapp 32.000 Bürger, und außerdem leben rund 1,8 Millionen Moslems hier: Gastarbeiter mit ihren Familien. Vor dem letzten Weltkrieg konnte man noch sagen, daß in den nördlichen Landesteilen mehr Protestanten, im Süden und Westen mehr Katholiken lebten. Seit 1945 ist das Bild nicht mehr so klar, es hat eine Vermischung stattgefunden.

Das Zusammenleben von Katholiken und Protestanten ist längst kein Problem mehr. Nur in bestimmten Fällen kann die Konfession zum Thema werden, z.B. bei Mischehen, wenn also ein katholischer Mann eine protestantische Frau heiratet oder umgekehrt. Zu welcher Kirche gehört dann die Familie? Wie sollen die Kinder erzogen werden? Ist eine Scheidung der Ehe möglich? Bei solchen Fragen merkt man erst, wie weit die beiden Kirchen noch davon entfernt sind, in allen Glaubensfragen und Alltagsfragen zusammenzuarbeiten.

In der Bundesrepublik wird die Glaubens- und Religionsfreiheit durch das Grundgesetz garantiert. Staat und Kirchen arbeiten aber auf manchen Gebieten zusammen. So wird z.B. die Kirchensteuer, die jeder Christ bezahlen muß, solange er Geld verdient, zusammen mit der Einkommenssteuer durch die Finanzämter eingezogen. Diese »automatische« Bezahlung der Kirchensteuer trägt dazu bei, daß die Kirchen in der Bundesrepublik zu den reichsten der Welt gehören.

11.4

1. Steht das im Text?

a) Die Bürger feiern nicht mehr so viele Feste wie früher.

b) Es ist für einen Christen nicht unbedingt notwendig, sonntags in die Kirche zu gehen.

c) Bei besonderen Ereignissen braucht man die Kirche nötiger als im Alltag.

d) Die Kirche erfüllt heute ihre früheren Aufgaben nicht mehr.

e) 85% der Einwohner der Bundesrepublik sind Christen.

f) Protestanten und Katholiken vermischen sich immer mehr.

g) Heute gibt es mehr Mischehen als früher.

h) In der Bundesrepublik bestimmt das Grundgesetz die Religion.

i) Die Kirchen in der Bundesrepublik sind reich, weil sie von den Finanzämtern Einkommensteuern erhalten.

2. Sie brauchen nicht darüber zu sprechen, wenn Sie nicht wollen.

In welcher Religionsgemeinschaft sind Sie aufgewachsen?

Was mußten Sie als Kind für diese Religion tun?

Was hat sie Ihnen damals bedeutet?

Haben Sie heute noch dasselbe Verhältnis zur Religion wie früher?

Glauben Sie, daß die Funktion Ihrer Religion in der Gesellschaft sich in den letzten Jahrzehnten geändert hat?

Katholikentag, Deutscher K., die alle zwei Jahre stattfindende »Generalversammlung der Katholiken Deutschlands« (so seit 1858 genannt). Der K. dient der Besprechung aktueller kirchl., polit. und sozialer Fragen und der Repräsentation des dt. Katholizismus nach außen. [...]

Kirchentag, Deutscher Evangelischer Kirchentag, 1) Versammlungen führender Kirchenmänner [...] 2) der K. vom 2. bis 5.9.1919 in Dresden. [...] 3) die alle zwei Jahre stattfindende Großversammlung der evang. Laienschaft. Der K. will alle kirchenerneuernden Gedanken und Forderungen zusammenfassen und die öffentl. Verantwortung der Christenheit wieder klar zum Ausdruck bringen. [...]

Die jungen Leute unter 25 fehlen am Sonntag in der Kirche. Aber zu den großen Kirchentagen kommen Zehntausende. Wie ist das zu erklären?

Abenteuer in der Kirche

Mehr als 150 000 Besucher kamen zum Deutschen Katholikentag 1984 in München. Die meisten von ihnen (mehr als 70 Prozent) waren unter 30 Jahre alt: Studenten, Schüler oder Lehrlinge. Auch beim Deutschen Evangelischen Kirchentag 1983 in Hannover war es nicht anders: Mehr als 100 000 kamen, und die meisten von ihnen waren zwischen 15 und 30.

Sie kamen aus der ganzen Bundesrepublik. Die meisten mußten die Fahrt nach München oder Hannover vom Taschengeld bezahlen. Warum sie kamen? Ganz einfach: Sie wollten dabeisein. Paul Zoeller, Jugendreferent im katholischen Bistum Limburg (Hessen), sagt es so: »Der Erlebnishunger treibt die jungen Leute zu den Kirchentagen.« Aben-

teuer in der Kirche? Ganz falsch ist das nicht. Für viele ist die Religion plötzlich ein ganz neues Erlebnis. Paul Zoeller: »Die jungen Menschen suchen immer mehr nach dem Sinn des Lebens. Aber nur wenige möchten sich in den festen Rahmen einer Institution einordnen. In den Jugendorganisationen der politischen Parteien gelten die demokratischen Spielregeln. Die sind manchmal hart für die jungen Leute. Bei den großen Kirchentagen gibt es keinen Zwang. Man kann direkt und spontan etwas tun.«

Tatsächlich sind die Kirchentage oft wie ein großes Fest. Hier hat jeder das Gefühl, in einer großen Gemeinschaft zu sein. Das gibt Mut, und man nutzt die Gelegenheit, endlich einmal »etwas zu tun«. Man demon-

striert für Frieden und Umweltschutz, und das Fernsehen berichtet darüber. Man tut etwas für Behinderte und sammelt Geld für die Dritte Welt. Man diskutiert mit Experten und hört neue Meinungen. Es gibt auch stille Ecken, wo man nichts tut. Man ruht sich aus und findet Zeit für Meditation und Gebet.

Der Frankfurter Probst Dieter Trautwein war lange Jugendpfarrer der Stadt. Er meint: »Gerade heute brauchen junge Menschen einen festen

Halt im Leben. Die Frage nach der Religion wird jetzt immer stärker.« »Mehr feeling« heißt die jugendliche Formel für das Leben in der Industrie-

Welt. Mehr Liebe, Gefühl und Vertrauen »... in einer Welt ideologischer, politischer und militärischer Bedrohung« (aus dem Titel einer Diskussion beim Katholikentag 84).

Da sind zum Beispiel die Anhänger der Friedensbewegung. Viele Pazifisten nennen ihren christlichen Glauben als Grund für ihre Überzeugung. Bei den Kirchentagen finden sie viele Freunde. So wurden die letzten Kirchentage zu riesigen Friedensdemonstrationen.

Auch in der ehemaligen DDR war die Kirche ein Treffpunkt der Pazifisten. Sie forderten – wie ihre Freunde im Westen – die Abrüstung in Ost und West. Zum erstenmal seit langer Zeit hatten Jugendliche in beiden Teilen Deutschlands wieder ein gemeinsames Thema. Die Kirche machte es möglich.

Spiel beim Kirchentag

11.4

1. Fassen Sie Informationen aus dem Text zu folgenden Punkten zusammen:

a) Jugend und Kirche
b) Religion als Erlebnis
c) Die Friedensbewegung und die Kirche

2. Ein Gebet

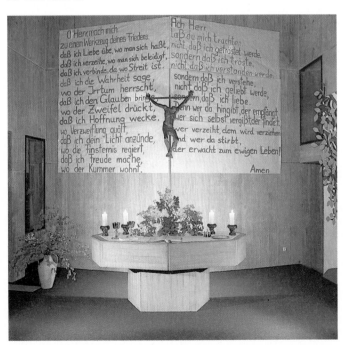

Um welche menschlichen Themen geht es in diesem Gebet? Können Sie Beispiele dafür geben, was in einzelnen Sätzen gemeint ist?

Gibt es Sätze oder Ausdrücke, unter denen Sie sich nichts vorstellen können?

Was halten Sie von dem Satz: „...daß ich die Wahrheit sage, wo der Irrtum herrscht"?

Verbraucherzentrale:

Zu frühe Werbung für Weihnachten

Stuttgart (AP). Die Verbraucherzentrale Baden-Württemberg hat scharfe Kritik an Firmen geübt, die bereits Anfang November mit Weihnachtssymbolen werben. Der Sprecher der Organisation, Bluth, erklärte in Stuttgart, schon sieben Wochen vor Weihnachten würden Sterne, Weihnachtsmänner, Engel oder Tannenbäume eingesetzt, um Kunden zu unrationellen Einkäufen zu verleiten und den Verkauf zu fördern. Die Verbraucherzentrale bedauere diese Kommerzialisierung weihnachtlicher Symbole, die ein Verstoß gegen die guten kaufmännischen Sitten sei.

1. Heiliger Abend

A. Hören Sie die Interviews

B. Welche Aussage paßt zu welcher Person?

Der wahre Sinn des Festes ist ihrer Meinung nach verlorengegangen.

Sie mag die bunten Lichter und sieht sich gern die geschmückten Schaufenster an.

Sie hat es eilig, weil sie noch Geschenke einkaufen muß.

Sie freut sich auf das Feiertagsprogramm im Fernsehen.

Das Gerede von Liebe und Frieden hält sie für eine Lüge.

Sie freut sich auf die Feiertage, obwohl sie viel Arbeit mit den Vorbereitungen hat.

Es ist schon lange her, daß sie Weihnachten mit ihren Angehörigen gefeiert hat.

Es macht ihr Vergnügen, die Kinder zu überraschen.

Sie will keine großen Geschenke; sie wäre schon dankbar für ein wenig Aufmerksamkeit.

Sie klagt darüber, daß sie am Heiligen Abend allein ist.

Sie lehnt den geschäftlichen Rummel ab.

2. Wenn Sie überhaupt Weihnachten feiern . . .

Wie feiert man das Fest in Ihrem Land? Wie werden Sie voraussichtlich das nächste Weihnachtsfest verbringen? Wie würden Sie es am liebsten feiern?

Was ist für Sie beim Weihnachtsfest am wichtigsten? Was war Ihnen früher am wichtigsten, als Sie noch ein Kind waren?

3. Erzählen Sie.

11.5

A. Welches sind die wichtigsten Feste in Ihrem Land/in Ihrer Familie? Zu welcher Jahreszeit/ An welchem Datum finden sie statt? Welche sind gesetzliche Feiertage?

B. Berichten Sie von einem Fest, das Ihnen persönlich viel bedeutet. Was ist der Sinn dieses Festes? Wo wird gefeiert? Mit wem wird gefeiert? Wie begrüßt man sich an diesem Tag? Was wünscht man einander? Was sagt man sonst noch zueinander?

Zieht man etwas Besonderes an? Welche Gegenstände spielen an diesem Tag eine Rolle? Was ißt und trinkt man an diesem Tag? Was für Lieder singt man? Wie lange dauert die Feier gewöhnlich? Wie/wo/mit wem werden Sie das nächste Fest verbringen?

> Man wünscht einander . . .

> Man bedankt sich für die Geschenke.

> Man begrüßt sich mit einem Kuß.

> Wer . . . findet, der ist . . . und muß/darf . . .

> Dann wird gefeiert.

Sprichwörter

Der Stärkere
Blinder Eifer
Der Mensch denkt,
Kleine Kinder – kleine
   Sorgen,
Es kommt oft anders,
Wer anderen eine
   Grube gräbt,
Wenn zwei dasselbe
   tun,
Ende gut,
Ohne Fleiß
Keine Antwort
Du sollst deinen Näch-
   sten lieben
Wer die Wahl hat,
Den wahren Freund
Durch Schaden

Hunde, die bellen,
Der Ton
Kleine Ursache,
Wer wagt,
Wo ein Wille ist,
Wenn zwei sich
   streiten,
Wer fragt,
Liebe
Übung
Vorsicht
Probieren
Ausnahmen
Je später der Abend,
Kommt Zeit,
Wer langsam geht,
Wer zuletzt lacht,
Auge um Auge,

alles gut   erkennt man in der Not
desto schöner die Gäste   gewinnt
Gott lenkt   ist auch ein Weg
geht über studieren
wie dich selbst   wird man klug
als man denkt   große Wirkung
macht den Meister   schadet nur
ist besser als Nachsicht   der lernt
Zahn um Zahn
große Kinder – große Sorgen
hat immer recht   macht die Musik
beißen nicht   freut sich der Dritte
kommt auch ans Ziel   kein Preis
kommt Rat   so ist es nicht dasselbe
fällt selbst hinein   lacht am besten
ist auch eine Antwort   hat die Qual
macht blind   bestätigen die Regel

1. Was gehört zusammen?

Versuchen Sie herauszufinden, wie die Sprichwörter richtig heißen.

2. Welche Sprichwörter sagen ungefähr das gleiche aus?

3. Welche Sprichwörter gibt es auch in Ihrer Sprache / sind in Ihrer Sprache ähnlich?

Woher kommen sie? Sind das alles wirkliche „Sprichwörter"?

4. Was meinen Sie, welches Sprichwort paßt am besten zu der folgenden Fabel?

Fabel

Vor einem Mauseloch sitzt eine Katze.
Die Mäusekinder zittern. »Keine
Angst, laßt mich nur machen«, sagt
der Mäusevater. Er holt tief Luft und
schreit laut: »Wau! Wau!«
Erschrocken rennt die Katze weg.
»Seht ihr«, sagt der Mäusevater,
»Fremdsprachen muß man können!«

5. Erzählen Sie jetzt selbst eine Geschichte, die zu einem der Sprichwörter paßt.

Es kann eine Geschichte sein, die Sie selbst
erlebt haben, die Sie aus Ihrem Land kennen
oder die Sie zusammen mit Ihrem Nachbarn
erfunden haben.
Am besten schreiben Sie sich vorher ein paar
Stichwörter auf.

C

Weihnachten um 1928 bei Marga S.
Berichtet von Cornelia Julius

Als Marga zehn Jahre alt war, hatte sie noch sieben jüngere Geschwister. Der Vater arbeitete in einer Fabrik und verdiente 25 Mark die Woche. Die Familie bewohnte Stube und Kammer sowie einen Vorplatz, der als Küche benutzt wurde.

»Der heilige Abend war der friedlichste Tag im Jahr. Da gab es keinen Streit, und selbst Mutter stellte ihr Geschimpfe und Geschrei ein.« Bereits ein paar Tage vor Weihnachten mußten die Kinder früh ins Bett. Von ihrer Kammer her hörten sie, wie Vater in der Stube sägte und wirkte. Dann wußten sie, daß er ihnen ein Weihnachtsgeschenk bastelte oder das Geschenk vom Vorjahr ausbesserte und ergänzte. Sie waren sehr aufgeregt und gespannt. In der Woche vor Weihnachten wurde die Stube gründlich gesäubert. Die älteren Mädchen mußten mit Mutter den Holzboden »weiß« scheuern. Mit Wurzelbürste und Kernseife schrubbten sie

die Dielen auf den Knien rutschend – und weh dem, wenn ihr Eck nicht ebenso hell wurde wie Mutters Teil! Anschließend streuten sie eine feine Schicht Silbersand auf das Holz, damit es über die Feiertage sauber blieb.

Dann buk Mutter einen Stollen von Mehl, Magermilch, Margarine und getrockneten Beeren. In manchen Jahren gab es eine Weihnachtsgans mit Kartoffelklößen. Dafür hatte Mutter bei Bauern zur Kartoffelernte geholfen und Wäsche gewaschen. Zum Lohn erhielt sie einen Sack Kartoffeln und eine Gans. Vaters Aufgabe war es, den Christbaum zu »organisieren«. Am Tag ging er in den Wald und fällte ihn. Abends holte er ihn heimlich.

Am 24. endlich, bei Einbruch der Dunkelheit, wurden die Kinder in der Kammer eingesperrt. Währenddessen schmückten die Eltern den Baum mit

Glaskugeln, Lametta und Zuckerstücken. Wenn die Kinder die Stube betreten durften, brannten die Kerzen und alles leuchtete und war warm. Denn für Weihnachten hatte Vater einen halben Zentner Koks gekauft. Sonst heizten sie mit selbstgesammeltem Holz. Unter dem Baum stand ein gemeinsames Geschenk für die Kinder; ein Kaufladen für die Mädchen und ein russisches Rad für die Jungen. »Das hat euch der Papa mit dem Christkind zusammen ausgesägt«, hieß es.

Am Heiligabend durften die Kinder so lange aufbleiben, wie sie wollten. Nachdem sie ein Stück Stollen gegessen und Malzkaffee oder Kakao von Magermilch getrunken hatten, setzten sie sich auf den Stubenboden und spielten gemeinsam mit ihrem Geschenk. Vater und Mutter sahen zu. Mutter sagte: »Nu freut euch mal, Kinder, heut ist Weihnachten«, und Vater kamen oft die Tränen. Die Eltern beschenkten sich nicht. »Das gab's damals nicht.«

Um 12 Uhr ging Mutter mit den Älteren in die Christmette. Vater blieb mit den Kleinen zu Hause. Am ersten Weihnachtstag kamen die Großmütter und Tanten vorbei. Sie versuchten den Stollen und brachten Süßigkeiten und manchmal Spielzeug mit.

Nach Weihnachten wurden die Geschenke, das Rad und der Kaufladen, verpackt und für die nächste Bescherung in der Kammer auf den Kleiderschrank gestellt.

Den Christbaum zerhackte Vater zum Verheizen. Die Kinder mußten ein wenig Geld zusammenbringen, damit die durch Weihnachten entstandenen Kosten eingeholt werden konnten. Deshalb schickte Mutter sie am Neujahrs-, Pfefferlis- und Unschuldigenkindleinstag zu Verwandten und Nachbarn. Dort sagten sie einen Spruch auf und bekamen dafür ein Fünferle. Das Geld mußten sie bei Mutter abliefern. Sie trug es zum Bäcker, Metzger und Kohlenhändler und zahlte damit die Schulden ab.

B1

Theater

Die Tradition des deutschen Theaters geht auf das 18. Jahrhundert zurück, als jedes der über hundert Herzogtümer und Königreiche, die damals im Gebiet des späteren Deutschland bestanden, ein eigenes Hoftheater hatte. Im 19. Jahrhundert kamen viele von Bürgern gegründete Stadttheater dazu. Nach der Gründung des Deutschen Reiches im Jahre 1871 wurde Berlin zu einem Theaterzentrum, und das ist es bis heute geblieben.

Fast alle deutschen Theater müssen von den Gemeinden und den Bundesländern finanziell unterstützt werden. Durchschnittlich können nur 20 Prozent der Kosten durch den Verkauf von Eintrittskarten wieder hereingebracht werden.

Das Interesse für moderne deutsche, europäische und amerikanische Stücke, das nach 1945 zunächst sehr groß gewesen war, hat wieder nachgelassen. Heute sind Shakespeare, Schiller, Goethe, Shaw, Brecht und Molière die meistgespielten Theaterautoren. Avantgardistische Stücke werden vor allem von kleinen Studiobühnen gebracht, und seit ungefähr zehn Jahren gibt es die »alternativen Theater« mit politischen Stücken, die zum Teil als Wandertheater und Straßentheater aufgeführt werden.

Museen

In der Bundesrepublik gibt es über 1500 größere Museen. Es sind Staatsgalerien oder Privatsammlungen, Schatzkammern oder Schloßmuseen. Dazu kommen noch viele Freilichtmuseen, die die ländliche Wohn- und Hauskultur zeigen.

In den Museen spiegelt sich die Vielfalt der einzelnen Länder in Deutschland. Ein nationales Kulturzentrum, wie etwa in Frankreich den »Louvre«, gibt es nicht. Es gibt stattdessen mehrere große Kunstmuseen, wie die »Alte Pinakothek« in München oder die Gemäldegalerie in Berlin Dahlem, es gibt Museen zu Geschichte und Volkskunde, zum Beispiel das Völkerkundemuseum in Berlin, und es gibt zahlreiche Spezialsammlungen einzelner Künstler oder zu besonderen Themen, wie das Brotmuseum in Ulm oder das Spielzeugmuseum in Nürnberg. Eines der berühmtesten Museen in der Bundesrepublik ist das Deutsche Museum in München. Jedes Jahr kommen mehr als eine Million Besucher, um die Originale und Modelle aus der Geschichte der Naturwissenschaften und der Technik zu sehen, die hier gezeigt werden. Einen sehr guten Überblick über die deutsche Kulturgeschichte von den Anfängen bis zur Gegenwart vermittelt das Germanische Nationalmuseum in Nürnberg.

Festspiele

Musikfestspiele sind Höhepunkte im Kulturleben einer Stadt. Sie haben vor allem in Deutschland und Österreich eine lange Tradition. Berühmt sind die Wagner-Festspiele in Bayreuth und die Salzburger Festspiele, wo vor allem Mozart und die deutschen Klassiker aufgeführt werden.

Musik

Zu keiner Zeit hat es so viel Musik und so viele Musikhörer gegeben wie heute. Abgesehen davon, daß man jeden Abend Opern, Konzerte, Musicals oder Musikshows im Radio und oft auch im Fernsehen hören kann und daß fast jede Familie zumindest einen Plattenspieler besitzt, hören heute auch mehr Leute als je zuvor »lebendige« Musik. Es müssen nicht immer die Berliner Philharmoniker unter der Leitung von Herbert von Karajan oder eines der sehr guten Rundfunk-Symphonieorchester sein, wie sie zum Beispiel in Saarbrücken oder München zu finden sind; auch in mittleren und kleinen Städten werden Konzertabende und Opernaufführungen veranstaltet. In München und Frankfurt füllen die Jazzfans »ihre« Lokale, wenn sie nicht gerade zu einem Jazzfestival nach Moers oder Burghausen unterwegs sind; Rock- und Popkonzerte ziehen Tausende von meist jugendlichen Zuhörern an; in fast jedem größeren Dorf übt ein Gesangverein oder eine Blasmusik; und in Einkaufsstraßen und Fußgängerzonen macht man Straßenmusik.

Ballett

Von den weit über tausend Ballettänzerinnen und -tänzern, die in der Bundesrepublik arbeiten, sind mehr als die Hälfte Ausländer. Sie tanzen hauptsächlich das klassische Repertoire; die vielen neuen Inszenierungen, die auch gezeigt werden, sind bei weitem nicht so gut besucht. Am berühmtesten sind zur Zeit wohl das Stuttgarter und das Hamburger Ballett.

Kino

In den Zwanziger Jahren war das deutsche Kino weltberühmt, aber der Nationalsozialismus trieb eine ganze Generation von Regisseuren in die Emigration. Zurück blieben Regisseure, die entweder für die Nazis Propaganda machten oder sich mit unauffälligen Unterhaltungsfilmen zufrieden gaben. Bei Kriegsende gab es keine Zäsur; die gleichen Regisseure konnten – natürlich mit anderen Themen – weiter in der Bundesrepublik Filme machen. Im Verlauf der Fünfziger Jahre erreichte der bundesdeutsche Film künstlerisch und gesellschaftlich den Nullpunkt.
Da erklärten im Februar 1962 26 junge Filmemacher im »Oberhausener Manifest« das »Kino der Väter« für tot. Sie wollten den »neuen deutschen Film« schaffen: Kino mit politischem Engagement und einem kritischen Deutschlandbild. Das 1965 gegründete Kuratorium Junger Deutscher Film förderte die jungen Filmautoren auch finanziell.
Die älteren Leute bleiben heute lieber zu Hause: 1982 waren 80 Prozent aller Kinobesucher zwischen 14 und 29 Jahre alt. Noch immer sind amerikanische Filme am erfolgreichsten; aber auch einige nach amerikanischem Muster gedrehte deutsche Filme brachten schon Rekordeinnahmen.

12.1

1. Was? Wo?

Machen Sie zwei Listen.

A. Was gibt es zum Beispiel in...

Bayreuth?	Frankfurt?	München?	Salzburg?
Berlin?	Hamburg?	Nürnberg?	Stuttgart?
Burghausen?	Moers?	Saarbrücken?	Ulm?

B. Wo gibt es zum Beispiel...

Ballett?	ein Museum zur deutschen Kultur?	Opernfestspiele?
ein Brotmuseum?	ein Museum zur Geschichte der Technik?	ein Spielzeugmuseum?
Jazz?	ein Museum zur Volkskunde?	ein Symphonieorchester?
ein Kunstmuseum?	Musikfestspiele?	Theater?

2. Kino in Deutschland

Ordnen Sie.

Nach dem ersten Weltkrieg wurde der deutsche Film weltberühmt, aber

sie machten meistens so schlechte Filme, daß

wenigstens nichts gegen die Nazis sagten.

Diese Regisseure konnten nach dem Krieg weiterarbeiten, aber

sie eine andere Art von Filmen forderten: Filme mit politischem Engagement.

unter den Nazis konnten nur Regisseure arbeiten, die

in ihren Filmen national-sozialistische Ideen zeigten oder

dann mußten viele große Regisseure auswandern, denn

1962 eine Gruppe junger Filmemacher ein Manifest schrieben, in dem

3. Was sehen Sie besonders gern?

Für welche dieser Veranstaltungen würden Sie sich besonders interessieren? Warum? Berichten Sie von besonders schönen oder besonders enttäuschenden Konzert-, Theater-, Opern-, Ballett-, Kino- oder Museumsbesuchen.

Deutsches Museum

VON MEISTERWERKEN DER NATURWISSENSCHAFT UND TECHNIK

Museum und Bibliothek täglich von 9 bis 17 Uhr geöffnet.
Geschlossen am Neujahrstag, Karfreitag, Ostersonntag, 1. Mai, Pfingst-
sonntag, Fronleichnam, 17. Juni, 1. November, 24., 25. und 31. Dezember.
Am Faschingssonntag und -dienstag nur von 9 bis 13 Uhr geöffnet.

Eintrittspreise Sammlungen: Erwachsene DM 3,–, Schüler, Studenten
mit Ausweis DM 1,–, Planetarium zusätzlich DM 0,50 pro Person;
Bibliothek: frei

Sammlungsabteilungen

Erdgeschoß	Bodenschätze · Erdöl und Erdgas · Bergbau · Hüttenwesen · Metallbear-beitung · Kraftmaschinen (teilweise im Umbau) · Landverkehr mit Modell-eisenbahn · Tunnelbau · Straßen und Brücken · Wasserbau · Elektrische Energietechnik · Schiffahrt
1. Stock	Kernenergietechnik (im Umbau) · Physik (teilweise im Umbau) · Nachrich-tentechnik · Musikinstrumente · Chemie · Luftfahrt (teilweise im Umbau)
2. Stock	Keramik · Glas (im Aufbau) · Papier · Schreib- und Drucktechnik · Photo-graphie · Textiltechnik
3. Stock	Maß und Gewicht · Zeitmessung · Landwirtschaftstechnik · Raumfahrt · Sternwarte (zur Zeit nicht zugänglich)
5. Stock	Astronomie
6. Stock	Planetarium

Bibliothek

Führung jeden 2. Sonntag im Monat 11.00 Uhr (Lesesäle, Magazin, seltene Bücher)

1. Zu welchen Abteilungen gehören die Bilder?

2. Was würden Sie im Deutschen Museum zuerst besichtigen?

Warum? Wofür würden Sie sich weniger oder gar nicht interessieren?

Ich würde auf jeden Fall...

Ich finde alles aufregend, was mit Raumfahrt zu tun hat.

Ich habe mich schon immer für ... interessiert.

Unbedingt die Modelleisenbahn!

Dieses technische Zeug interessiert mich nicht.

3. Was wissen Sie über...

Otto Hahn? Die V2? ...?

Ich beschäftige mich viel mit...
Daher würde ich zuerst...

Teufelspakt aus Wissensgier

Im Frühjahr 1808 erscheint in Tübingen Goethes »Faust. Eine Tragödie«. Es ist der erste Teil von Goethes berühmtestem Bühnenwerk, dessen zweiten Teil er erst kurz vor seinem Tod fertigstellen wird.

Goethe kannte die Geschichte von Doktor Faust schon als Kind aus dem Volksbuch »Historia von D. Johann Fausten«, das zuerst 1587 gedruckt worden und zu Goethes Zeit weit verbreitet war; außerdem sah er als Fünfjähriger ein Puppenspiel, das aus dem Theaterstück des Engländers Christopher Marlowe entstanden war. Es geht darin um einen Vertrag, den der ehrgeizige Naturwissenschaftler Faust mit dem Teufel abschließt: Der Teufel soll Faust 24 Jahre lang bei seinen Versuchen helfen, die Naturgesetze zu erforschen, und dafür hinterher seine Seele bekommen. Nach der Hälfte dieser Zeit bereut Faust, daß er den Vertrag unterschrieben hat, aber der Teufel gibt ihn nicht frei.

Die ersten Szenen zu seinem Stück schrieb Goethe vermutlich 1772. Im Januar dieses Jahres war in Frankfurt die Kindesmörderin Susanne Margaretha Brandt zum Tode verurteilt und hingerichtet worden. Sie war das historische Vorbild für die Figur des »Gretchen« in Goethes Stück; wahrscheinlich hat Goethe ihre Hinrichtung gesehen. Insgesamt arbeitete er sechzig Jahre an seinem »Faust«; der zweite Teil wurde erst nach seinem Tod veröffentlicht.

Die Handlung des ersten Teils beginnt mit dem »Prolog im Himmel«. Mephistopheles, der Herr der Hölle, wettet mit Gott, daß er Faust vom rechten Weg abbringen könne. Faust ist verzweifelt, weil er erkannt hat, daß seine Forschungen vergeblich sind und er die geheimen Gesetze der Natur nie ganz verstehen wird. Da bietet Mephisto ihm einen Vertrag an, der aber nicht – wie im Volksbuch – zeitlich begrenzt ist. Er soll erst dann als erfüllt gelten, wenn Faust sagt, daß er mit dem, was Mephisto ihm von der Welt gezeigt hat, zufrieden sei:

> Werd ich zum Augenblicke sagen:
> Verweile doch! du bist so schön!
> Dann magst du mich in Fesseln schlagen,
> Dann will ich gern zugrunde gehn!

Faust verkauft also seine Seele für die Möglichkeit, tiefere Erkenntnisse in das Leben und die Naturgesetze zu bekommen. Aber nichts von dem, was Mephisto ihm danach zeigt, kann ihn zufriedenstellen, auch die Liebe nicht. Mephisto führt ihn nämlich mit der jungen Margarete (»Gretchen«) zusammen, die ihn liebt und bewundert; aber die Begegnung mit Faust stürzt sie ins Unglück, durch ihn sterben ihre Mutter und ihr Bruder, sie tötet ihr Kind und wird zum Tod verurteilt. Als Faust sie im Gefängnis besucht, will sie nichts mehr von ihm wissen. Von oben ruft eine Stimme ihr zu, daß Gott ihre Seele gerettet hat...

1. Was ist richtig?

a) Als Kind sah Goethe
   - ☐ ein Buch mit der Geschichte des Doktor Faust
   - ☐ ein Puppenspiel über die Geschichte des Doktor Faust.
   - ☐ die Hinrichtung der Kindsmörderin Susanne Margaretha Brandt.
   - ☐ ein Theaterstück von Christopher Marlowe.

b) ☐ Goethe hat den „Faust" geschrieben, weil er mit seinem Leben unzufrieden war.
   - ☐ Margarete war unglücklich darüber, daß Faust mit seinem Leben unzufrieden war.
   - ☐ Faust hat den Vertrag mit Mephisto unterschrieben, weil er mit seinem Leben unzufrieden war.

c) Der Vertrag mit Mephisto gilt als erfüllt,
   - ☐ wenn Faust sagt, daß er genug gesehen habe und zufrieden sei.
   - ☐ wenn Faust gefesselt wird und stirbt.
   - ☐ wenn Margaretes Seele von Gott gerettet ist.

Der Abwurf der Atombomben 1945 über Hiroshima und Nagasaki hatte deutlich gemacht, wie schrecklich die Wirkung der naturwissenschaftlichen Forschung sein konnte. Als im Jahre 1957 diskutiert wurde, ob die Armee der Bundesrepublik mit Atomwaffen ausgerüstet werden sollte, kam es zu starken Protesten. In einer Erklärung sprachen sich achtzehn deutsche Wissenschaftler gegen die Atomwaffen aus.

In dieser Atmosphäre entstand Dürrenmatts Stück „Die Physiker - Eine Komödie in zwei Akten". Der Schweizer Dramatiker war bereits weltbekannt, und die Uraufführung im Februar 1962 in Zürich wurde zu einem kulturellen Ereignis. Das Urteil der Kritiker war sehr unterschiedlich. Einige lobten Dürrenmatt, weil er eine „brillante Komödie" geschrieben habe, andere kritisierten vor allem Einzelheiten in der Darstellung des Charakters der drei Physiker. Wieder andere fanden, das Stück sei zu wenig politisch und der Zufall spiele eine zu große Rolle.

Einer beurteilte das Stück so: „Ein Versuch, eine Komödie für ein paar Jahre." Er hat sich geirrt. Es ist eines der meistgespielten Stücke auf deutschsprachigen Bühnen geworden.

Friedrich Dürrenmatt:

»Die Physiker«

In einem Irrenhaus ist ein Mord geschehen: Ein Patient hat eine Krankenschwester, von der er gepflegt wurde, getötet.

Bei der Ankunft des Kriminalinspektors erfährt der Zuschauer, daß es bereits der zweite Mord innerhalb kurzer Zeit war. Beide Morde wurden von Kranken ausgeführt, die sich für große Physiker halten: »Einstein« und »Newton«. Der Inspektor ärgert sich, daß er die beiden nicht verhaften kann; sie sind schließlich keine gewöhnlichen Verbrecher. Die Direktorin der Klinik, Fräulein Doktor von Zahnd, sagt, beide Morde seien Unglücksfälle gewesen, und verspricht, man werde in Zukunft besser aufpassen.

Aber in der Klinik gibt es noch einen dritten Physiker: Möbius. Auch er tötet eine Schwester. »Die Physiker« — ein Kriminalstück? — Man könnte es zunächst glauben, aber dann erfährt man, daß in Wirklichkeit keiner der drei verrückt ist, sondern daß alle drei tatsächlich Physiker sind. Möbius ist ein genialer Wissenschaftler, der eine große Entdeckung gemacht hat. Da er aber erkannt hat, daß seine Entdeckung eine große Gefahr für die Welt, für die Existenz der Menschheit ist, hat er beschlossen, ins Irrenhaus zu gehen und so zu tun, als ob er verrückt wäre. Damit will er verhindern, daß seine Papiere an die Öffentlichkeit kommen. Schwester Monika mußte er töten, weil sie sein Geheimnis entdeckt hatte.

»Einstein« und »Newton« arbeiten jeder für eine fremde Großmacht. Sie haben von Möbius' Ideen gehört und wollen ihn entführen. In einer längeren Unterhaltung macht Möbius ihnen klar, wie gefährlich seine Erfindung ist.

Schließlich kann er sie dazu überreden, mit ihm in der Klinik zu bleiben. Nur im Irrenhaus seien sie noch frei, erklärt er und sagt, entweder sie blieben freiwillig da, oder die ganze Welt werde zu einem Irrenhaus.

Der Zuschauer atmet auf: Die Erde ist gerettet — so scheint es jedenfalls. Aber es war alles umsonst. Denn Fräulein Doktor von Zahnd hat alle Papiere von Möbius kopiert, bevor dieser sie vernichten konnte. Und sie hat schon begonnen, Möbius' Erfindungen auszuwerten. Dafür hat sie ein eigenes Unternehmen gegründet. Ihr Ziel ist Macht und Kontrolle über die ganze Welt: »Nun werde ich mächtiger sein als meine Väter. Mein Trust wird herrschen, die Länder, die Kontinente erobern, das Sonnensystem ausbeuten, nach dem Andromedanebel fahren.« Die Welt sei in die Hände einer verrückten Irrenärztin gefallen, stellt »Einstein« fest. Der Vorhang fällt.

12.2
12.3

2. Welches Theaterstück behauptet was?

	Goethes Faust	Die Physiker	keines von beiden
a) Naturwissenschaft kann sich gegen die Menschen richten.			
b) Naturwissenschaft kann sich gegen Gott richten.			
c) Naturwissenschaft ist eine Sache des Teufels.			
d) Wer zuviel weiß, endet im Irrenhaus.			
e) Wir wären glücklicher, wenn wir weniger wüßten.			
f) Wir wären glücklicher, wenn wir mehr wüßten.			
g) Wissen tötet die Liebe.			
h) Macht tötet die Liebe.			
i) Wissen ist Macht.			

Vergleichen Sie Ihre Lösung mit den Lösungen anderer Kursteilnehmer und begründen Sie sie.

Abwechslung gehört dazu: Vor selbstgebauter Großstadtkulisse tanzen und singen die jugendlichen Darsteller im Musical »Halleluja Billy«.

Menschliches Glück und Unglück, dargestellt auf den Brettern, die die Welt bedeuten, dargestellt von jungen Leuten, die sich manchmal wie echte Schauspieler bewegen, aber doch keine sind. Wir sehen Schultheater.

Theater wird an vielen Schulen in der Bundesrepublik Deutschland gespielt. Dabei geht es nicht so sehr um Wissen und Fertigkeiten für einen späteren Beruf, sondern um die Erfahrung von Phantasie und Kreativität, um das Kennenlernen von Menschen und ihrer Umwelt.

Was Schultheater sein kann, das wird am Beispiel der »Spielschar« des Limburger Tilemann-Gymnasiums besonders deutlich. Die »Spielschar« gehört schon seit langem zum kulturellen Leben der historischen Kleinstadt. Diesmal wird Molières Komödie

»Der Menschenfeind« gespielt, in einer aktuellen Bearbeitung von Hans Magnus Enzensberger. Aus der Gesellschaft des 17. Jahrhunderts in Frankreich wurde eine »upper middle class«-Party in Deutschland: Eine neue Inszenierung ohne Perükken und alte Kostüme. Doch die Inhalte und Themen sind geblieben: Klatsch, Neid, Haß, Intrige, Snobismus, Opportunismus und Menschenverachtung.

Man vergißt, daß es Schüler sind, die da Theater spielen. Und am Schluß ist der Beifall des Publikums groß, besonders dann, wenn die Schauspieler ihren Regisseur und Spielleiter auf die Bühne holen: Dr. Heinz Böhlen. Er hat das Schultheater in Limburg vor 30 Jahren gegründet. Schon als zehnjähriger Schüler hat er Theater gespielt. Heute ist der Pädagoge 68 Jahre alt und längst pensioniert. Bescheiden ist er, hält sich immer im Hintergrund

und ist kein Freund von großen Worten. Nach dem Studium der Literatur- und Theaterwissenschaft in Wien wurde er nach dem Krieg Lehrer am Gymna-

Dr. Heinz Böhlen, 67, ist Gründer und der Mann im Hintergrund der Limburger Spielschar.

sium. Für ihn gehörten das Theater und der Unterricht immer zusammen.

Stücke von Euripides, Kleist, Schiller, Claudel, Goethe, Camus, Wilder, Brecht, Frisch, Eichendorff, Ionesco... und immer wieder Shakespeare hat er in den letzten Jahren mit seinen Schülern aufgeführt, die modernen meist mit Bezug zu aktuellen politischen Ereignissen.

Und manchmal haben die Schüler auch eigene Theaterstücke geschrieben.

Achtzig Theaterstücke waren es bis jetzt. Und für jede Spielminute wurde eine Stunde geprobt. Das Ziel: Welterkenntnis durch Phantasie, Zusammenspiel von Kopf, Herz und Hand, »Aha-Erlebnisse« des Einzelnen in der Gruppe. »Wenn ich mich auf der Bühne bewege«, sagt ein Mädchen, »dann denke ich auch über meine eigene Person nach. Ich erfahre, wie ich selbst sein könnte, aber nicht bin. Es ist phantastisch, sich in eine neue Rolle hineinzuleben.«

Nachdenken über »Typen« – und über sich selbst. Vergleiche. Wie reagieren Menschen in bestimmten Situationen? Wie würde ich reagieren? Wie nicht? Reflexion. Und plötzlich geraten Lehrer und Schüler bei den Proben für ein neues Theaterstück an die Grundfragen des Lebens. Für manchen wird das unvergeßlich bleiben. Sicher, der Beifall am Schluß eines Abends ist schön, aber alle sind sich einig: das Schönste an der Sache sind die Proben.

Und was noch alles zum Theater gehört: Theater ist ja nicht nur eine Sache der Darsteller, sondern auch der Kulissenbauer, Requisiteure, der Kostümberater, der Souffleusen und der Beleuchter, die mit viel Technik arbeiten. Und alles wird vom

Der Pakt mit Mephistopheles im Studierzimmer des Dr. Faustus. Rund 80 Inszenierungen haben Limburger Schüler im Lauf der 30 Jahre auf die Bühne gebracht.

Verkauf der Theaterkarten finanziert.

»Natürlich gibt es Probleme mit der Schule«, gibt ein Schüler zu. »Wenn man ein Theaterstück vorbereitet, hat man oft keine Lust, für die nächste Klassenarbeit zu lernen. Aber irgendwie geht das doch.« Der Direktor des Gymnasiums unterstützt das Theater. Kein Wunder, er war selbst einmal Mitglied der »Spielschar«.

Natürlich träumen viele Schüler von einer Karriere am Theater. Aber Dr. Böhlen weiß aus Erfahrung, daß das nicht einfach ist, und weckt keine Illusionen. Trotzdem gibt es einige, die heute als Regisseure und Schauspieler an deutschen und ausländischen Theatern und Rundfunkanstalten arbeiten. Für alle anderen, die aus dem Theater keinen Beruf gemacht haben, bleibt die lebendige Erfahrung des Theaterspielens zumindest eine große Bereicherung für das ganze Leben. Welche Rolle Dr. Heinz Böhlen dabei spielt, zeigen die Worte eines »Ehemaligen« in der Festschrift zum dreißigjährigen Bestehen der Spielschar: »Er war der Spielleiter, aber er wurde für meinen persönlichen Lebensweg weit mehr: Orientierungshilfe, ein Stück gelebte Humanitas...«

12.5

1. Fassen Sie die Aussagen des Textes zu folgenden Stichworten knapp zusammen:

Sinn und Ziele der Schüleraufführungen – Erfahrungen der Schüler – Probleme

2. Haben Sie schon einmal Theater gespielt?

Wo? Welche Rollen haben Sie gespielt? Hat es Ihnen Spaß gemacht?
Würden Sie gern einmal bei einem Theaterstück mitspielen?
Was für eine Rolle würden Sie am liebsten spielen?

> Ich lerne schlecht auswendig.

> In der ersten Klasse habe ich mal den Osterhasen gespielt.

> Den Hamlet, natürlich!

> Ich habe noch nie Theater gespielt.

> Karneval ist doch eigentlich auch so eine Art von Theater.

> Ich verkleide mich gern.

B3

Ausstellung „Die Frau im Alten Ägypten"

	Person		
A. Hören Sie die Interviews. B. Welche Aussagen passen zu welcher Person?	A	B	C
a) geht öfter ins Museum			
b) wurde von einem Bekannten überredet, in die Ausstellung zu gehen			
c) hat eine Führung mitgemacht			
d) ist schon zum zweitenmal in der Ausstellung gewesen			

a) geht öfter ins Museum
b) wurde von einem Bekannten überredet, in die Ausstellung zu gehen
c) hat eine Führung mitgemacht
d) ist schon zum zweitenmal in der Ausstellung gewesen
e) interessiert sich besonders für
    1.) alte Musikinstrumente
    2.) die Rolle der Frau in alten Kulturen
    3.) den Zusammenhang zwischen Religion und Kunst in der Vergangenheit
    4.) die Gegensätze zwischen heutiger und früherer Lebensart
    5.) Gegenstände des täglichen Lebens, wie Möbel, Werkzeuge, Verkehrs-
       mittel usw.
    6.) die Arbeitstechniken der Menschen
f) ist überrascht von dem lebendigen Ausdruck der Figuren
g) lobt die gelungene Verbindung von Kunst und Information
h) hatte nicht erwartet, daß die Ausstellung so interessant sein würde
i) findet, daß zuwenig Erklärungen gegeben werden

2

○ Du, ich habe gestern abend den „Fitzcar-raldo" von Werner Herzog gesehen.
☐ Ach ja, von dem habe ich schon gehört. Wie war's denn?
○ Ein Wahnsinnsfilm... Den mußt du dir unbedingt ansehen!
☐ So? Worum geht es denn darin?
○ Es ist die Geschichte von einem Mann, der mitten im Dschungel ein Opernhaus bauen will.
☐ Und was ist daran so interessant?
○ Also diese Bilder vom Urwald, und dann die Szene, wie ein ganzes Schiff über einen Berg transportiert wird... Einfach toll!

○ Ich habe noch eine Theaterkarte für heute abend. Hast du Lust?
☐ Was wird denn gegeben?
○ Die Physiker, von Dürrenmatt.
☐ Ach, das Stück habe ich schon gesehen.
○ Und wie fandest du's?
☐ Also ganz ehrlich: Das Eintrittsgeld ist zu schade dafür.
○ Warum das denn?
☐ Das handelt von einer verrückten Ärztin, die die Macht über die ganze Welt an sich bringen will... völlig unrealistisch, das Ganze...
○ Also, mir ist das Stück wärmstens empfohlen worden...

Wovon handelt das denn? Was ist das Thema des Stücks/Films?
Wo/wann spielt das Stück/der Film? Was ist
das Besondere daran? Wer spielt die Haupt-
rolle? Wer ist der Regisseur?

| Das Stück | erzählt | von…, | der… |
| Der Film | handelt | | die… |

Es geht um…
…spielt einen/eine…

Es lohnt sich nicht, das anzusehen.

Eine schwache Story!

Ein harter Mann!

Absolut komisch!

Sehr lebendig!

Enttäuschend!

Ein völlig verrückter Film!

Eine merkwürdige Geschichte!

Das ist mein Lieblingsschauspieler.

Erfolgsrezept für junge Schriftsteller

③

Vielleicht haben Sie sich schon gefragt, wie die Autoren
von Romanen, Filmdrehbüchern, Theaterstücken oder
Fernsehserien immer auf die tollen Ideen für ihre Stoffe
kommen. Nun, in Wirklichkeit ist das ganz einfach: Man
braucht nur ein paar Wortlisten und zwei Würfel. Sie können es einmal mit Ihrem Nachbarn ausprobieren.
Sie haben rechts 9 Listen mit je 11 Wörtern, die von 2 bis
12 durchnumeriert sind. Für jede Liste müssen Sie einmal
mit beiden Würfeln würfeln; Sie erhalten dann eine Zahl
zwischen 2 und 12. Schreiben Sie sich das entsprechende
Wort auf. Wenn Sie z.B. folgende Zahlen gewürfelt haben:
10 4 2   8 10 5   4 11 12
dann erhalten Sie die Wörter:
neugierig Lehrerin Brille   Gras Ring finden
Konferenz Chef erschießen

Nun brauchen Sie nur noch ein paar Artikel und Präpositionen hinzuzufügen, und schon haben Sie die Grundidee

für eine spannende Handlung, die Sie den anderen Kursteilnehmern vorstellen:
»Meine Geschichte handelt von einer neugierigen Lehrerin mit Brille, die im Gras einen Ring findet und auf einer
Konferenz ihren Chef erschießt.«
Wählen Sie von allen Geschichten, die vorgestellt werden, die schönste aus und schreiben Sie dazu in Gruppen
oder zu Hause eine vollständige Geschichte. Je ungewöhnlicher die Idee ist, desto spannender wird die Geschichte und umso größer der Erfolg! Das Beispiel oben
könnte etwa so anfangen:
Der Ring im Gras
Die Sonne stand schon tief, als Vera Blümlein an diesem Herbstnachmittag das Haus ihrer Freundin Elisabeth verließ. Während sie den Garten vor dem
Haus durchquerte, bemerkte sie plötzlich einen kleinen Gegenstand im Gras, auf den das letzte Sonnen-
licht fiel. Neugierig hob sie das Ding auf…

Liste 1	
2 blind	8 kräftig
3 arm	9 sympathisch
4 dünn	10 neugierig
5 höflich	11 still
6 konservativ	12 krank
7 zuverlässig	

Liste 2	
2 Lehrling	8 Verbrecher
3 Fußgänger	9 Geschäftsfrau
4 Lehrerin	10 Briefträger
5 Autofahrer	11 Ausländer
6 Zahnarzt	12 Hausfrau
7 Feuerwehrmann	

Liste 3	
2 Brille	8 Beziehungen
3 Erkältung	9 Charakter
4 Fahrrad	10 Hut
5 Bart	11 Führerschein
6 Bauch	12 Diplom
7 Zahnschmerzen	

Liste 4	
2 Parkplatz	8 Gras
3 Garderobe	9 Mauer
4 Lift	10 Einwohner-meldeamt
5 Hafen	
6 Campingplatz	11 Toilette
7 Ausländeramt	12 Küste

Liste 5	
2 Tasche	8 Handschuh
3 Geldschein	9 Taschentuch
4 Einschreiben	10 Ring
5 Hammer	11 Knopf
6 Markstück	12 Nachricht
7 Schachtel	

Liste 6	
2 bekommen	8 aufheben
3 gewinnen	9 kriegen
4 verlieren	10 mitnehmen
5 finden	11 verkaufen
6 suchen	12 vergessen
7 stehlen	

Liste 7	
2 Nebel	7 Gewitter
3 Fest	8 Abendessen
4 Konferenz	9 Versammlung
5 Öffentlich-keit	10 Rückkehr
	11 Wirtschaft
6 unterwegs	12 nachher

Liste 8	
2 Partner	8 Bundeskanzler
3 Zeuge	9 Geschäftsmann
4 Bürgermeister	10 Besitzer
5 Vermieter	11 Chef
6 Mitarbeiter	12 Politiker
7 Pferd	

Liste 9	
2 schlagen	8 töten
3 überraschen	9 verletzen
4 begrüßen	10 mißverstehen
5 treffen	11 kennenlernen
6 beleidigen	12 erschießen
7 beobachten	

12.4

Aus Goethes »Faust«

DER TRAGÖDIE ERSTER TEIL

NACHT

In einem hochgewölbten, engen gotischen Zimmer.
Faust, unruhig auf seinem Sessel am Pulte.

FAUST. Habe nun, ach! Philosophie,
Juristerei und Medizin
Und leider auch Theologie
Durchaus studiert, mit heißem Bemühn.
Da steh ich nun, ich armer Tor!
Und bin so klug als wie zuvor;
Heiße Magister, heiße Doktor gar,
Und ziehe schon an die zehen Jahr
Herauf, herab und quer und krumm
Meine Schüler an der Nase herum –
Und sehe, daß wir nichts wissen können!
Das will mir schier das Herz verbrennen.
Zwar bin ich gescheiter als alle die Laffen,
Doktoren, Magister, Schreiber und Pfaffen;
Mich plagen keine Skrupel noch Zweifel,
Fürchte mich weder vor Hölle noch Teufel –
Dafür ist mir auch alle Freud entrissen,
Bilde mir nicht ein, was Rechts zu wissen,
Bilde mir nicht ein, ich könnte was lehren,
Die Menschen zu bessern und zu bekehren.
Auch hab ich weder Gut noch Geld,
Noch Ehr und Herrlichkeit der Welt;
Es möchte kein Hund so länger leben!
Drum hab ich mich der Magie ergeben,
Ob mir durch Geistes Kraft und Mund
Nicht manch Geheimnis würde kund;
Daß ich nicht mehr mit sauerm Schweiß
Zu sagen brauche, was ich nicht weiß;
Daß ich erkenne, was die Welt
Im Innersten zusammenhält, ...

Aus Dürrenmatts »Die Physiker«

Möbius: Es gibt Risiken, die man nie eingehen darf: Der Untergang der Menschheit ist ein solches. Was die Welt mit den Waffen anrichtet, die sie schon besitzt, wissen wir, was sie mit jenen anrichten würde, die ich ermögliche, können wir uns denken. Dieser Einsicht habe ich mein Handeln untergeordnet. Ich war arm. Ich besaß eine Frau und drei Kinder. Auf der Universität winkte Ruhm, in der Industrie Geld. Beide Wege waren zu gefährlich. Ich hätte meine Arbeiten veröffentlichen müssen, der Umsturz unserer Wissenschaft und das Zusammenbrechen des wirtschaftlichen Gefüges wären die Folgen gewesen. Die Verantwortung zwang mir einen anderen Weg auf. Ich ließ meine akademische Karriere fahren, die Industrie fallen und überließ meine Familie ihrem Schicksal. Ich wählte die Narrenkappe. Ich gab vor, der König Salomo erscheine mir, und schon sperrte man mich in ein Irrenhaus.
Newton: Das war doch keine Lösung!
Möbius: Die Vernunft forderte diesen Schritt. Wir sind in unserer Wissenschaft an die Grenzen des Erkennbaren gestoßen. Wir wissen einige genau erfaßbare Gesetze, einige Grundbeziehungen zwischen unbegreiflichen Erscheinungen, das ist alles, der gewaltige Rest bleibt Geheimnis, dem Verstande unzugänglich. Wir haben das Ende unseres Weges erreicht. Aber die Menschheit ist noch nicht so weit. Wir haben uns vorgekämpft, nun folgt uns niemand nach, wir sind ins Leere gestoßen. Unsere Wissenschaft ist schrecklich geworden, unsere Forschung gefährlich, unsere Erkenntnis tödlich. Es gibt für uns Physiker nur noch die Kapitulation vor der Wirklichkeit. Sie ist uns nicht gewachsen. Sie geht an uns zugrunde. Wir müssen unser Wissen zurücknehmen, und ich habe es zurückgenommen. Es gibt keine andere Lösung...

B1

1

Die fünfziger Jahre in der Bundesrepublik

"Wohlstand für alle"

"Jetzt kommt das Wirtschaftswunder, jetzt kommt das Wirtschaftswunder! Der deutsche Bauch erholt sich auch und ist schon sehr viel runder", singt der Kabarettist Wolfgang Neuss im Berliner Kabarett "Die Stachelschweine". Die größte Not der Nachkriegszeit ist vorbei. Das Bruttosozialprodukt klettert steil nach oben. Die Zahl der Arbeitslosen nimmt ständig ab, seit 1955 herrscht Vollbeschäftigung. Die Kaufkraft der Bevölkerung steigt. Freßwelle, Möbelwelle, Reisewelle rollen über das Land. Automatische Waschmaschine, Kühlschrank, Moped, Fernsehapparat, Reihenhaus oder Bungalow auf eigenem Grund und Boden sind Beweise für den neuen Wohlstand. Die Zahl der Kraftfahrzeuge verdoppelt sich von 1954 bis 1957 auf fünf Millionen. Merkwürdig aussehende Typen gibt es darunter, den Messerschmidt-Kabinenroller mit drei Rädern etwa oder den BMW 600, wo zwei Fahrgäste rückwärts schauen müssen. Drinnen, in den Wohnungen, sieht es nicht weniger eigenwillig aus: Gefragt sind moderne, abstrakte Formen und blasse Farben.

1. Zu welchen Abschnitten des Textes gehören die Fotos?

a) „Jetzt kommt das Wirtschaftswunder…"   Fotos Nr. _____

b) Merkwürdig aussehende Typen…   Fotos Nr. _____

c) Die 50er Jahre sind der Beginn…   Fotos Nr. _____

d) Im sauberen und sterilen Klima…   Fotos Nr. _____

Typisch sind Möbel auf drei Beinen und
wilde Muster auf den Tapeten, deren
gewollte Beziehung zur modernen Kunst
deutlich erkennbar ist.
Die 50er Jahre sind der Beginn des
Plastik-Zeitalters. Die neuen Kunst-
stoffe mit ihren phantasievollen Namen
werden immer beliebter und erleichtern
der Hausfrau die Arbeit: Das Sofa aus
Sky-dur-Kunstleder, die Tischdecke aus
Nylon, die vor dem Fenster blühenden
Plastikblumen, die Vorhänge aus Acella,
der Regenmantel aus Perlon sind abwaschbar. Und das Nyltest-Hemd des Ehe-
mannes wird nur kalt gewaschen, zum
Trocknen einfach auf den Kleiderbügel
gehängt und nicht mehr gebügelt. Zwar
riechen die Vorhänge unangenehm, sobald die Sonne etwas stärker scheint,
und die Haut kann unter dem Nyltest-
hemd nicht atmen, so daß man schwitzt
wie ein Pferd, aber es sitzt phantastisch.
Im sauberen und sterilen Klima jener
Zeit wächst eine Jugend heran, die
(noch) nicht an dem zweifelt, was die
Eltern aufbauen. Der glatt rasierte
und brav gekämmte junge Mann mit Anzug und Krawatte, der seine Partnerin
mit Pettycoat zum Tanz ausführt, lehnt
- wie die Mehrheit der Jugendlichen
und Erwachsenen - die lauten "Halb-
starken" ab, die bei der Musik von
Elvis Presley und Bill Hailey Sessel
von Kinos und Konzertsälen zu Bruch
gehen lassen.

2. Beschreiben Sie Ihre Eindrücke zu den Fotos.

3. Was wissen Sie noch über die 50er Jahre?

Z.B. über Politiker, Filme und Filmstars, Autotypen, Musiker, Künstler, Literatur... aus der
Bundesrepublik? ...aus Ihrem Land?

1960 Die wirtschaftliche Entwicklung der Bundesrepublik erlebt einen neuen Höhepunkt.
Tausende ausländischer Arbeitnehmer (»Gastarbeiter«) werden in die Bundesrepublik geholt.
Im Bundestag werden die »Notstandsgesetze« beraten, die die öffentliche Ordnung im Falle von Naturkatastrophen, politischen Unruhen u. ä. regeln sollen.

1961 Der sowjetische Kosmonaut Juri Gagarin startet als erster Mensch zu einem Weltraumflug.
In Berlin wird eine Mauer zwischen dem West- und dem Ostteil der Stadt gebaut.
Die Gewinne der Volkswagen-Werke in Wolfsburg wachsen, während die Borgward-Werke in Bremen wegen zu hoher Schulden Pleite machen.
Im Hamburger »Star-Club« tritt eine unbekannte englische Musikgruppe, die »Beatles«, auf.

1962 Im Schlaf werden die Bewohner der Bundesländer Schleswig-Holstein und Hamburg von einer Sturmflut überrascht: An der Küste sterben 312 Menschen; 4000 Stück Vieh ertrinken.
Die »Spiegel-Affäre«: Der Chefredakteur des Magazins »Der Spiegel« und sein Stellvertreter werden verhaftet, weil der »Spiegel« geheime Informationen aus dem Verteidigungsministerium veröffentlicht hat. Heftige Proteste in der Öffentlichkeit.

1963 Willy Brandt (SPD) wird Regierender Bürgermeister von Westberlin.
Das zweite deutsche Fernsehprogramm (ZDF) beginnt seine Sendungen.
US-Präsident Kennedy besucht die Bundesrepublik und Westberlin, wo er in einer Rede den berühmten Satz ausspricht: »Ich bin ein Berliner«.
Das erste deutsche Atomforschungszentrum wird in Jülich in Betrieb genommen.
Adenauer tritt zurück, Ludwig Erhard wird neuer Bundeskanzler.

POP, OP & APO: Die Sechziger

1964 Der millionste Gastarbeiter wird in der Bundesrepublik begrüßt.
Der Papst lehnt die Antibabypille, kurz »Pille« genannt, als Mittel der Geburtenkontrolle ab.
In den Straßen erscheinen die ersten Frauen im Minirock.

1965 Thema Nummer 1 in allen Illustrierten: Die britische Königin Elizabeth II. bei einem Staatsbesuch in der Bundesrepublik.
Der Bundestag stimmt über die »Notstandsgesetze« ab, aber die SPD stimmt dagegen, und die notwendige Mehrheit für eine Verfassungsänderung wird nicht erreicht.
Studentenverbände fordern eine nach ihrer Meinung längst fällige Reform von Universitäten und Schulen.
400 000 DM Schaden bei einem Konzert der »Rolling Stones« in Berlin.

1966 Unglücksserie bei Militärflugzeugen: der 60. »Starfighter« der deutschen Bundeswehr stürzt ab.
Die erste Wirtschaftskrise der jungen Bundesrepublik führt zum Bruch der Regierungskoalition von CDU/CSU und F.D.P.: Erhard tritt zurück, die F.D.P. geht in die Opposition, unter Bundeskanzler Kiesinger wird eine »Große Koalition« aus CDU/CSU und SPD gebildet. Brandt wird Außenminister.
Erstmals seit 1949 leichtes Ansteigen der Arbeitslosenzahl.
Protestdemonstrationen gegen den Krieg in Vietnam.

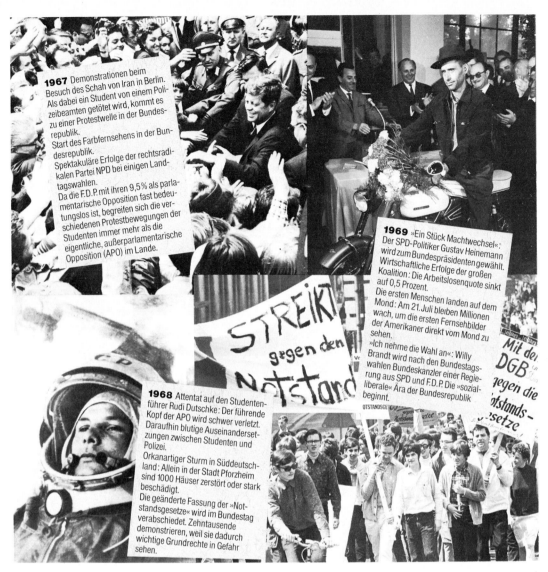

1967 Demonstrationen beim Besuch des Schah von Iran in Berlin. Als dabei ein Student von einem Polizeibeamten getötet wird, kommt es zu einer Protestwelle in der Bundesrepublik.
Start des Farbfernsehens in der Bundesrepublik.
Spektakuläre Erfolge der rechtsradikalen Partei NPD bei einigen Landtagswahlen.
Da die F.D.P. mit ihren 9,5% als parlamentarische Opposition fast bedeutungslos ist, begreifen sich die verschiedenen Protestbewegungen der Studenten immer mehr als die eigentliche, außerparlamentarische Opposition (APO) im Lande.

1969 »Ein Stück Machtwechsel«: Der SPD-Politiker Gustav Heinemann wird zum Bundespräsidenten gewählt.
Wirtschaftliche Erfolge der großen Koalition: Die Arbeitslosenquote sinkt auf 0,5 Prozent.
Die ersten Menschen landen auf dem Mond: Am 21. Juli bleiben Millionen wach, um die ersten Fernsehbilder der Amerikaner direkt vom Mond zu sehen.
»Ich nehme die Wahl an«: Willy Brandt wird nach den Bundestagswahlen Bundeskanzler einer Regierung aus SPD und F.D.P. Die »sozialliberale« Ära der Bundesrepublik beginnt.

1968 Attentat auf den Studentenführer Rudi Dutschke: Der führende Kopf der APO wird schwer verletzt. Daraufhin blutige Auseinandersetzungen zwischen Studenten und Polizei.
Orkanartiger Sturm in Süddeutschland: Allein in der Stadt Pforzheim sind 1000 Häuser zerstört oder stark beschädigt.
Die geänderte Fassung der »Notstandsgesetze« wird im Bundestag verabschiedet. Zehntausende demonstrieren, weil sie dadurch wichtige Grundrechte in Gefahr sehen.

13.1
13.2

1. Ordnen Sie die verschiedenen Ereignisse (stichwortartig) nach folgenden Überschriften:

Technischer Fortschritt – wirtschaftliche Entwicklung – Bürgerprotest – (Natur-)Katastrophen – kulturelle Ereignisse

2. Ordnen Sie die Fotos den Ereignissen zu.

Welche zusätzlichen Informationen geben die Fotos zu den 60er Jahren?

3. Was hat sich gegenüber den 50er Jahren verändert?

Was ist heute wieder anders geworden? Was ist ähnlich geblieben? Über welche Ereignisse würden Sie gern mehr wissen?

3. April 1967

Ich habe Mick gesehen

Peter hatte mir eine Karte geschenkt, er ist so süß zu mir, ich weiß

Peter hatte mir eine Karte geschenkt, er ist so süß zu mir, ich weiß gar nicht, wie ich das wieder gutmachen soll… Wir saßen auf unseren Plätzen, tolle Plätze, Balkon 1. Reihe. Nachdem wir über eine Stunde gewartet hatten, kam ein Typ auf die Bühne, der nochmal jung spielen wollte und sich deshalb in eine enge Hose gezwängt hatte. Er trug ein Blümchenhemd und hatte seine Haare nach vorne gekämmt. Er kündigte »The Batman« an, eine neue deutsche Gruppe, die sich alle Mühe gab, uns in Stimmung zu bringen. Ich war nicht richtig bei der Sache, denn bei mir meldete sich das schlechte Gewissen. Meinen Eltern hatte ich nämlich erzählt, ich wäre bei meiner Dortmunder Freundin zu einer Party eingeladen.
(…)
Halb zehn. Die Uhr schlug dreimal, und dann endlich kamen sie! Der Saal kochte über. Aber sie nahmen ganz leise ihre Instrumente, Mick zog seine Carnaby-Jacke aus, was die ersten Schreie zum Erfolg hatte. Sein weißes Rüschenhemd kam zum Vorschein. Es begann mit »The last time«, »Get off my cloud«, »Lady Jane«, »Paint it black«, und viele andere folgten. Micks Hemd war aus der Hose gerutscht. Sekundenlang wurde sein Bauch sichtbar. Die Mädchen sprangen von den Stühlen. Die Bühne wurde gestürmt. Die Polizei trat in Aktion: Halbohnmächtige Mädchen wurden von der Bühne gezerrt.
(…)
Meine Reaktion war ganz anders, als ich sie mir je vorgestellt hatte. Ich verstehe es heute selbst nicht mehr. Ich saß wie angenagelt auf meinem Stuhl und bekam keinen Ton heraus. Ich wollte mitsingen, wie es alle um mich taten, aber ich saß da stocksteif, drückte das Fernrohr vor meine Augen und beobachtete jede einzelne Bewegung von den Stones, von Mick. Er ist für mich der Traumboy. Es war ein Erlebnis, ihn zu beobachten. Er machte fast überhaupt keine Schau, hatte es auch nicht nötig, denn es kam schon zu Schreikrämpfen, wenn er nur von einem Fuß auf den anderen trat.
(…)
Nach »Let's spend the night together« wollten die Stones endlich Schluß machen. Doch als die Fans protestierten, spielten sie noch »Satisfaction« und eine neue Nummer von ihrer LP »Between the buttons«. Dann verbeugten sie sich und ließen eine völlig aufgelöste Horde ihrer Fans zurück. Wie lange habe ich gebraucht, um wieder auf den Boden der Wirklichkeit zurückzukommen? Peter mußte mich regelrecht wachrütteln. An diesem Abend konnte ich nicht einschlafen. Der Plattenspieler meiner Freundin stand neben meinem Bett. Ich hörte sämtliche Stonesplatten an, die meine Freundin besitzt.

Am anderen Tag zog ich mein neues Schockfarbenkleid an, verabschiedete mich von meiner Freundin und ihren Eltern. (…) Am Bahnhof hatte ich noch etwas Zeit. Ich ging durch einen Wartesaal in einen anderen Raum, an dessen Wänden hingen Zeitungen in Kästen. (…) Ich las die Beschreibung des gestrigen Abends. So stand ich eine Zeitlang vor dem Kasten, dann drehte ich mich um und stieß dabei vor einen Jungen, der hinter mir stand und ebenfalls die Zeitung studierte. »Entschuldigung«, murmelte ich. Dann konnte ich mit Mühe einen Schrei unterdrücken. Trotz riesiger Sonnenbrille und bis zu den Ohren hochgeschlagenem Kragen erkannte ich – Mick! Meine Reaktion war blitzschnell. Wenn du jetzt einen Schreikrampf bekommst, haut er sofort ab, dachte ich. Aber wenn du ganz vernünftig »Hallo Mick« sagst, kannst du vielleicht ein paar Minuten mit ihm quatschen. Der Gedanke daran war ungeheuerlich, ich weiß auch heute nicht mehr, wo ich die Geistesgegenwart hergenommen habe. Jedenfalls sagte ich möglichst natürlich, aber mit leicht belegter Stimme: »Hello, Mick.« Er grinste. Mein Herz klopfte bis zum Hals. Meine ohnehin schon kläglichen Englischkenntnisse waren wie weggeblasen. »How do you do?« stotterte ich. Doofer ging es wirklich nicht. Aber er war der tollste Junge, den ich je gesehen habe, und er lachte so lieb, daß meine ganze Angst verflog. Außerdem sah er kein bißchen mehr nach Star aus, sondern wie ein ganz besonders süßer Junge. Er trug eine dunkelgrüne Jacke mit gelben Blumen, dazu ein gelbes Hemd, enge Hosen und Cordschuhe. Ich war sofort in ihn verliebt. Er sagte mit seiner tollen Stimme, daß er sich freue, daß ich etwas Englisch könne, denn Deutsch wäre sehr schwer für ihn.

(...)
Ich fragte ihn, ob ihm Deutschland gefiele. Er fände die deutschen Fans ganz »fab«, sagte er. Sie wären eigentlich die einzigen echten Beatfans, die ihnen noch übrig geblieben wären, in England wäre eine große Sweetwelle im Augenblick, deshalb wären sie gar nicht so gefragt. Er hat zwei süße Grübchen, wenn er lacht, und auch, wenn er spricht. Er hat auch die Haare viel kürzer, als ich sie in Erinnerung habe, es stand ihm ausgezeichnet.
(...)
Mick erzählte mir, daß Brian sehr musikalisch sei, er spielt sieben Instrumente. Keith und er machen die Musik und den Text. Das wußte ich ja alles schon, aber trotzdem machte es mich unsagbar glücklich, daß er etwas sagte, und ich allein durfte ihm zuhören. Aber es mußte ja einmal zu Ende sein. Nach etwa zehn Minuten, die mir wie eine Ewigkeit, aber trotzdem viel zu kurz vorgekommen waren, kam ein junger Mann hereingestürmt. Ich glaube, es war Andrew Oldham.
(...)
Als er mich sah, grinste er, als wollte er sagen: Kannst du es eigentlich nicht lassen, Mick? Er wartete vor der Tür, daß Mick ihm folgen würde. »Okay«, sagte Mick. Er schaute mich sehr lieb an, half mir in meine Cordjacke, nahm dann meine Hand und sagte: »Sweet girl, du bischt ein sehr süßes Mädchen.« Ich lächelte tapfer. Du darfst jetzt nicht heulen, sagte ich mir. Ich sagte: »Tschau, Mick« und ging hinaus. Meine Beine wackelten. Das letzte von ihm habe ich nur noch sehr verschwommen wahrgenommen: sein Lächeln, das verständnisvolle Grinsen von Andrew Oldham, vielleicht war er es gewohnt, daß Mick den Mädchen den Kopf verdrehte.
(...)
Meine Eltern haben erfahren, daß ich heimlich bei den Stones war. Sie haben eigentlich fab reagiert, ich habe wenig Krach gekriegt. Aber sie würden mich nie wieder zu diesen »ungewaschenen, asozialen Halb-starken« fahren lassen, auch später nicht. Mir waren sie weder ungewaschen noch asozial vorgekommen, und ich glaube nur das, was ich mit eigenen Augen gesehen habe.
Mick habe ich mit eigenen Augen gesehen.

Gabriele Huster

1. Wie beurteilen Sie das Verhalten von Gabriele?

13.3

Ich finde, Gabriele ist noch zu jung, um zu so einem Konzert zu gehen.

Genau! Wenigstens hätte sie den Eltern sagen müssen, was sie vorhat.

Wenn ich Gabrieles Vater wäre, hätte ich ihr hinterher deutlich meine Meinung gesagt!

Die jungen Leute sind eben so. Das hat doch nichts zu sagen!

Wenn wenigstens die Stühle ganz bleiben, kann man nicht viel dagegen sagen.

Ich fände es wesentlich besser, wenn die Eltern ihr erlauben würden, ...

2. Haben Sie schon einmal ein ähnliches Erlebnis gehabt?

Haben Sie mal ein sensationelles Konzert besucht? Eine bekannte Persönlichkeit getroffen?
Waren Sie dabei, als sich etwas ganz Wichtiges ereignete?
Was haben Sie da gemacht? Wie waren Ihre Gefühle?

3. Machen Sie ein Rollenspiel.

Spielen Sie mit Ihrem Nachbarn die Begegnung mit einer bekannten Persönlichkeit. Sie können sich auch etwas Lustiges aussuchen...

der Mann mit der tiefsten Stimme

Weltmeister im Zähneputzen

der Sieger im Verlieren

Europameister im Über-fahren roter Ampeln

B3

1. Gabi und Kirsten

A. Hören Sie den Dialog

B. Beantworten Sie die Fragen.

a) Wie heißt der Mann, der Gabi grüßen läßt.
b) Wie lange hat er nichts mehr von sich hören lassen?
c) Welche Arbeit macht er augenblicklich?
d) Wo ist Kirsten ihm begegnet?
e) In welcher Beziehung stand Gabi früher zu ihm?
f) Warum möchte sie ihn nicht wiedersehen?

2. Monika und Holger

A. Schauen Sie sich zunächst die Bilder an und lesen Sie die Texte.

B. Hören Sie den Dialog.

C. Welche Texte (a oder b) beschreiben, was wirklich geschehen ist?

a) Holger hatte Federball gespielt. Dabei war er ins Wasser gefallen. Glücklicherweise hatte er sich nichts gebrochen. Aber am anderen Tag war er erkältet und mußte sich krank schreiben lassen.

b) Beim Federballspielen war Holger ins Wasser gefallen. Auf dem Foto lacht er noch, aber als er aufstehen wollte, ging es nicht. Er hatte sich den Fuß gebrochen und wurde für zwei Wochen krank geschrieben.

a) Das war auf der Rückfahrt aus dem Urlaub, bei einem Aufenthalt in Fuschl. Holger und Monika hatten hier übernachten wollen, aber kein Hotelzimmer bekommen. Schließlich fanden sie einen Bauernhof mit Pension, wo sie übernachten konnten.

b) Das war in Ischl, auf der Hinfahrt in den Urlaub. Holger und Monika hatten vergeblich versucht, ein Hotelzimmer zu bekommen, und mußten auf einem Bauernhof übernachten.

a) Monika hatte eine Postanweisung über 5000 DM bekommen, weil sie im Lotto gewonnen hatte. Das wurde natürlich gefeiert. Sofort hatte sie eine Urlaubsreise gebucht. Als sie später noch einmal auf den Schein sah, merkte sie, daß es nicht 5000 DM, sondern 500 DM waren. Die Urlaubsreise hat sie dann trotzdem gemacht.

b) Der Briefträger hatte eine Postanweisung gebracht: Ein Lottogewinn über 5000 DM! Monika hatte gleich alle Freunde zu einer Feier eingeladen und eine Urlaubsreise gebucht. Am anderen Tag wurde ihr mitgeteilt, daß die Post den Empfänger verwechselt hatte. Die Urlaubsreise hat sie trotzdem gemacht.

a) Monika und Holger kamen von einem Wochenendausflug zurück. Schon im Gang sahen sie, daß ihre Wohnungstür aufstand. In der Wohnung war alles durcheinander: Einbrecher! Zum Glück hatten sie das Bargeld im Küchenschrank nicht gefunden.

b) Bei der Rückkehr von einem Wochenendausflug stellten Monika und Holger fest, daß bei ihnen eingebrochen worden war. Die Einbrecher hatten die ganze Wohnung durcheinandergebracht. Auch das Bargeld im Küchenschrank war weg.

Erzählen Sie

Haben Sie einen Fotoapparat oder eine Filmkamera?
Bei welchen Gelegenheiten machen Sie Aufnahmen? Wem zeigen Sie Ihre Fotos oder Filme?
Sehen Sie sich gern die Fotoalben Ihrer Freunde oder Verwandten an?
Freuen Sie sich über eine Einladung zu einem Dia- oder Filmabend?

Die Bilderflut
Von 100 Haushalten mit mittlerem Einkommen besaßen...

Jahr	eine Filmkamera	einen Fotoapparat
1964	4	80
1970	7	94
1975	17	96
1980	22	97
1985	26	96

O Gestern ist mir doch eine komische Sache passiert.

□ So? Was denn? Erzähl mal.

O Nun, ich stand gerade in einer Telefonzelle und wählte die Nummer von einem Freund. Aber es war dauernd besetzt.

□ Ja und? Was ist daran so komisch?

O Wart doch! Ich habe noch ein paarmal aufgelegt und wieder gewählt. Inzwischen hörte ich jemand von außen an die Kabine klopfen. Aber ich habe mich nicht stören lassen.

□ Ja, und weiter?

O Na ja, schließlich habe ich es aufgegeben. Als ich dann die Kabinentür aufmachte, stand vor der Telefonzelle...

□ Ja...?

O ...der Freund, den ich hatte anrufen wollen! Als wir uns erkannt haben, haben wir uns vor lauter Lachen nicht halten können.

□ Und wieso war bei ihm zu Hause immer besetzt?

O Ach, seine Frau muß wohl gerade telefoniert haben...

13.4
13.5

Neulich	ist mir	vielleicht	etwas	Merkwürdiges	passiert.
Vorhin		doch		Komisches	
Eben				Tolles	
Vorgestern				Lustiges	
Vorige Woche				...	
Letztes Jahr					
...					

Also, ich	war	gerade...	Und da...	Dann...
	hatte		In dem Augenblick...	Darauf...
	wollte		Plötzlich...	
	...			

Zuerst habe ich gedacht...   Schließlich...
                angenommen...   Zum Schluß...
                nicht gemerkt...

Spiel: Alibi

An diesem Rollenspiel sollten mindestens teilnehmen:
ein Kläger, zwei Tatzeugen;
ein Angeklagter, ein Alibizeuge;
ein Richter.

Besser ist es, wenn mehr Rollen besetzt werden können: eine größere Zahl von Tatzeugen und Alibizeugen, zwei bis drei Richter und Geschworene. Die Geschworenen wählen einen Sprecher.

Zunächst bestimmt der Kläger zusammen mit den Tatzeugen die Art des Verbrechens, das er anzeigen will, mit allen nötigen Einzelheiten: Tageszeit, Ort usw.

Beispiele:

– Der Angeklagte soll um Mitternacht als Autofahrer einen Fußgänger verletzt haben und nach dem Unfall einfach weitergefahren sein.

– Der Kläger ist Mieter in einem Hochhaus und will den Angeklagten um elf Uhr vormittags bei einem Einbruch in der Wohnung gegenüber beobachtet haben.

– Im Stadtpark ist ein Mord geschehen. Der Angeklagte soll um die Zeit im Stadtpark gesehen worden sein...

Der Kläger und die Tatzeugen schreiben in wenigen Sätzen auf, was sie gesehen haben wollen. Mit diesem Papier wird der Angeklagte angezeigt.

Jetzt macht der Angeklagte zusammen mit den Alibizeugen ein Alibi mit möglichst vielen Einzelheiten aus. Gleichzeitig machen der Kläger und die Tatzeugen untereinander ab, was jeder von ihnen gesehen haben will.

Dann werden die Zeugen einzeln von den Richtern befragt. Die Geschworenen merken sich alle Punkte, in denen die Zeugen einander widersprechen. Wenn alle Zeugen befragt worden sind, müssen die Geschworenen entscheiden, wer „die Wahrheit" gesagt hat. Sie beraten und geben dann ihr Urteil bekannt: „Schuldig" oder „Nicht schuldig".

Wo waren Sie am...? Was genau haben Sie da gemacht? Wie sah die Person aus? Was hatte sie an? Weshalb haben Sie...? Erkennen Sie ... wieder?	Ich bin von dem Lärm aufgewacht. Er hat stark geblutet. Ich kam gerade von einer Sitzung des Karnevalvereins. Ich habe genau gesehen, wie ...

Totale Banane über Pukka und Sandale

Von Wolfram Siebeck

»Was hat denn Opa heute wieder?«
»Weiß nicht. Erinnert sich wahrscheinlich an früher. Dann ist er immer so.«
»An früher, als alles besser war? Opa, ist das wahr? Denkst du an früher?«
Opa wirft den Heranwachsenden einen mißbilligenden Blick zu und schweigt.
»Hast du achtundsechzig fast eine Revolution gemacht, Opa? Seid ihr auf die Straße gegangen und habt gegen unseren Polizeistaat demonstriert?« *(Gelächter)*
»In Tennisschuhen und Pukka?«
»Parka hießen die Dinger, nicht Pukka!«
»Ist doch Banane. Wart ihr richtig progressiv, Opa? Früher, als alles noch besser war?« *(Gelächter, zweistimmig)*
Opa hat sich abgewandt, damit die Öffentlichkeit nicht sieht, wie er in seinen Schnauzbart weint, den er seit achtundsechzig trägt.
Die Öffentlichkeit, hier in Gestalt zweier wohlgekleideter Jünglinge, spürt Mitleid.
»Is' schon gut, Opa. War bestimmt prima, damals, als ihr die flotten Sprüche erfunden habt. Wie war das noch mit dem Muff unter den Sandalen?«
»Talaren, nicht Sandalen, du Depp!«
»Egal; müssen wahnsinnig ausgesehen haben, die Typen damals. Ist es wahr, Opa,

daß ihr monatelang nicht ins Haarstudio gegangen seid?«
»Der Ché, von dem du das Bild in deinem Zimmer hast, war das dein Freund? Trug der auch Talare? War der auch dabei, als du mit Böll bei Mutlangen auf dem Acker gefroren hast?« *(Nicht enden wollendes Gelächter)*
Opa steht wortlos auf und verläßt das Zimmer.
»Siehst du, jetzt hast du ihn beleidigt! Talare! Als ob der Talare getragen hätte! Das waren die anderen! Der auf dem Bild trägt eine Baskenmütze, das sieht man doch.«
»Ist mir doch total Banane. Und wenn er seine Sandalen auf dem Kopf getragen hätte – für mich ist das alles Banane.«
Opa sitzt inzwischen in seinem Porsche und startet mit durchdrehenden Rädern. Im »Rebstock« angekommen, bestellt er einen halben Liter. Der Wirt, der einen ähnlichen Schnauzbart hat wie Opa, bringt ihm mit der Karaffe eine Zeitung. »Lies das mal! Steht was über unsere Jugend drin. Wie nüchtern, vernünftig und fleißig die ist, und daß sie alle so werden wollen wie Boris Becker.«
In dieser Nacht haben sie Opa eingesperrt. Wegen Randalierens und Sachbeschädigung.

Ängste und Sorgen

☐ Inflation ☐ Alter ☐ Krieg
☐ Arbeitslosigkeit ☐ Tod ☐ Unglücke und Katastrophen
☐ Umweltprobleme ☐ Langeweile ☐ Krankheiten

Hoffnungen und Träume

☐ eine schöne Wohnung ☐ Kinder haben ☐ gute Freunde
☐ eine befriedigende Arbeit ☐ Unabhängigkeit ☐ ein liebevoller Partner
☐ viel Geld verdienen ☐ ein langes Leben ☐ ein schnelles Auto

1. Wovor haben Sie am meisten Angst?

Worum machen Sie sich am meisten Sorgen? Was wünschen Sie sich am stärksten für die Zukunft? Was ist für Ihr zukünftiges Leben am wichtigsten?

In jeder der beiden Gruppen „Ängste…" und „Hoffnungen…" können Sie 45 Punkte verteilen. Geben Sie dem Begriff, der Ihre stärkste Angst und Ihren stärksten Wunsch ausdrückt, jeweils 9 Punkte. Den zweitstärksten Begriffen geben Sie 8 Punkte, usw., so daß die Begriffe, die für Sie am wenigsten wichtig sind, nur noch einen Punkt bekommen.
Nehmen Sie dann einen Taschenrechner und machen Sie eine Statistik für Ihre ganze Kursgruppe und für Einzelgruppen: Frauen und Männer, Teilnehmer unter 25, Verheiratete und Ledige, Eltern und Kinderlose, Berufstätige und Nichtberufstätige, Raucher und Nichtraucher, Europäer und Nichteuropäer… Notieren Sie die Ergebnisse.
Diskutieren Sie die Gründe, warum manche Dinge wichtig und andere weniger wichtig sind.

Die Hauptsache ist,	daß…	Ich mache mir Sorgen	um…	weil
Meine größte Sorge ist,			wegen…	
Ich habe Angst davor,		Ich habe nur einen Wunsch:…		deswegen
Mein größter Wunsch wäre es,	…zu…	Ich hoffe, ich werde später einmal…		denn
Das Schönste wäre es, wenn…		Hoffentlich…		
Schlimmste		Ich träume davon,… zu…		nämlich
Schrecklichste				

Umweltschutz auf Platz 3 vorgerückt

Anhand einer Liste werden im Auftrag des Nachrichtenmagazins »Der Spiegel« regelmäßig 2000 Männer und Frauen in der Bundesrepublik Deutschland zu verschiedenen Aufgaben der Regierung befragt, ob sie diese Aufgaben »besonders wichtig, wichtig, weniger wichtig oder unwichtig« finden. Bei der letzten Befragung gab es Überraschungen. Die wichtigste: Der Umweltschutz erhielt weit größere Bedeutung als früher.

»Ein solches Ergebnis«, fand Klaus-Peter Schöppner, Meinungs- und Sozialforscher im Bielefelder Emnid-Institut, »ist mir in neun Berufsjahren noch nicht unter die Augen gekommen.« Zum erstenmal, so scheint es, sind sich so gut wie alle Bundesbürger einig. 98 von 100 Befragten erklärten den Kampf gegen das Waldsterben für »besonders wichtig« oder »wichtig«. Ganze zwei Prozent meinten, er sei »weniger wichtig«, und nur in einem halben Dutzend der 2000 Fragebögen stand ein Kreuz in der Rubrik »unwichtig«.

Dies ist eines der für viele überraschenden Ergebnisse dieser Umfrage. Einige weitere:

Nicht Kernkraft oder Kohle, sondern »alternative Energiequellen« wurden am häufigsten genannt, als gefragt wurde, wie der zukünftige Energiebedarf gedeckt werden soll.

Wichtigster Gesamteindruck dieser Untersuchung: die Volksmeinung ist in Bewegung gekommen, was den Umweltschutz im weitesten Sinn betrifft. Themen, die noch vor zwei, drei Jahren nur von grünen Minderheiten diskutiert wurden, beschäftigen heute die meisten Bundesbürger.

Jahrelang erhielt der Umweltschutz nur einen Mittelplatz, wenn die Meinungsforscher darum baten, Aufgaben danach zu ordnen, wie wichtig sie sind. Daß er nun auf Platz drei gekommen ist, erklärt sich aus einem Meinungswechsel bis weit in die Reihen der konservativen Wähler hinein.

Für »besonders wichtig« erklärten die 2000 Befragten (in Prozent):

Prozent	Aussage
83	»Die Arbeitslosigkeit bekämpfen«
75	»Für mehr Ausbildungsplätze der Jugend sorgen«
65	»Für wirksamen Umweltschutz sorgen«
62	»Die Renten sichern«
55	»Für soziale Gerechtigkeit sorgen«
53	»Den Wirtschaftsaufschwung fördern«
48	»Den Preisanstieg bekämpfen«
47	»Den Schutz der persönlichen Daten sichern«
45	»Den Bürger wirksam vor Verbrechen schützen«
42	»Die Staatsschulden abbauen«
38	»Das Problem der Ausländer in den Griff bekommen«
31	»Sich um die Minderheiten kümmern und sie schützen«
31	»Die Gleichberechtigung der Frau verwirklichen«
26	»Für ein gutes Verhältnis zu den USA sorgen«
22	»Die Beziehungen zu den osteuropäischen Staaten verbessern«
21	»Die Beziehungen zur Sowjet-Union verbessern«

14.4

2. Was ist das überraschendste Ergebnis dieser Umfrage?

3. Was wissen Sie noch über das Waldsterben?

Vgl. Band 2, Lektion 6, B 3!

4. Ordnen Sie die Aussagen nach folgenden Oberbegriffen:

– Internationale Politik   – Wirtschaftspolitik   – Sozialpolitik   – Umweltpolitik
Welche Themenbereiche haben offenbar die größte, welche die geringste Bedeutung für die Bundesbürger?

5. Wie kann man sich die unterschiedliche Wichtigkeit dieser Themen für die Bundesbürger erklären?

Vergleichen Sie sie auch mit den Ergebnissen ihrer eigenen Statistik von Seite 108.

Der Mann mit der Fahne

Am 5. August 1914 begann auf dem Kasernenplatz im schweizerischen Frauenfeld die Karriere des »Friedensapostels« Max Daetwyler. Hier war nach dem Ausbruch des Ersten Weltkriegs sein Regiment aufmarschiert, um den Fahneneid zu leisten. Sechzig Jahre später erinnerte sich Daetwyler: »Da wußte ich: jetzt passiert etwas. Der Kriegsausbruch hatte mich wie ein Schock getroffen. Ich hatte vorher in Hotels aller großen Städte Europas gearbeitet. Überall hatte ich nur friedfertige und vernünftige Menschen getroffen. Und sie sollten wegen des Wahnsinns einiger Mächtiger plötzlich aufeinander einschlagen? Ein Pfarrer trat vor, es hieß: Achtung, steht! Da wußte ich: Einen solchen Schwindel mache ich nicht mit. Ich drückte meinem Nebenmann das Gewehr in die Hand und rannte nach vorn. ›Ich bin gegen den Krieg, ich schwöre nicht!‹ schrie ich immer wieder. Fünf Minuten später war ich schon in der Arrestzelle…«

Der Zwischenfall von Frauenfeld warf Daetwyler aus seiner bürgerlichen Existenz und mitten hinein in eine neue Laufbahn, der er von da an sein Leben widmete: die Laufbahn als Friedensverkünder und Prophet der Daetwylerschen Weltreligion, einem Gemisch aus Christentum, Buddhismus, Islam und Tolstoi.

1917, nach der Revolution, war für Rußland der Weltkrieg zu Ende. Unter dem Slogan »Lenin bringt Frieden in Rußland – Daetwyler in Europa!« forderte Daetwyler die Arbeiter der Zürcher Munitionsfabriken auf, die Arbeit niederzulegen, und trug damit zum Ausbruch von Unruhen bei, die Polizeieinsätze mit Toten und Verletzten zur Folge hatten. Daetwyler mußte für drei Monate ins Gefängnis und dann ebensolange in eine Nervenheilanstalt.

Im Jahr darauf heiratete er, was ihn aber nicht daran hinderte, weiterhin mit seiner weißen Fahne als »Friedensapostel« aufzutreten. Er schrieb Briefe an die Staatsoberhäupter vieler Länder mit der Bitte um einen Gesprächstermin; aber nur einer, Mahatma Gandhi, hat ihn empfangen, 1932 in Lausanne. 1934 ging er nach München, um den Deutschen den Hitlerstaat auszureden – ohne Erfolg, wie man weiß. 1938 gab ihm der Schweizer Bundesrat Motta, um ihn loszuwerden, eine Tribünenkarte für eine Sitzung des Völkerbunds in Genf. Dort warf Daetwyler mit dem Ruf »Menschlichkeit, erwache!« Flugblätter in den Saal, worauf er wieder einmal verhaftet wurde.

Nicht zum letztenmal in jenem Jahr: auf einem Fußmarsch von Lyon nach Paris verbrachte er die Nächte so regelmäßig in Gefängniszellen wie andere Reisende in Hotelzimmern. Nach dem Zweiten Weltkrieg brachte ihn ein Zwei-Monate-Marsch nach Hannover und Ostberlin, wo er für die deutsche Wiedervereinigung eintrat. Im Jahre 1960 wehte seine Fahne auf dem Roten Platz in Moskau; er begann seine Rede mit dem Satz »Ich bin Tolstoi Nummer 2« und wurde sofort festgenommen.

Es folgten weitere Reisen in alle Welt, dazwischen immer wieder Auftritte in der Schweiz, zum Beispiel an der Spitze der Anti-Atom-Bewegung. Und in unschöner Regelmäßigkeit: Gefängnis und Irrenhaus.

Am 5. August 1974, 60 Jahre nach seinem ersten Protest, sah man Daetwyler mit seiner weißen Fahne wieder in der Frauenfelder Kaserne; diesmal nicht, um zu protestieren, sondern um sein 60jähriges »Dienstjubiläum« zu feiern. Als alter Mann dachte er kritischer über sein früheres Verhalten. »Seien wir ehrlich: wenn die Schweizer Soldaten damals, als Hitler uns bedrohte, so gehandelt hätten wie ich, dann gäbe es jetzt keine Schweiz mehr.«

Der »Friedensapostel« Max Daetwyler starb am 26. Januar 1976. Er wußte, daß er ohne Erfolg geblieben war. Aber er sagte: »Ich habe die Welt nie verändern wollen. Die Welt ist in Ordnung. Aber die Leute leben nicht nach dieser Ordnung. Mit meiner Tätigkeit wollte ich nur auf diesen Widerspruch hinweisen, ein Signal setzen. Ob man mich dabei für einen Idioten hielt oder einen Philosophen, das war mir immer egal.«

1. Was hat Max Daetwyler an diesen Orten gemacht?

Frauenfeld – Genf – Lausanne – München – Ostberlin – Zürich

2. Was halten Sie von einem solchen Menschen?

Ich finde es gut, daß er frei heraus seine Meinung sagt.

Man kann doch nicht immer protestieren! Das bringt nur Unruhe.

Ich bewundere den Typ. Der hat Mut.

Es gibt eben Leute, die meinen, sie wüßten alles besser.

Die Menschheit braucht solche Leute …

Ich finde, …

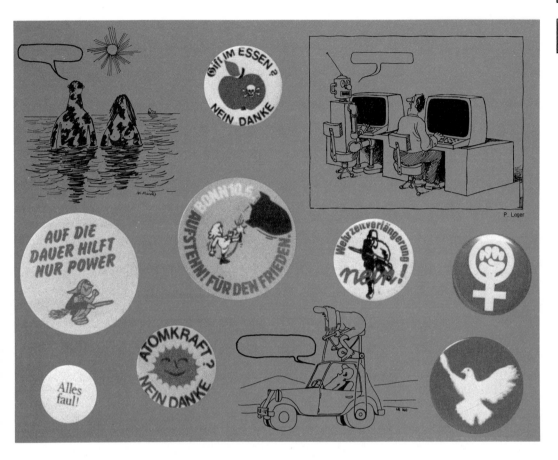

1. **Füllen Sie die leeren Sprechblasen aus.**

2. **Welche Karikaturen und Aufkleber gehören zu demselben Thema?**

3. **Was wird in den Karikaturen/Aufklebern ausgesagt?**

Die Zeichnung / der Aufkleber...

...bezieht sich auf... ist eine Art Kritik an... gibt einen Hinweis auf... weist auf... hin. ist ein Zeichen für... greift... an. ist für ein Verbot von...

Luftverschmutzung Frieden Geschwindigkeitsbegrenzung

Vergiftung unserer Nahrungsmittel

Rolle der Frau in der Familie   Ausländerfeindlichkeit

Verkürzung der Arbeitszeit   Atomwaffen

Zerstörung der Wälder   Arbeitslosigkeit bei Frauen

14.2

4. **Vielleicht würden Sie auch gern zu einem dieser Themen einen Aufkleber machen!**

B2

1

Totalverweigerergruppe München

Bund für Umwelt und Naturschutz Deutschland (BUND)

FIH: Fahrgast-Initiative Hamburg

Aktionsgemeinschaft Ökologie Überlingen

Sammelstelle für Unterschriften gegen die Strafrechtsparagraphen 174, 175, 176

BUND-Umweltzentrum

Bürgerinitiative »Kein Atommüll in Ahaus« e.V.

Aktion Seniorenwerk e.V.

Gegen-BILD-Initiative

Bürgerinitiative für Umweltschutz

Bund deutscher Rentner (BDR)

Bürgerinitiativen

Eine neue Form von Zusammenschlüssen sind die Bürgerinitiativen, die in den letzten Jahren in großer Zahl entstanden sind: Einige Bürger, die sich von Behörden, Volksvertretungen, Parteien und Verbänden ungenügend unterstützt fühlen, schließen sich ohne großen organisatorischen Aufwand zusammen, um auf die Beseitigung eines Mißstandes hinzuwirken.

Meist handelt es sich um örtliche Angelegenheiten, zum Beispiel um die Erhaltung alter Bäume, die dem Straßenbau zum Opfer fallen sollen, oder um die Anlage eines Kinderspielplatzes. Aber auch bundesweit treten Bürgerinitiativen auf. Am bekanntesten wurde hier die Bewegung gegen den Bau von Kernkraftwerken.

Die Bundesregierung begrüßt und unterstützt Aktivitäten, die sich mit Mißständen und Problemen unserer Gesellschaft auseinandersetzen. Dabei wird allerdings Gewalttätigkeit, die durch radikale Elemente in Bürgerinitiativen hineingetragen wird, als Mittel der politischen Auseinandersetzung von ihr entschieden abgelehnt.

Wichtig ist die möglichst frühzeitige aktive Teilnahme der Bürger und Bürgerinitiativen bei der Vorbereitung staatlicher Planungsentscheidungen. In einigen Gesetzen, z. B. im Bundesbaugesetz, ist eine solche Beteiligung bereits vorgesehen, und die Möglichkeiten dazu sollen noch erweitert werden. In vielen Fällen haben Bürgerinitiativen dazu beigetragen, Probleme deutlich zu machen, Konflikte zu vermeiden, Interessen auszugleichen und die Entscheidungen der staatlichen Organe zu verbessern.

Initiative zur Gründung einer Vertriebsgenossenschaft alternativer Hersteller

Frauentheater-Initiative

Schutzgemeinschaft Deutscher Wald

Netzwerk Selbsthilfe e.V.

Bürgergemeinschaft für S-Bahntunnel

Frauen helfen Frauen

Initiative zum Schutz der bedrohten Wälder

Arbeitsloseninitiative Bonn e.V.

Graue Panther Hamburg e.V.

Frauen gegen Erwerbslosigkeit

Bundesverband Bürgerinitiativen Umweltschutz BBU

Was steht im Text?

a) Bürgerinitiativen entstehen, weil eine Anzahl von Menschen mit einem Plan oder einem Zustand nicht einverstanden sind.

b) Bürgerinitiativen wissen manchmal nicht, was sie wollen.

c) Bürgerinitiativen haben oft Erfolg.

d) Die meisten Bürgerinitiativen haben Mitglieder im ganzen Gebiet der Bundesrepublik Deutschland.

e) Die Bundesregierung lehnt Bürgerinitiativen ab, wenn sie politisch sind.

f) Oft sind die Bürger schon zu alt, um noch aktiv an der Planung teilzunehmen.

g) In einigen Gesetzen steht, daß die Bürger bei Planungen des Staates mitreden können.

Die Protestbewegung im Herbst 1985

Deutschland im Herbst 1985, Alltagsszenen, Momentaufnahmen. Stationen, die für viele stehen, aber doch ihre eigene Bedeutung haben: das Atomkraftwerk Brokdorf an der Unterelbe, die Startbahn West des Frankfurter Flughafens, das amerikanische Raketendepot bei Mutlangen in der Schwäbischen Alb. Vor Jahren Orte des erbitterten Protests – Synonyme für die Zukunftsangst, die Endzeitstimmung einer ganzen Generation. Und heute?

Brokdorf: Der Kuppelbau des Kernkraftwerks hebt sich mächtig über die Deiche. Die Baustelle ist noch immer mit Stacheldraht gesichert. In einem Jahr soll der 1300 Megawatt-Reaktor ans Stromnetz angeschlossen werden. Die Großdemonstration mit 100 000 Anhängern der Anti-AKW-Bewegung liegt viereinhalb Jahre zurück. Was erinnert noch daran? Auf den Höfen der Brokdorfer Bauern stehen die Wohnwagen der Bauarbeiter. Die gelbe Sonne der Atomkraftgegner auf der Hütte am Ortsausgang, Zei-

chen des Widerstandes und der Hoffnung zugleich, ist verblaßt. Zur letzten amtlichen Anhörung wegen der abschließenden Teilerrichtungsgenehmigung für das AKW Brokdorf kamen Mitte September gerade noch 50 Aufrechte in das Dorfgasthaus. Inzwischen sind in der Bundesrepublik 20 Kernkraftwerke mit einer Gesamtleistung von 17 000 Megawatt in Betrieb. In diesem Jahr werden sie 120 Milliarden Kilowattstunden Strom erzeugen, ein Drittel der gesamten elektrischen Energie.

Startbahn West: Jeden Sonntag tobt der vergessene Krieg. Einige Dutzend, manchmal auch wenige hundert Demonstranten, zumeist maskiert, rennen sich an der kilometerlangen Betonwand die Köpfe ein. Sie brechen die Betonstreben aus der Mauer, verbissen, ohnmächtig. Sonntag für Sonntag. Was treibt sie? Verzweiflung, Gewohnheit, nur Langeweile? Sie reden nicht, sie rechtfertigen sich nicht. Um die Rodung von 250 Hektar Wald, von 500 000 Bäumen zu verhindern, hatten 200 000 hessische Bürger vor Jahren ihre Unterschrift unter ein Volksbegehren gesetzt, das dann vom Staatsgerichtshof in aller Eile abgelehnt wurde; 150 000 demonstrierten im November 1981 vor dem Wiesbadener Landtag. Aber jetzt? Die Start-

bahn ist fertig, der Widerstand schmilzt zusammen, die Bilanz ist traurig: Fast 40 Millionen Mark wurden für Polizeieinsätze ausgegeben, weitere 24 Millionen für die Siche-

rung des Flughafens. 530 Verletzte gab es bei der Polizei. 3000 Strafverfahren wurden eingeleitet, 80 Urteile sind bereits gesprochen. Und alle paar Minuten startet ein Flugzeug von der Startbahn 18 – West, wenn der Wind günstig steht.

Mutlangen: Rüdiger und Michael, Christine und Etienne, Wolfgang und Wilfried sind nicht die letzten der Friedensbewegung, die im Herbst 1983 drei Millionen

Menschen im Protest gegen die Nato-Nachrüstung auf die Beine brachte. Aber »ein gutes Stück alleingelassen« fühlen sie sich schon. Seit zwei Jahren halten sie in der

Gemeinde Mutlangen auf der Schwäbischen Alb aus. Notdürftig untergebracht in Zelten und in einem ausgebauten Hühnerstall. Gemeinsam mit wenigen anderen, mit denen sie für Stunden, Tage oder Wochen zusammenkommen, blockieren sie die Zufahrten zu dem nahegelegenen Raketendepot der Amerikaner, das inzwischen hinter einem überhohen Metallzaun verschwunden ist. Sie wissen, daß die Raketen kommen werden, sobald die Bauarbeiten abgeschlossen sind. Der politische Widerstand reichte nicht aus, um die Stationierung zu verhindern. So verstehen sie ihre »Dauerpräsenz« als Mahnung an das Gewissen der anderen, die vor der staatlichen Entscheidungsmacht resigniert haben.

Brokdorf, Frankfurt, Mutlangen: Die Demonstranten sind müde geworden, haben resigniert. Sie mußten erkennen, daß sich diese und frühere Bundesregierungen selbst durch jahrelangen, massenhaften und entschiedenen Protest nur wenig, oft genug gar nicht beeindrucken ließen. Die Folge: Der Widerstand einer entschlossenen Minderheit radikalisiert sich, die Mehrheit beginnt nach dem Sinn der Opfer zu fragen. Die Angst vor Arbeitslosigkeit oder einer ungewissen beruflichen Zukunft macht sich bemerkbar. Dabei haben die Probleme bedrohlich zugenommen: die Gefährdung der natürlichen Lebensgrundlagen durch weltweite Umweltzerstörung und -vergiftung; die Möglichkeit eines atomaren Konflikts; die Zerschlagung von gewachsenen Sozialstrukturen durch Industrialisierung und wirtschaftliche Krise; die Verarmung der Dritten Welt als Folge von Geburtenexplosion, Trockenheit und Abhängigkeit vom Weltmarkt.

Es ist den zahlreichen Protestbewegungen gelungen, diese Krisenphänomene ins öffentliche Bewußtsein zu heben. Der kritische Gedanke, daß industrielles Wachstum nicht alles sei und daß der zivilisierte Mensch nicht alles dürfe, was er kann, hat Eingang gefunden in das Denken der Bevölkerungsmehrheit, in Politik und Programme selbst der bürgerlichen Parteien. Insofern sind die Protestbewegungen nicht am Ende, sondern höchstens an einem augenblicklichen Tiefpunkt, im Schatten der wirtschaftlichen Krise.

1. Welche der folgenden drei Zusammenfassungen gibt Ihrer Meinung nach den Text am besten wieder?

a) Brokdorf, Frankfurt, Mutlangen: An den drei Orten demonstrierten Tausende von Bundesbürgern, und an keinem der drei Orte hatten sie Erfolg. Der Staat hat über die Proteste hinweg die ursprünglichen Pläne verwirklicht.

Der Mißerfolg der Demonstrationen hat die Leute davon überzeugt, daß es besser ist, an die eigenen Probleme zu denken: an die Arbeitslosigkeit oder ans Studium. Und eigentlich waren die Proteste doch erfolgreich: die Gedanken, die dabei geäußert wurden, sind von den bürgerlichen Parteien in ihre Politik aufgenommen worden.

b) In Brokdorf wird ein Kernkraftwerk gebaut, obwohl vor wenigen Jahren rund 100 000 Menschen dagegen protestiert haben. Die Startbahn West in Frankfurt ist in Betrieb, obwohl 200 000 Bürger des Landes Hessen einen Protest dagegen unterschrieben haben. In Mutlangen wird ein Raketendepot gebaut, obwohl Millionen Menschen gegen die Nachrüstung der Nato demonstriert haben.

Heute sind nur noch wenige übrig, die weiter protestieren und demonstrieren; die meisten haben aufgegeben. Eines haben die Demonstrationen immerhin erreicht: die Mehrheit der Bevölkerung ist heute kritischer geworden und denkt mehr darüber nach, welche Folgen ihre Handlungen für die Gesellschaft und für die Umwelt hat.

c) Die Demonstranten von gestern sind müde geworden. Nur wenige haben noch nicht eingesehen, daß es zwecklos ist, sich gegen Entscheidungen des Staates zu stellen. Die Bilanz der Demonstrationen ist traurig: Schäden in Millionenhöhe, Hunderte von Verletzten bei der Polizei, Tausende von Gerichtsverhandlungen.

Die Pläne des Staates konnten trotz allem verwirklicht werden. Das war notwendig, denn die Probleme haben in den letzten 15 Jahren bedrohlich zugenommen. Zum Glück sind die Leute inzwischen kritischer geworden; sie wissen, daß in Krisenzeiten Engagement für die Politik der bürgerlichen Parteien gefordert ist.

2. Was ist Ihre eigene Meinung zu solchen Protestdemonstrationen?

B3

1

Tempo 100

Absage Bonns an Tempolimit nach Großversuch sicher

Schadstoffminderung nur um ein Prozent

Von unserem Nachrichtendienst

Bonn (AP/dpa). Einen Tag vor den Beratungen des Bundeskabinetts über ein Tempolimit auf den bundesdeutschen Autobahnen haben die Ergebnisse des Großversuchs die erwartete Absage der Regierung an Geschwindigkeitsbeschränkungen gestützt. Wie Fachleute der Vereinigung der Technischen Überwachungsvereine (VdTÜV) gestern in Bonn mitteilten, wäre bei Tempo 100 auf den Autobahnen die Schadstoffentlastung geringer als erwartet.

So viel Stickoxide werden in der Bundesrepublik jährlich in die Luft geblasen:
insgesamt 3,1 Mio t
davon durch Pkw 1,0 Mio t
davon auf Autobahnen 0,31
davon durch Tempo 100 einsparbar ● 0,032 Mio t = ca. 10%
INDEX FUNK 2102

Bundesregierung setzt auf umweltfreundlichere Autos

Bonn (AP/dpa). Ein „Tempo 100" wird es nach dem Willen der Bundesregierung auf den Autobahnen in der Bundesrepublik nicht geben. Einen entsprechenden Beschluß faßte gestern das Bundeskabinett auf der Grundlage der Ergebnisse des TÜV-Großversuchs, wonach ein generelles Tempolimit keine entscheidende Verringerung des Schadstoffausstoßes bringen würde. Bundesverkehrsminister Werner Dollinger und Innenminister Friedrich Zimmermann appellierten an die Autofahrer, möglichst bald auf umweltfreundliche Autos umzusteigen oder ihr Fahrzeug umzurüsten.

A. Welche Argumente sprechen für eine Geschwindigkeitsbegrenzung auf Autobahnen?

a) Um die Umwelt zu schützen, muß man auch eine Geschwindigkeitsbegrenzung akzeptieren.
b) In allen anderen europäischen Ländern gelten auch schon Geschwindigkeitsbegrenzungen.
c) Ein Tempolimit würde sowieso nur von wenigen Autofahrern beachtet.
d) Man würde sich an ein Tempolimit gewöhnen, genau wie an die Gurtpflicht.
e) Die Autos produzieren so wenig Schadstoffe, daß sie für den Wald keine Rolle spielen.
f) Ein Tempolimit würde Arbeitsplätze in Gefahr bringen, weil die Leute dann nicht mehr so große und so schnelle Autos kaufen würden.
g) Ein Tempolimit würde die persönliche Freiheit der Bürger zu stark einschränken.
h) Wenn es eine Geschwindigkeitsbegrenzung gäbe, würden mehr Leute mit Bussen, Straßenbahnen und Eisenbahnen fahren.
i) Man sollte mehr umweltfreundliche Autos bauen, anstatt schnelles Fahren zu verbieten.

14.1
14.3

B. Hören Sie die Interviews. Welche Person gebraucht welches Argument?

C. Überlegen Sie: Sprechen die folgenden Äußerungen für oder gegen ein Tempolimit? Welche haben nur indirekt oder gar nichts damit zu tun?

a) „Jetzt, wo es mit der Autoindustrie aufwärts geht, wollen die ein Tempolimit einführen!"
b) „Ich fahre schon aus Sicherheitsgründen nie schneller als 100."
c) „Je schneller die Leute fahren, um so höher ist die Unfallgefahr!"
d) „Das werden die Autofahrer sich nicht gefallen lassen!"
e) „Die Luftverschmutzung geht jeden an."
f) „Jetzt wollen sie einem auch noch die Freude am Autofahren nehmen!"
g) „Die Nachfrage nach großen Autos wird sich verschlechtern."
h) „Alle Autos müßten mit Katalysator fahren. Meins hat schon einen."
i) „Für die Luftverschmutzung ist doch in erster Linie die Industrie verantwortlich."
j) „Es kann niemandem gleich sein, ob der Wald stirbt."

Tempolimit – Pro und Contra

Bilden Sie im Kurs zwei Gruppen: eine, die für ein Tempolimit ist, und eine, die dagegen ist. Stellen Sie fest, wieviel Teilnehmer dafür und wieviel dagegen sind. Wählen Sie einen Diskussionsleiter und führen Sie ein Streitgespräch. Stellen Sie jeweils vor und nach der Diskussion fest, wieviele Kursteilnehmer ein Tempolimit befürworten bzw. ablehnen. Vielleicht gibt es jemanden, der seine Meinung ändert...

Zuerst sollten Sie sich eine Liste machen mit den Argumenten, die Sie gebrauchen wollen. Denken Sie zum Beispiel an:

Autoindustrie – Luftverschmutzung – Erfahrungen mit Tempolimits in anderen Ländern – Katalysator-Auto – Unfallgefahren – Spaß am Fahren

Um überzeugend zu sein, muß man zu den Argumenten anderer Stellung nehmen, ihnen widersprechen, sie unterstützen, berichtigen oder dazu Fragen stellen. Hier sind einige Beispiele, aber Sie kennen sicher noch mehr.

Zustimmen

> Das möchte ich unterstützen.
> In diesem Punkt gebe ich dir recht.
> Ich bin völlig deiner Meinung.
> Das ist auch meine Überzeugung.
> Ganz meine Meinung!
> Genau!

Widersprechen

> Da muß ich dir widersprechen.
> Da habe ich Zweifel.
> Ich behaupte das Gegenteil!
> Im Gegenteil!
> Das gehört nicht zur Sache!
> Das hat doch gar nichts damit zu tun!
> Entgegen dem, was du sagst, meine ich, ...
> Ich wäre da nicht so sicher.

Nachfragen

> Wie meinst du das?
> Was meinst du damit?
> Was meinst du genau mit ...?
> Kannst du das mal genauer erklären?
> Woher willst du das wissen?
> Kannst du mal ein Beispiel geben?
> Darf ich mal unterbrechen?
> Habe ich das richtig verstanden, daß ...?
> Kannst du das bitte wiederholen?

Einwenden

> Gut, | aber...
> Na schön,
> Das kann sein,
> Da magst du recht haben,
> Das stimmt zwar,
> Das kommt darauf an, | ob...
> Das hängt davon ab,
> Je nachdem,
> Sicher; aber denk doch mal daran, daß...
> Ich frage mich nur, wie...
> Hast du schon mal daran gedacht, daß...
> Ich glaube, das ist ein Mißverständnis.

Die eigene Meinung unterstreichen

> Ich sehe das so: ... | Ich | stehe auf dem Standpunkt, | (daß) ...
> Mir scheint, ... | | bin der Ansicht,
> Nebenbei gesagt, ... | | bin der festen Überzeugung,
> Ich wollte damit sagen, ... | | versichere dir,
> Ich kann mir vorstellen, ...

Planspiel: Verkehrsprobleme in Grüntal

Grüntal ist eine kleine Stadt mit großen Verkehrsproblemen. Mitten durch den Stadtkern führt eine zweispurige Bundesstraße, die den Berufs- und Geschäftsverkehr längst nicht mehr aufnehmen kann. Vor allem an den beiden alten Stadttoren und an der Kreuzung mit der Langen Straße kommt es oft zu Staus. Die Anwohner leiden unter Lärm und Gestank; das Überqueren der Straße ist besonders für Kinder und alte Leute gefährlich.

Es hat sich bereits eine Bürgerinitiative gebildet. Der Verkehrsausschuß des Stadtrates hat verschiedene Lösungsvorschläge für das Problem ausgearbeitet. Jetzt findet eine Bürgerversammlung statt, auf der die Meinung der Bürger gehört werden soll.

Die drei Vorschläge lauten:
a) die Stadttore und einige alte Häuser abreißen und die Bundesstraße vierspurig ausbauen;
b) eine Hochstraße bauen;
c) eine Umgehungsstraße westlich des Stadtgebiets bauen.

Übernehmen Sie in der „Bürgerversammlung" eine der folgenden Rollen. Überlegen Sie vorher sorgfältig, welche Interessen Sie haben und welche Folgen jeder Vorschlag für Sie hat, und entscheiden Sie sich dann für eine der drei Möglichkeiten. (Vielleicht fällt Ihnen sogar noch eine bessere ein.)

Frau Abt, Mutter von 2 Schulkindern Lange Straße 78 ⑥	Bauer Hansen ②	Sprecher der Bürgerinitiative „Grünflächen für Grüntal"	Inhaber der Tankstelle ④
Vertreter des Straßenbauamtes	Vertreter der Einzelhandelsgeschäfte an der B 66	Sprecher des Fremdenverkehrsverbandes Grüntal	Bürgermeister
Arzt des Krankenhauses ⑤	Bewohner des Altenheims „Abendruh"		Besitzer des Fachwerkhauses Bollstr. 13 ⑧
Bauer Huber ③	Bewohner Kirchstr. 13 ⑦	Sprecher der Bürgerinitiative „Weg mit der B 66"	Bewohner des Mietshauses Lange Str. 35 ①

Friedrich von Sallet
(1812–1843)

Hyperboräische Ballade

1

Es war ein König von Thule,
Zu seinem Volk der sprach:
»Geh nur erst in die Schule!
Die Freiheit folgt schon nach.

Mit einem Eid gewaltig
Versprech ich sie dir klar,
Und was ich verspreche, das halt ich
Am 30sten Februar.«

2

Da war das Volk bestochen,
Manch Jahr lang Vivat schrie,
Bis endlich Lunte rochen
Die größten Pfiffici.

»Ach, stünd er im Kalender!
Jetzt bleibt uns nichts als Spott.« –
So ändert den Kalender!
Helft euch, so hilft euch Gott.

hyperboräisch Die Hyperboräer waren ein sagenhaftes Volk im
    Norden; in ihrem Land war immer Frieden und Licht.
Thule äußerstes Land am Nordrand der Welt, beschrieben von
    dem Griechen Pytheas von Massilia (um 350 vor Christus);
    wahrscheinlich das heutige Norwegen.
Lunte riechen Verdacht schöpfen; merken, daß etwas nicht in
    Ordnung ist.
Pfiffici Lateinische Pluralbildung für »Pfiffikus«: schlaue Person.

Prüfungen

1. Was für Prüfungen finden hier statt?

Welche Prüfungen sind freiwillig?
Was passiert, wenn die *nicht* freiwilligen Prüfungen nicht bestanden werden?
Was müssen die Prüflinge 1–6 tun, um die Prüfung zu bestehen? Was dürfen sie tun, wenn sie
die Prüfung bestanden haben? Wie dürfen sie sich dann nennen?

Meisterprüfung Staatsexamen für Lehrer medizinische Doktorprüfung Lehrabschlußprüfung Abitur Führerscheinprüfung Alkoholtest Weinprobe Gesundheitsprüfung TÜV Radfahrerprüfung Schachweltmeisterschaft	eine Doktorarbeit schreiben eine | mündliche | Prüfung ablegen 　　　 | schriftliche 　　　 | praktische Auto fahren einen handwerklichen Gegenstand herstellen Probeunterricht in einer Schulklasse durchführen

studieren am Gymnasium unterrichten Lehrlinge ausbilden eine Werkstatt aufmachen allein Auto fahren Kranke behandeln	Dr. med. Meister Studienrat z. B. Elektriker

2. Haben Sie selbst schon eine dieser Prüfungen abgelegt?

Waren Sie gut vorbereitet? Waren Sie vor oder während der Prüfung sehr nervös?
Finden Sie Prüfungen notwendig?

Amtliche Prüfungsfragen für Führerscheinbewerber

Achtung: Richtige Antworten bitte ankreuzen. Keine, eine oder mehrere Antworten können richtig sein.

1 **Welche Bedeutung hat dieses Verkehrs-zeichen?**

☐ Einbahnstraße

☐ Einfahrt verboten

☐ Halt!

2 **Welche dieser Gegenstände müssen Sie im KFZ immer dabei haben?**

☐ Verbandskasten

☐ Abschleppseil

☐ Warndreieck

3 **Wann darf man die Nebelschlußleuchte einschalten?**

☐ Immer wenn es neblig ist.

☐ Außerhalb geschlossener Ortschaften, wenn die Sicht weniger als 50 m beträgt.

☐ Außerhalb und innerhalb geschlossener Ortschaften, wenn die Sicht weniger als 50 m beträgt.

4 **Welche Bedeutung hat dieses Verkehrs-zeichen?**

☐ Parken verboten

☐ Halten verboten

☐ Stoppen verboten

5 **Was tun Sie, wenn Sie überholen wollen?**

☐ Hupen

☐ Auf den Gegenverkehr achten.

☐ Eventuell in den nächstkleineren Gang schalten.

6 **Wie muß man sich bei diesem Zeichen verhalten?**

☐ Man darf nicht abbiegen.

☐ Man darf nicht halten.

☐ Man muß geradeaus weiterfahren.

7 **Was ist zu tun, wenn sich ein Krankenwagen nähert?**

☐ Gas wegnehmen und so weit wie möglich an den rechten Straßenrand fahren.

☐ Gas geben und in die nächste Parklücke fahren.

☐ Man hat Vorfahrt.

8 **Worauf gibt dieses Zeichen einen Hinweis?**

☐ Zollstelle

☐ Grenze

☐ Wer nichts zu verzollen hat, kann weiterfahren.

Neue „Verkehrsschilder"

Überlegen Sie zuerst (am besten in kleinen Gruppen), zu welchen Situationen neue „Verkehrsschilder" gemacht werden könnten, z. B.

Bitte leise! In diesem Raum findet eine Prüfung statt.
Vorsicht! Besonders niedrige Haustür!
Bitte Schuhe ausziehen!

Entwerfen Sie ein Schild für die Situation (zeichnen oder beschreiben). Entscheiden Sie sich dann in der Gruppe für einen der Vorschläge und zeichnen Sie ihn auf eine Folie oder ein großes Papier. Test: Jede Gruppe zeigt ihr Schild den übrigen Kursteilnehmern; diese müssen versuchen zu erraten, welche Vorschrift/welcher Hinweis/welche Warnung mit dem Schild gemeint ist.

B1

	stimmt	stimmt nicht
1. Ich habe die Anleitung gelesen und bin bereit, jeden Satz offen zu beantworten.	☐	☐
2. Ich bin immer guter Laune.	☐	☐
3. Ich träume oft von Dingen, die man am besten für sich behält.	☐	☐
4. Ab und zu lache ich über einen unanständigen Witz.	☐	☐
5. Auch wenn ich mit anderen Leuten zusammen bin, fühle ich mich oft einsam.	☐	☐
6. Es macht mir, offen gestanden, manchmal Spaß, andere zu quälen.	☐	☐
7. Ein Hund, der nicht gehorcht, verdient Schläge.	☐	☐
8. Zwischen anderen und mir gibt es oft Meinungsverschiedenheiten.	☐	☐
9. Wenn ich in Zorn gerate, reagiere ich mich gern in körperlicher Betätigung – wie Holzhacken – ab.	☐	☐
10. Manchmal stecke ich voller Tatendrang, und ein anderes Mal kann ich mich zu keiner richtigen Arbeit aufraffen.	☐	☐
11. Ich male mir manchmal aus, wie übel es denen eigentlich ergehen müßte, die mir Unrecht tun.	☐	☐
12. Wenn mich eine Fliege ärgert, bin ich erst zufrieden, wenn ich sie gefangen habe.	☐	☐
13. Es gab Leute, die mich so ärgerten, daß es zu einer Schlägerei kam.	☐	
14. Im allgemeinen bin ich ruhig und nicht leicht aufzuregen.	☐	
15. Ich sage nicht immer die Wahrheit.	☐	
16. Mein Motto ist: Vertraue Fremden nie!	☐	
17. Ich bin im Grunde eher ein ängstlicher Mensch.	☐	

	Ja	Nein
1. Wenn man zwischen zwei Dingen zu wählen hat, ist es besser, sich schnell zu entscheiden als sich Zeit zu lassen.	☐	☐
2. Ich bin leicht verärgert, wenn ich merke, daß es mir nicht gelungen ist, eine Aufgabe 100prozentig zu lösen.	☐	☐
3. Wenn ich ein paar Tage nichts getan habe, werde ich unruhig.	☐	☐
4. Ich bin gegen mich selber härter als gegen andere.	☐	☐
5. Wenn ich eine schwierige Aufgabe zu lösen habe, strenge ich mich sehr an, weil ich weiß, daß ich dann Erfolg haben werde.	☐	☐
6. Ich brauche zwischendurch immer wieder kleine Erholungspausen.	☐	☐
7. Fleiß ist nicht meine Stärke.	☐	☐
8. Meine Arbeitsleistungen sind nicht immer gleich.	☐	☐
9. Wenn ich mal nicht fit bin, merkt man es an meiner Arbeit.	☐	☐
10. Manchmal schiebe ich auf, was ich sofort tun sollte.	☐	☐
11. Man kann sich nur auf sich selbst verlassen.	☐	☐
12. Es gibt nur wenige Dinge im Leben, die wichtiger sind als Geld.	☐	☐
13. Wenn ich die Gelegenheit hätte, würde ich eine Arbeit besser und fachgerechter ausführen als die meisten anderen.	☐	☐
14. Es ist zwecklos, gegen den Willen der Vorgesetzten etwas durchsetzen zu wollen.	☐	☐
15. Ich werde ungeduldig, wenn mir etwas nicht gelingt.		☐
16. Ich nehme mir oft weniger vor, als ich dann tatsächlich erreiche.	☐	☐
17. Vieles, was ich mir vorgenommen habe, führe ich nicht zu Ende.	☐	☐
18. Es lohnt sich nicht, nach Macht und Ansehen zu streben.	☐	☐

1. Beantworten Sie die Fragen und lösen Sie die Aufgaben.

2. Welche der Aufgaben/Fragen sollen dem zukünftigen Arbeitgeber Auskunft geben über:

Einstellung zur Arbeit / Fleiß
Selbstvertrauen
mathematisches Denken
Ehrlichkeit
Aggressivität

Phantasie/Kreativität
Geselligkeit/Fähigkeit zur Zusammenarbeit
Verantwortungsbewußtsein
Karrieredenken
Zuverlässigkeit

1. Der Glaskörper steht auf einer waagrechten Unterlage. Sein Schwerpunkt ist mit einem Kreuz eingezeichnet. Kippt der Körper um?

a) ja
b) nein

2. Wie groß sind Umfang U und Flächeninhalt A des nebenstehenden Quadrats?

(1) U = 120 mm; A = 900 mm²
(2) U = 60 mm; A = 90 mm²
(3) U = 90 mm; A = 900 mm²
(4) U = 120 mm; A = 120 mm²
(5) U = 90 mm; A = 60 mm²

3. Über die beiden Zahnräder ist eine Treibkette gelegt. In welche Richtung bewegt sich die Kette, wenn das große Rad in Pfeilrichtung gedreht wird?

a) in Richtung 1
b) in Richtung 2
c) kann sich überhaupt nicht drehen

4. Eine Holzkiste soll mit Hilfe eines Brettes und einer Rolle möglichst hoch gehoben werden. Wo muß die Rolle untergeschoben werden, damit die Kiste die größte Höhe erreicht?

a) bei A
b) bei B
c) bei C
d) die Höhe bleibt immer gleich

5. Der Motor bewegt sich in Pfeilrichtung. Zeichnen Sie die Drehrichtung der Räder ein.

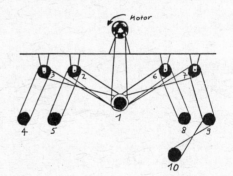

6. Innerhalb jeder Zahlenreihe verändern sich die Zahlen nach einem bestimmten Gesetz. Zu jeder Reihe werden fünf Möglichkeiten, die Reihe fortzusetzen, vorgeschlagen. Die Aufgabe besteht darin, die RICHTIGE FORTSETZUNG zu finden.

Beispiel:
3 5 7 9 11 13 15 ___

A   B   C   D   E
15 16 17 18 19

Die Lösung ist 17, da jedes Glied der Reihe um 2 größer ist als das vorhergehende.

Aufgaben

Nr.									A	B	C	D	E
1.	6	7	9	10	12	13	15	___	16	17	18	19	20
2.	2	3	5	6	8	9	11	___	12	13	14	15	16
3.	3	6	8	9	12	14	15	___	16	17	18	19	20
4.	7	4	9	6	11	8	13	___	9	10	12	14	15
5.	21	23	20	24	19	25	18	___	17	19	23	26	28
6.	1	2	4	7	11	16	22	___	25	26	27	28	29
7.	17	21	26	31	37	43	50	___	54	55	56	57	58
8.	15	18	22	11	14	18	9	___	10	11	12	13	14
9.	13	17	22	27	33	39	46	___	49	50	51	52	53
10.	47	38	30	23	17	12	8	___	3	4	5	6	7
11.	15	18	6	9	3	6	2	___	1	2	3	4	5
12.	1	7	2	6	3	5	4	___	1	2	3	4	5

3. Diskutieren Sie.

Was halten Sie von den Fragen/Aufgaben?

NUR FÜR LIEBHABER VON KLOPFENDEN HERZEN.

Zehn goldene Regeln für Leute, die Aufregung vor Prüfungen lieben.

Manchmal hat man den Eindruck, es gibt Leute, denen es Spaß macht, vor Prüfungen völlig aus dem Häuschen zu geraten. Jedenfalls tun sie alles nur irgend mögliche, was zu Prüfungsangst führt. Man kann schlecht glauben, daß nur Unwissenheit und keine Absicht dahintersteckt.
Deswegen stehen hier für solche Spannungsliebhaber zehn goldene Regeln. Werden sie wirklich befolgt, dann kann man für eine Prüfungsangst garantieren, die zur internationalen Spitzenklasse zählt.

1 Nimm jede Prüfung dreimal so wichtig, wie sie ist.

2 Träume immer davon, daß Du die Prüfung als Bester von allen bestehen wirst.

3 Erzähle auch der Putzfrau und dem Postboten ausführlich von Deiner Prüfung. Diese Leute haben ein Recht auf Dein Seelenleben.

4 Glaube nur denen, die Dir erzählen, wie furchtbar schwer die Prüfung sei, die Du ablegen mußt.

5 Erzähle allen, Du schaffst es doch nicht, und glaube vor allem manchmal selbst daran.

6 Beginne mindestens 6 Wochen vorher, mit leidender Miene herumzulaufen. Schließlich muß man sich rechtzeitig auf einen solchen Anlaß vorbereiten.

7 Schiebe dagegen das Lernen möglichst lange hinaus. Drei Tage vorher ist auch noch Zeit.

8 Rauche vor der Prüfung 40 Zigaretten am Tag, trinke mindestens acht Tassen Kaffee und lutsche Beruhigungstabletten. So kommt man in die richtige Stimmung.

9 Vergiß auch Deine lächerliche, normale Lebensweise. Lerne bis Mitternacht, wenn es Dich sonst schon um acht Uhr ins Bett zieht. Zwinge Dich mit eisernem Willen um sieben Uhr in die Federn, wenn Du normalerweise erst um elf Uhr munter wie ein Fisch bist.

10 Laß Dir von Deinen Mitmenschen so oft wie irgend möglich bestätigen, wie bedauernswert und schrecklich Deine Lage ist.

Befolgt man diese Ratschläge, erlebt man vor der nächsten Prüfung sicher mehr an Nervenkitzel und Spannung als bei sämtlichen deutschen Kriminalfilmen und Fernsehkrimis zusammen.

Kummerkasten

Frau Dr. Hiller
beantwortet Ihre Anfragen

Prüfungs-angst

Leserin: *Mein Problem heißt Prüfungsangst. Dabei weiß ich gar nicht, wovor ich mich fürchte. Meine Eltern trösten mich sogar bei jeder schlechten Note (übrigens habe ich noch nie eine Fünf geschrieben). Aber eigentlich ist das nicht mein einziges Problem. Ich lerne fürchterlich viel. Das hängt natürlich hauptsächlich mit der Prüfungsangst zusammen, zu allem Unglück aber bin ich auch noch ehrgeizig. Ich will in der Schule unbedingt gut sein. Und wenn ich mal schlechter abgeschnitten habe, als ich mir erhofft hatte, dann geht es los: Depressionen und Prüfungsangst. Was soll ich nur tun, daß dies aufhört?*

1. Hatten Sie auch schon einmal Prüfungsangst?

Wie haben Sie sich da verhalten? Was haben Sie dagegen getan?

2. Unterhalten Sie sich in kleinen Gruppen (3–4 Personen) darüber, was man am besten gegen Prüfungsangst tun kann.

Schreiben Sie zu jeder der 10 Regeln eine „Gegenregel".

3. Schreiben Sie zusammen eine Antwort auf den Leserbrief.

Manchmal wünscht man sich drei Köpfe
Wie man für Prüfungen lernt, ohne dabei auch noch den einzigen zu verlieren.

Bevor man sich vernünftig mit Prüfungen beschäftigt, muß man sich eine Tatsache klarmachen: Prüfungen werden vorher entschieden, jedenfalls zu 90%. Nur alle Jubeljahre einmal fällt eine Prüfung erheblich besser aus, als ihre Vorbereitungen waren.

Nun kann man die Qualität von Vorbereitungen nicht einfach an den Arbeitsstunden messen. Sechs Wochen Lernen können zum Fenster hinausgeworfen sein, wenn man es ungeschickt anstellt. Und ein oder zwei Stunden können genügen, wenn man klug ist und das Richtige tut.

Voraussetzung ist allerdings, daß man das Köpfchen ausreichend gebraucht, und vor allem rechtzeitig. Und damit sind wir schon beim ersten, was man sich überlegen muß:

Rechtzeitig anfangen.

Je früher man anfängt, um so besser. Natürlich darf man hier nicht übertreiben, aber die Gefahr ist sicher gering. Normalerweise fängt man immer viel zu spät an, was man drei Tage vor der Prüfung selbst beklagt (dann allerdings kommt die Erkenntnis etwas spät). Vor jeder Prüfung überlegt man sich deswegen:

1. Was wird in der Prüfung verlangt?
2. Was kann ich davon bereits?
3. Wieviel Wissen fehlt mir also noch?
4. Was will und kann ich davon noch lernen?

Hat man sich das ohne Illusionen und ohne falschen Pessimismus gefragt, dann berechnet man möglichst objektiv, wie lange man braucht, um zu lernen. Und die dabei erhaltene Zeit verdoppelt man nun. Warum verdoppeln?
Man unterschätzt den Arbeitsaufwand stets erheblich.
Außerdem braucht man unbedingt eine Sicherheitsreserve, weil immer etwas dazwischen kommt.

Auch soll man vor Prüfungen nicht im höchsten Tempo lernen; womöglich 11 Stunden täglich, denn das ruiniert die Nerven so, daß man das Wissen gar nicht mehr anbringen kann.

Und schließlich muß man vor Prüfungen nicht nur rechtzeitig anfangen, sondern auch

Rechtzeitig aufhören.

Das Hervorholen von Wissen wird gestört durch Lernprozesse, die kurz vorher stattfanden. Diese Störung kann erheblich sein.

Lernt man z. B. fünf Minuten vor einer Prüfung noch etwas, oder versucht es wenigstens, so kann es vorkommen, daß man in der Prüfung praktisch gar nichts mehr weiß von dem Stoff, den man doch schon einmal völlig beherrscht hat. Das Gehirn ist in dieser Zeit nämlich mit dem Verdauen des Gelernten völlig ausgelastet.

Je näher eine Prüfung kommt, um so weiter weg muß man deshalb das Lernmaterial verbannen.

Eiserne Regel für alle schriftlichen Prüfungen (und natürlich auch für größere mündliche) ist deshalb: am Tag der Prüfung wird kein Buch mehr angerührt!

Bei größeren Prüfungen sollte man auch am Tag davor nichts mehr tun. Und je bedeutender sie sind und je größer der Wissensstoff, um so früher sollte man mit dem Lernen aufhören.
Dieses Aufhören erfordert natürlich eine gewisse Überwindung. Kurz davor fallen einem ja immer noch so viele Dinge ein, die man unbedingt lernen müßte. Das ist Unsinn. Dieses Lernen in letzter Minute bringt nicht nur kaum etwas ein, weil man schon zu nervös ist; es ist auch meist gar nicht mehr so wichtig, wie man sich in seiner Aufregung einbildet. Aber vor allem schadet es viel mehr als es nützt.
Kurz vor der Prüfung gibt es nur noch eine Tätigkeit, die sinnvoll ist: Nervenkosmetik.
Es gibt übrigens ein wirksames Mittel, zu verhindern, daß einem am letzten Abend einfällt, was man eigentlich alles noch zu lernen hätte. Man muß sich rechtzeitig fragen:

Was wird verlangt?

Diese Frage, wird sie rechtzeitig gestellt und vollständig beantwortet, spart später am meisten Zeit. Und Nerven außerdem, was vielleicht noch wichtiger ist. So genau wie nur irgend möglich muß man vorher feststellen, welche Anforderungen in der Prüfung gestellt werden, welcher Stoff verlangt wird, welcher nicht, in welcher Form geprüft wird, wieviel Zeit zur Verfügung steht, welche Hilfsmittel benutzt werden dürfen usw.

1. Vergleichen Sie diese Ratschläge mit Ihren Regeln.

An welche Ratschläge hatten Sie noch nicht gedacht?

2. Warum ist es falsch, bis zuletzt vor einer Prüfung zu lernen und zu wiederholen?

B3 Zertifikat DaF

1

Aufbau der Zertifikatsprüfung Deutsch als Fremdsprache

Gruppenprüfung

Prüfungsteil	Aufgaben	Punkte	Zeit
Leseverständnis	Bis zu 5 Texte mit einer Gesamtlänge bis zu 1000 Wörtern. 15 viergliedrige Mehrfachwahl-Aufgaben zum Verständnis	30	45 Minuten
Schriftlicher Ausdruck	Schreiben eines persönlichen oder halbformellen Briefes nach 5 inhaltlichen Leitpunkten mit ca. 100 Wörtern	15	30 Minuten
Pause			30 Minuten
Hörverständnis	A Text bis zu 4 Minuten Dauer mit 20 Aussagen zum Inhalt B 5 Kurztexte mit je 1 schriftlichen 4gliedrigen Mehrfachwahl-Aufgabe	30	30 Minuten
Wortschatz/ Strukturen	60 Aufgaben, davon bis zu 30 als Eintragungsaufgaben, mindestens 30 als 4gliedrige Mehrfachwahl-Aufgabe	15	40 Minuten
Insgesamt		90	2 Std. und 55 Minuten

Einzelprüfung

Prüfungsteil	Aufgaben	Punkte	Zeit
Alltagssituationen	5 situationsgebundene Aufgaben	7,5	5 Min.
Gelenktes Gespräch	Interviewartiges Gespräch mit 9 Fragen	18,0	10 Min.
Sprachliche Kommunikation		3,0	
Aussprache/ Intonation		1,5	
	Insgesamt	30	15 Min.

Punkte/Notensystem

Die Prüfung gilt als bestanden, wenn in den beiden Teilprüfungen jeweils mindestens 60% der möglichen Punktzahl erreicht worden sind, d. h. 54 Punkte in der schriftlichen Gruppenprüfung und 18 Punkte in der mündlichen Einzelprüfung. Die Note wird nach folgendem Verfahren ermittelt:

Punktzahl schriftliche Gruppenprüfung + Punktzahl mündliche Einzelprüfung als % des maximal erreichbaren Punktwertes

von 60% bis unter 70% (72–83,75 Punkte)	bestanden
von 70% bis unter 80% (84–95,75 Punkte)	befriedigend bestanden
von 80% bis unter 90% (96–107,75 Punkte)	gut bestanden
von 90% bis 100% (108–120 Punkte)	sehr gut bestanden

Bei nicht bestandener Prüfung muß die gesamte Prüfung wiederholt werden.

1. Fassen Sie zusammen:

Welche Aufgaben müssen Sie in der schriftlichen, welche in der mündlichen Prüfung bearbeiten, wenn Sie die Zertifikatsprüfung Deutsch als Fremdsprache machen wollen?

2. Bei welchen Aufgaben braucht man nur etwas ankreuzen?

3. Wenn Sie tatsächlich die Zertifikatsprüfung vorbereiten, überlegen Sie folgende Fragen:

– Wie bereiten Sie sich am besten für die einzelnen Aufgabentypen vor? (Erinnern Sie sich, was Sie auf den beiden vorigen Seiten erfahren haben!)
– Welche Aufgaben / Lektionen von „Themen" 1, 2 oder 3 sollten Sie besonders wiederholen?
– Können Sie zusammen mit einigen Kursteilnehmern, zu denen Sie guten Kontakt haben, die Prüfung vorbereiten? Wie organisieren Sie Ihre gemeinsame Vorbereitung?
– Wie kann der Kursleiter Ihnen am besten helfen? Haben Sie noch wichtige Fragen an ihn?

Beispiele aus der Zertifikatsprüfung

 HÖRVERSTÄNDNIS

Sie hören jetzt ein Gespräch. Dazu sollen Sie 10 Aufgaben lösen. Bei jeder Aufgabe sollen Sie feststellen: Habe ich das im Text gehört oder nicht? Die richtige Lösung markieren Sie auf dem Antwortbogen.

Hören Sie zuerst das Gespräch, ohne zu schreiben. Sie hören das Gespräch danach in 4 Teilen noch einmal.

(Text von der Kassette)

Lesen Sie jetzt die Aufgaben Nr. 21–25 zum 1. Abschnitt!
(1 Minute Pause)

1. Abschnitt

21. Die Miete wird auf DM 420,– erhöht.
22. Nur die Heizungskosten sind gestiegen.
23. Das Haus ist älter als zwei Jahre.
24. Sie muß in der Wohnung auch noch viel reparieren lassen.
25. Sie zahlt DM 50,– ohne Heizung.

Hören Sie jetzt den 1. Abschnitt noch einmal! Beim Hören oder danach markieren Sie die Lösungen auf dem Antwortbogen. Fragen Sie sich bei jeder Aufgabe: Habe ich das im Text gehört?
Wenn ja, markieren Sie $\underset{ja}{\bigcirc}$ = richtig. Wenn nein, markieren Sie $\underset{nein}{\bigcirc}$ = falsch.

(Text von der Kassette)

Lösen Sie jetzt die Aufgaben Nr. 21–25. zum 1. Abschnitt!

(Pause)

Lesen Sie jetzt die Aufgaben Nr. 26–30 zum 2. Abschnitt!
(1 Minute Pause)

2. Abschnitt

26. Sie soll den Vertrag einfach so ändern, daß sie DM 70,– weniger zahlt.
27. Der Vermieter muß genaue Auskunft über die Heizkosten geben.
28. Der Vermieter will ihr kündigen.
29. Er braucht keinen Grund zu nennen, wenn er ihr kündigt.
30. Am besten soll sie nochmals mit dem Vermieter sprechen.

Hören Sie jetzt den 2. Abschnitt noch einmal!
(Text von der Kassette)

Lösen Sie jetzt die Aufgaben Nr. 26–30 zum 2. Abschnitt!

Teil B *Im folgenden hören Sie einen kurzen Text (in der Prüfung sind es fünf). Hören Sie sich den Text zuerst an, dann lesen Sie die Frage. Sie hören dann den Text noch einmal. Danach wählen Sie die richtige Antwort. Markieren Sie die Antwort a, b, c oder d auf dem Antwortbogen.*

Wie wird das Wetter?

a) Es wird wohl überall regnen.
b) Im Norden Sonne, im Süden Regen und Schnee.
c) Im Süden ändert sich das Wetter nicht.
d) Im Süden bleibt es auf jeden Fall schön.

(12 Sekunden Pause – Wiederholung der Ansage – 12 Sekunden Pause)

In der mündlichen Zertifikatsprüfung

Vor Beginn der eigentlichen Einzelprüfung soll ein kurzes Gespräch die Spannung lockern und den Teilnehmer etwas mit der individuellen Sprechweise des Prüfers vertraut machen. Natürlich darf dieses einleitende Gespräch im Rahmen der zur Verfügung stehenden knappen Zeit nicht zu lang werden.

1. Das einleitende Gespräch

A. Hören Sie das Gespräch.

B. Wie lauten die Fragen des Prüfers? Füllen Sie die Lücken aus.

– ..... Sie Frau Jimenez?
– ..... ich laut genug? Wenn Sie mich nicht ..... können, kann ich meine Frage noch einmal .....
– Haben Sie lange ....?
– Aus welchem ...... kommen Sie? .... sind Sie schon in der Bundesrepublik Deutschland?
– Wie lange haben Sie ....?
– Wo haben Sie Deutsch gelernt? An der ....? Am ....?
– Ist das Ihre ...... Fremdsprache? Welche anderen .... sprechen Sie noch?
– Warum machen Sie die ....? Wofür können Sie das ...... gebrauchen?

2. „Kommunikation in Alltagssituationen"

A. Hören Sie das Prüfungsgespräch.

B. Was sagt der Prüfer?

– Auf dem .... werden Sie gefragt, seit wann Sie in Deutschland sind.
– Sie wollen ein ..... in Ihre ..... schikken. Fragen Sie auf dem .... nach dem ......
– Sie kommen sehr .... in ein Restaurant. Es ist aber schon sehr spät abends. Was fragen Sie den ....?
– Sie haben ein ..... für 40 DM gekauft und bezahlen mit einem .... Der Verkäufer gibt Ihnen zu wenig zurück. Was sagen Sie?
– Sie sehen eine Frau mit einem .... Mit großer Mühe versucht sie, in die .... einzusteigen. Was sagen Sie zu ihr?

3. Der Prüfungsteil „Gelenktes Gespräch"

A. Hören Sie das Gespräch.

B. Was fragen die Prüfer?

– Haben Sie schon mal eine .... gemacht? ....?
– Wie haben Sie diese ....?
– Was ...... Sie von einer ......?
– In welcher .... reisen Sie am liebsten?
– Reisen Sie lieber ..... oder in der ......?
– ..... möchten Sie am liebsten reisen? ....?
– Mit welchem .... reist man Ihrer Meinung nach am ....? ....?
– Können Sie einem .... eine Reise in Ihre Heimat ....?

4. Spiel: Mündliche Prüfung

Zweiergruppen: ein Kursteilnehmer spielt den Prüfer, einer den Prüfungsteilnehmer.
Der „Prüfungsteilnehmer" wählt für den „Prüfer" aus den Lektionen von „Themen" ein Thema aus. Nehmen Sie sich fünf bis zehn Minuten Zeit zur Vorbereitung: der „Prüfer" notiert sich Fragen zum Thema, der „Teilnehmer" sammelt Wörter und Sätze zum Thema.
Spielen Sie dann das „Gelenkte Gespräch". Nachher tauschen Sie die Rollen.

Alexander Spoerl

Aus »Memoiren eines mittelmäßigen Schülers«

Ich ging zum letzten Mal zur Schule. Vorbei an sorglosen Leuten, die heute kein Abitur machten. Ich trug einen Hut von Vater und einen artigen dunklen Anzug, der nicht auffällig war. Wahlfach: Physik. Da gibt es keine Politik, sondern nur Zahlen. Außerdem wollte ich Ingenieur werden. (…)

Und ich ging, auch das letzte Mal, durch das eiserne Schultor. (…)

In einer Ecke traf ich auf das Häuflein meiner Kameraden. Der kleine Boom war wie ein Konfirmand. Der Papa-palm kam mit einer gestreiften Krawatte. Der Spatz in nagelneuen karierten Knickerbockers, und die anderen mit aufgesetzten Kragen, die ungewohnt an ihren Hälsen rieben. (…)

Der Chemielehrer erschien in der Tür und winkte.

Dann warteten wir weiter im Klassenzimmer der Quarta mit den vielen Bänken. An der Tafel stand unausgewischte Algebra mit Klammern. Spatz fand ein leeres Tintenfaß, wog es in der Hand und wollte damit werfen. Aber es machte ihm heute keinen Spaß mehr, er fühlte es selbst und legte das Tintenfaß mit schmerzlichem Gesicht wieder auf die Fensterbank. Ich holte aus der Manteltasche eine lederbezogene Glasflasche, in der mir Papa Wermut mit Gin gemixt hatte. Schweigend ließen wir sie umgehen und wischten uns mit dem Handrücken die Münder ab.

Studienrat Rilkow erschien, ließ flüchtig seine Augen über uns gehen und rief mich dann zu sich: »Wissen Sie, daß Sie in Erdkunde geprüft werden?«

Verdammt! »Was soll ich machen?«

»Ich wollte es Ihnen nur sagen.«

»Soll ich mit dem Erdkundelehrer vielleicht einmal reden?«

»Versuchen Sie es.«

»Glauben Sie, daß er das tut, um was ich ihn bitte?«

»Ganz im Gegenteil.«

»Im Gegenteil?« – Ach so! – »Ich danke Ihnen auch schön, Herr Studienrat.« – Er war schon wieder hinausgegangen, eilig und federnd.

Ich wartete einen Moment und folgte ihm dann zum Lehrerzimmer. Ob ich Studienrat Dr. Gneis sprechen könne?

Der Geographielehrer kam heraus.

»Herr Studienrat, ich hätte noch eine Bitte. –«

Dr. Gneis spielte rasselnd mit seinem Schlüsselbund und sah an mir vorbei.

»Ich möchte gern in Geographie geprüft werden. Als zweites Wahlfach.«

»Was versprechen Sie sich davon?«

»Ich möchte gern auf eine Zwei kommen. Würden Sie vielleicht so freundlich sein?«

»Kommt ja gar nicht in Frage!« Er ließ den Schlüssel-

bund in die Hand fallen und ging wieder hinein.

Als ich zurück in die Klasse kam, holten sie gerade den Heini Schmitz: Chemie.

In Chemie konnte der Schmitz jeden in die Tasche stecken, und er hatte das auch oft genug mit unserem Chemielehrer gemacht.

»Erzählen Sie uns mal, welche Maßnahmen zu ergreifen sind, um unsere Wohnstätten vor der Zerstörung durch den Feind zu bewahren?«

Auf Luftschutz war Heini nicht gefaßt. »Durch – Luftschutzmaßnahmen.«

Gut, weiter! – Heini meinte, man müsse Luftschutzkeller bauen.

Schön, weiter.

Den Speicher entrümpeln.

Und?

Und einen Kasten mit Sand hinstellen und eine Schaufel. Weil man Brandbomben nicht mit Wasser löschen darf.

»Falsch. Nach neueren Versuchen soll die Elektrotermitbombe mit Wasser bekämpft werden, dann zerplatzt sie, und die Bruchstücke können einzeln gelöscht werden.«

Hier unterbrach der Direktor den Chemielehrer und sagte, in seinem letzten Luftschutzkursus sei man davon wieder abgekommen, weil es doch besser sei, das Wasser wegzulassen.

Heini Schmitz wollte inzwischen die chemischen Vorgänge der brennenden Bombe erklären, aber die Herren stritten sich, ob Wasser oder ob Sand.

Heini Schmitz mischte sich ein: Beim Löschen mit Wasser entstehe aber explosives Knallgas.

»Sie sind hier nicht gefragt!«

Mehr konnte Heini Schmitz vom Abitur nicht verlangen.

Er kam zu uns zurück: »Van Tast und Klosterkamp sollen reinkommen.«

Wir ließen uns gegenseitig den Vortritt und klemmten uns dann zugleich in die nebenan liegende Untertertia; die Bänke waren hinten zusammengeschoben, nur für die Prüflinge war eine stehengeblieben. Und vorn, vor dem Katheder, waren Tische aufgebaut, daran saßen die Lehrer, und in ihrer Mitte ein älterer fremder Herr mit braunem Hemd unter dem zweireihigen Sakko.

Klosterkamp und ich wurden in die stehengebliebene Bank gesetzt, und wir durften uns zehn Minuten lang vorbereiten, der Klosterkamp für einen französischen Vortrag, und ich für Biologie: die Entwicklung des Menschen. (…)

Die zehn Minuten waren um.

»Die Entwicklung des Menschen: Wie sich der Mensch entwickelt hat, das weiß so ganz genau – eigentlich keiner. (Räuspern vom Lehrertisch.) Was ist überhaupt der Mensch? (Heftiges Räuspern.) Er unterscheidet sich vom Tier dadurch, daß er sich Werkzeuge herstellt. Der erste Mensch war da, als das erste Werkzeug da war, nicht wahr, der Faustkeil. Er vergrößerte die Wucht der Faust nach der Formel $m/2\ v^2$ und konzentrierte den Effekt auf eine kleine Spitze, so daß ein Druck entstand von einem Haufen Kilogramm pro Quadratmillimeter.« Nun fühlte ich mich schon wohler. Und sprach von der Axt als verlängertem Hebelarm, nicht wahr, von der Erfindung des Wagenrades – streng-germanisch – dem Schießpulver und der deutschen Luftwaffe, und was noch alles kommen wird. Denn an ihren Werkzeugen sollt ihr sie erkennen!

Stille. Unsicher verließ ich den Raum.

In der Warteklasse reichte mir Spatz die lederbezogene Flasche meines Vaters; sie war schon halb leer. Dann kam der Klosterkamp zurück, er schnitt eine Grimasse.

»Boom und van Tast!« – Schon wieder!

Wir mußten uns beide auf Musik vorbereiten. Boom kam zuerst dran, über den Gregorianischen Chor.

»Der Gregorianische Chor –«, begann Boom und drehte angestrengt an seinem Jackenknopf. Man ließ ihm Zeit. Boom gab sich alle Mühe nachzudenken, und dies beschäftigte ihn derart, daß er keine Zeit zum Nachdenken fand.

»Wissen Sie es oder wissen Sie nichts?«

Boom war es darum zu tun, möglichst bald wieder hinauszukommen: »Nichts.« (…)

»Was stellen Sie sich eigentlich unter Gesangsunterricht vor, Boom?«

»Singen«, antwortete Boom nicht ohne Logik.

Der Schulrat mischte sich ein: »Können Sie denn das wenigstens?«

Boom nickte, denn es verschlug ihm die Stimme.

»Dann singen Sie uns mal etwas vor.«

Erst schrumpfte der Boom zusammen. Selbst auf unseren Bierabenden durfte er nicht mitsingen, weil es so schrecklich klang. Und außerdem fiel ihm nichts ein. Aber dann reckte er sich auf die Fußspitzen, pumpte Luft in seine Brust, wandte sein Gesicht zum Himmel und bekam einen dicken Hals:

»You   my   cky
    are   lu   star – –«

Weiter ließen sie ihn nicht kommen.

Der Schulrat holte ihn an den Tisch. Aus Booms Mund wehte ihm ein Hauch von Wermut und Gin entgegen.

»Haben Sie getrunken?«

Sämtliche Stühle rückten. Die Prozession der Lehrer begab sich in die Warteklasse; ich hinterdrein und an meiner Seite tröstlich der Religionslehrer, wie auf dem Wege zum Schafott.

Den Alkohol hat also der van Tast mitgebracht? – Von seinem Vater. –

Gegen die Angst. –

Es stellte sich heraus, daß wir alle Angst gehabt hatten. Die Flasche wurde eingehend betrachtet: sehr viel Angst sogar.

Soll man das Abitur abbrechen? –

»Die Schüler sind doch nur durch den Vater von Tast in Versuchung gebracht worden«, legte sich Studienrat Anton ins Mittel.

»Am Tage der Reifeprüfung sind die Schüler alt genug, um sich nicht mehr versuchen zu lassen.«

»Wenn die Schüler alt genug sind«, meinte Professor Glöckchen, Religion, »dann macht ihnen auch so'n bißchen Alkohol nichts aus.« Und wandelte hinaus über den Flur in die Prüfungsklasse hinein, und das übrige Kollegium trottete hinterher. (…)

Physik des Fliegens. Ich fühlte mich in meinem Element. Göttinger Profile, Staudruck und Abreißwirbel, Grenzschicht und Gleitzahl Gamma.

»Was«, unterbrach mich der Schulrat, »was aber ist das Wesentliche zur Beherrschung der Luft?«

»Öh –. Ein Tragflächenprofil mit günstigem Verhältnis von c_a zu c_w.«

»Nein, mutige, einsatzbereite Männer, die um das Ziel wissen und sich unterordnen!«

Was hat das nun wieder mit Physik zu tun?

Dann holten sie keinen mehr. Das Abitur war überstanden, und sie berieten, und es war nichts mehr zu ändern. (…)

Studienrat Rilkow erschien und holte uns in die Prüfungsklasse.

Der Schulrat war schon fortgegangen. Der Herr Direktor nannte unsere Namen und händigte einem jeden von uns zwei glänzend weiße Papiere aus und drückte jedem die Hand.

Das eine der Blätter, im halben Format, bescheinigte sachlich, daß der Schüler am heutigen Tag die Reifeprüfung bestanden habe. Unterschrift und Siegel. Ich barg es in der Brusttasche, denn das brauchte ich zum Studieren. – Das andere, große Blatt aber war das Zeugnis. Von oben bis unten »Genügend«! Auch die Fächer, in denen ich sonst »Gut« gehabt hatte. Selbst in Physik. Und natürlich Betragen; und zum Schluß eine häßliche Bemerkung. Die Bemerkung war ein gutes Recht der Schule. Aber daß sie sich an den Zensuren gerächt hatten –!

Ich fühlte die Blicke der Lehrer auf mich gerichtet, die einen mit Trauer, weil sie dachten: der hätte es anders haben können. Die anderen aber mit heimlichem Triumph: dem haben wir's endlich gezeigt!

Die Schule hatte das letzte Wort gehabt.

Ich faltete das Zeugnis zusammen, und andächtig zerriß ich es in viele kleine Schnipsel, bis es Konfetti war, legte es in die hohle Hand und pustete es zum geöffneten Fenster hinaus.

Die Schule war vorbei.

Grammatikübersicht zu den Lektionen

Farbschema:

Inversions-signal	Subjekt	Verb	unbetonte obligator. Ergänzung	Subjekt	Verb	Angabe	obligatorische Ergänzung	Verb

Lektion 1

1. Konstruktionen mit „es"

es = Personalpronomen

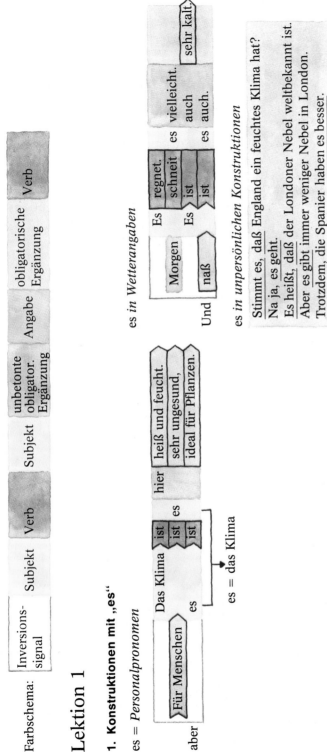

Das Klima ist hier heiß und feucht.
ist sehr ungesund,
ist ideal für Pflanzen.

Für Menschen ... es
aber ... es

es = das Klima

es in Wetterangaben

Es regnet.
schneit.
ist ... es vielleicht.
Morgen ist ... es auch.
Und naß ... es auch.
sehr kalt.

es in unpersönlichen Konstruktionen

Stimmt es, daß England ein feuchtes Klima hat?
Na ja, es geht.
Es heißt, daß der Londoner Nebel weltbekannt ist.
Aber es gibt immer weniger Nebel in London.
Trotzdem, die Spanier haben es besser.

2. Zeitausdrücke im Akkusativ

Der Regen regnet es jeden Tag.
Der Boden dauert den ganzen Tag.
ist nur kurze Zeit.
scheint die Sonne. trocken.

Hier
Nächste Woche

Wann? Wie oft? Wie lange?

diesen
letzten
vorigen
nächsten
Monat

jeden Monat

den ganzen Monat

3. Relativpronomen

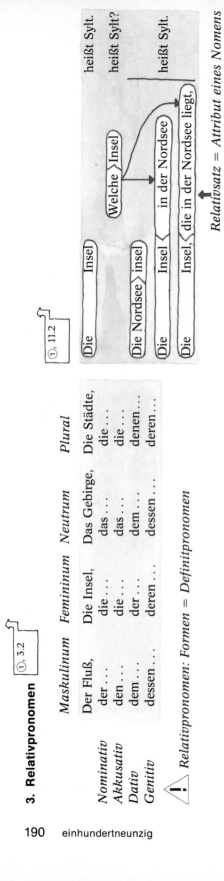

	Maskulinum	Femininum	Neutrum	Plural
Nominativ	Der Fluß, der . . .	Die Insel, die . . .	Das Gebirge, das . . .	Die Städte, die . . .
Akkusativ	den . . .	die . . .	das . . .	die . . .
Dativ	dem . . .	der . . .	dem . . .	denen . . .
Genitiv	dessen . . .	deren . . .	dessen . . .	deren . . .

⚠ *Relativpronomen: Formen = Definitpronomen*

① 3.2

① 11.2

Die Insel heißt Sylt.

Welche Insel heißt Sylt?

Die Nordsee insel heißt Sylt.

Die Insel in der Nordsee

Die Insel, die in der Nordsee liegt,

Relativsatz = Attribut eines Nomens

4. Nebensatz: Relativsatz

Ich suche eine Stadt.

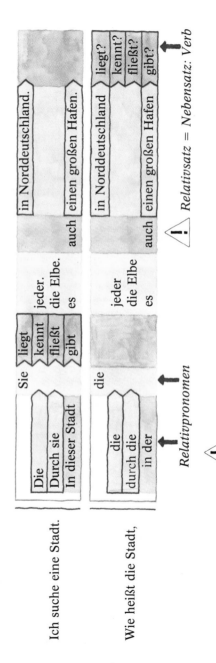

Sie liegt in Norddeutschland.
Sie kennt jeder.
Die Elbe fließt . . .
es gibt auch einen großen Hafen.

Wie heißt die Stadt,

die in Norddeutschland liegt?
die . . . kennt?
durch die die Elbe fließt?
in der . . . es . . . gibt auch einen großen Hafen?

Relativpronomen

⚠ *Relativsatz = Nebensatz: Verb*

⚠ *Das Relativpronomen kann Subjekt, Ergänzung oder Angabe sein. Es ist kein Subjunktor.*

Lektion 2

① 9.2a

1. „lassen"

		wen?		was?		
Der Arzt	muß		heute	die Katze	untersuchen.	machen
Mein Sohn	will		gern	das Auto	waschen.	machen
Ich	will			das Visum	beantragen.	machen
Ich	lasse	meinen Sohn		die Katze	untersuchen.	lassen
Ich	lasse	mich	doch	das Auto	waschen.	lassen
Ich	Laß			das Visum	beantragen.	

⚠ lassen: 3 Bedeutungen:

1. Ich lasse die Katze untersuchen.
   (*Ich kann/darf/will die Katze nicht selbst untersuchen. Deshalb will ich, daß der Arzt die Katze untersucht.*)

2. Ich lasse meinen Sohn das Auto waschen.
   (*Ich bin einverstanden, daß mein Sohn das Auto wäscht.*)

3. Laß mich das Visum beantragen.
   (*Ich will gern für dich das Visum beantragen. In der Zeit kannst du etwas anderes machen.*)

2. „zum" + Infinitiv als Ergänzung

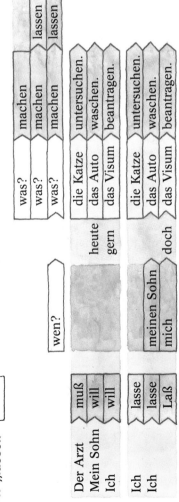

Wozu?		was?		
Man	braucht	Wasser	unbedingt	
	braucht		unbedingt	brauchen / nehmen / mitnehmen
Wenn man kochen will,	braucht	man	zum Kochen.	
Zum Kochen	braucht	man	zum Kochen.	
Zum Feuer machen	kann	man	Wasser.	
Zum Schlafen	sollte	man	Wasser.	
			Streichhölzer	nehmen.
			eine Wolldecke	mitnehmen.

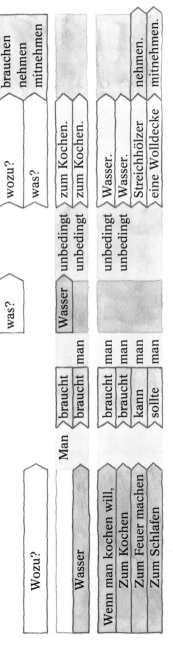

Vergleiche:

Wenn man in der Sahara ist,	braucht	man	Wasser.
In der Sahara			
Wenn man kochen will,	braucht	man	Wasser.
Zum Kochen			

⚠ Zum Kochen: *Infinitiv wird groß geschrieben!*

3. Nebensatz: Indirekter Fragesatz

a) *mit Fragewort*

Direkter Fragesatz

Sabine möchte wissen:

Was	muß	ich	auf die Reise	mitnehmen?
Wann	kommt	die Klasse	in Konya	an?
Wie lange	dauert	die Fahrt?		
Warum	wohnt	die Klasse	bei Gastfamilien?	

Indirekter Fragesatz

Sabine möchte wissen,

was	sie	auf die Reise	mitnehmen	muß.
wann	die Klasse	in Konya		ankommt.
wie lange	die Fahrt			dauert.
warum	die Klasse	bei Gastfamilien		wohnt.

Indirekter Fragesatz = Nebensatz: Verb

b) *mit Subjunktor*

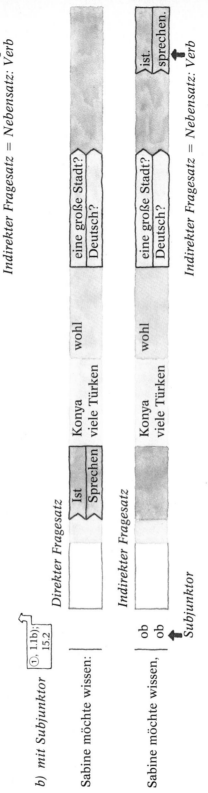

Direkter Fragesatz

Sabine möchte wissen:

| Ist | Konya | wohl | eine große Stadt? |
| Sprechen | viele Türken | wohl | Deutsch? |

Indirekter Fragesatz

Sabine möchte wissen,

| ob | Konya | wohl | eine große Stadt | ist. |
| ob | viele Türken | wohl | Deutsch | sprechen. |

Subjunktor

Indirekter Fragesatz = Nebensatz: Verb

Vergleiche:

fragen	
nicht wissen	wer/was/wen/wem …
wissen mögen	wann/wo/warum/wie lange …
überlegen	wie …
vergessen	ob …

Ich weiß nicht, ob er kommt.
Ich habe vergessen, ob sie blond ist.

nicht wissen	
nicht verstehen	
können	daß …
vergessen	

Ich habe nicht gewußt, daß er kommt.
Ich habe vergessen, daß sie blond ist.

4. Infinitivsatz: Infinitiv mit „um zu" / Nebensatz mit „damit"

① 15.1, 2

Hauptsatz

Familie Neudel will auswandern.

Sie	will	in Paraguay	freier	leben.
Sie	will	dort	Land	kaufen.
Herr Neudel	will		bei dieser Firma	arbeiten.
Er	will		mehr	verdienen.
Frau Neudel	möchte	auch	eine Stelle	bekommen.

Nebensatz mit Subjunktor

Familie Neudel will auswandern,

damit	Herr Neudel		bei dieser Firma	arbeiten	kann.
damit	Herr Neudel		mehr		verdient.
damit	Frau Neudel	auch	eine Stelle		bekommt.

Infinitivsatz mit um zu

Familie Neudel will auswandern,

um		in Paraguay	freier	zu leben.
um		dort	Land	zu kaufen.

etwas	wozu?	machen

etwas	machen,	um zu . . .
		damit . . .

! *Vergleiche:*

Familie Neudel will auswandern,

denn sie will	freier	leben.
weil sie	freier	leben will.
um	freier	zu leben.

Subjekt: Familie Neudel   Subjekt: Familie Neudel

denn Herr Neudel verdient	dann mehr.
weil er	dann mehr verdient.
damit er	mehr verdient.

Subjekt: Herr Neudel   Subjekt: Herr Neudel

„Um . . . zu" ist nur möglich, wenn das Subjekt in Hauptsatz und Infinitivsatz gleich ist.

5. Negation

① 3.1

	Braucht	ihr	den Schirm?		
Wir	brauchen		den Schirm	vielleicht	nicht.
Den Schirm	brauchen	wir		vielleicht	nicht.
	Braucht	ihr	einen Schirm?		
Wir	brauchen		einen Schirm	vielleicht	
Einen Schirm	brauchen	wir	keinen Schirm.		nicht.

! *Negation definiter Artikel:*
. . . den . . . nicht

Negation indefiniter Artikel:
. . . keinen . . .

bei Inversion:
. . . einen . . . nicht

Lektion 3

1. Präpositionen

① 6.2, 3;
8.1, 2, 4, 5, 6

vor
hinter
auf
über
unter
neben
zwischen
in
an
} + *Akkusativ oder Dativ*

durch
gegen
für
ohne
bis
um
} + *Akkusativ*

aus
von
nach
mit
bis zu
zu
bei
seit
während*
wegen*
außer
} + *Dativ*

* *auch mit Genitiv*

lokale Funktion

vor:	Er geht vor die Tür.
	Er steht vor der Tür.
hinter:	Er geht hinter das Haus.
	Er steht hinter dem Haus.
auf:	Sie steigt auf den Berg.
	Sie steht auf dem Berg.
über:	Er geht über die Straße.
	Die Wolken stehen über dem Land.
unter:	Er geht unter die Brücke.
	Er steht unter der Brücke.
neben:	Sie geht neben das Haus.
	Sie steht neben dem Haus.
zwischen:	Er geht zwischen die Autos.
	Er steht zwischen den Autos.

temporale Funktion

–	Sie ist vor zwei Tagen angekommen.
–	
–	
–	
–	Er ist über 18 Jahre alt.
–	Sie ist noch unter 16 Jahre alt.
	Unter 18 Jahren darf man nicht wählen.
–	
–	
–	Was haben Sie zwischen dem 1. 4. und dem 1. 6. gemacht?

sonstige Funktionen

–	Sie hat Angst vor einem Krieg.
–	
–	Sie freut sich auf den Abend.
–	Sie freut sich über das Geschenk.
–	
–	Rufen Sie mich unter 23 65 79 an.
–	Neben der Arbeit hat er viel Zeit.
–	Die Unterschiede zwischen den beiden deutschen Staaten wurden größer.

	lokale Funktion	temporale Funktion	sonstige Funktionen
in:	Sie geht ins Haus. Sie ist im Haus.	in dieser Woche / in 10 Jahren	–
an:	Er fährt an die Ostsee. Er bleibt an der Ostsee.	–	Andrea denkt oft an ihre Freundin. Was finden Sie an den Deutschen gut?
durch:	Wir fahren durch den Schwarzwald.		Die Bäume sterben durch die Abgase.
gegen:	Das Auto fährt gegen den Bus.	Es regnet immer gegen Mittag.	Die SPD ist gegen diesen Plan.
für:	–		Die CDU ist für diesen Plan.
ohne:			Das Hochhaus war 5 Stunden ohne Strom.
bis:	Die U-Bahn fährt bis Altona.	Diese Frage ist bis heute offen.	Er ißt morgens drei bis vier Brötchen.
aus:	Er kommt aus dem Ruhrgebiet.		Die Lampe ist aus Gold.
von:	Er fährt von München nach Münster.	A. lebte von 1876 bis 1967.	A. war Politiker von der CDU.
nach:	Ich fahre morgen nach Hamburg.	Nach zwei Jahren kam er zurück.	Nach seiner Meinung ist der Plan gut.
mit:	–	Mit 30 hatte sie schon 6 Kinder.	Das Material wird mit Zügen gebracht.
bis zu:	Fahren Sie bis zur 2. Haltestelle.	Bis zu seinem Tod war er lustig.	Temperaturunterschiede bis zu 40 Grad.
zu:	Er fährt zu seiner Freundin.	–	Mein Bruder ist heute zu Besuch.
bei:	Er möchte immer bei ihr sein.	–	Bei diesem Regen gehe ich nicht weg.
seit:	–	Seit drei Tagen spricht er nicht.	–
während:	–	Während dieser Zeit war ich weg.	–
wegen:	–	–	Wegen seiner Verletzung kann er nicht spielen.
außer:	–	–	Außer dem Fahrer war niemand verletzt.

2. Ausdrücke mit Präposition

a) *Präposition + Nomen als Ergänzung oder Angabe*

Die Schüler	sind	in die Türkei	gefahren.
Die Ausländer	haben	gegen das Gesetz	demonstriert.
Die Beamten	streiken	für mehr Lohn.	
1000 Pakete	bleiben	liegen.	
Ein Minister	hat	den Bundeskanzler	kritisiert.
Bayern	hat	ein neues Parlament.	

wegen dem Poststreik
in Bonn
seit gestern

b) *Nomen + Präposition* ②, 1.3 *+ Nomen*

Wir machen eine Reise.

Die Reise geht zum Mond.

Wir machen (eine Reise〈zum Mond.〉

c) Nomen mit Präposition

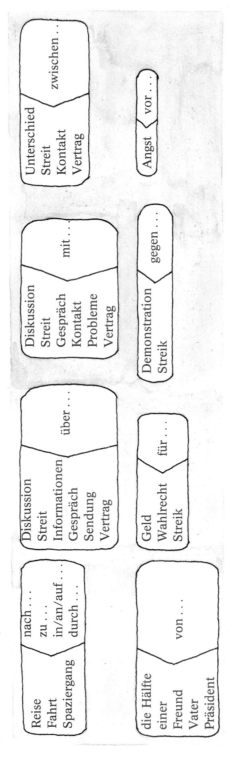

Reise, Fahrt, Spaziergang	nach..., zu..., in/an/auf..., durch...
Diskussion, Streit, Informationen, Gespräch, Sendung, Vertrag	über...
Diskussion, Streit, Gespräch, Kontakt, Probleme, Vertrag	mit...
Unterschied, Streit, Kontakt, Vertrag	zwischen...
die Hälfte, einer, Freund, Vater, Präsident	von...
Geld, Wahlrecht, Streik	für...
Demonstration, Streik	gegen...
Angst	vor...

d) Adjektiv + Präposition

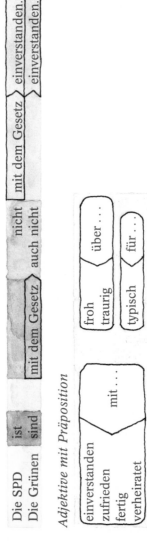

Die SPD ist / Die Grünen sind ... nicht / auch nicht ... mit dem Gesetz / mit dem Gesetz ... einverstanden. / einverstanden.

Adjektive mit Präposition

einverstanden, zufrieden, fertig, verheiratet	mit...
froh, traurig	über...
typisch	für...

Lektion 4

1. Reflexive Verben / Reflexiv gebrauchte Verben

a) im Satz

① 13.1

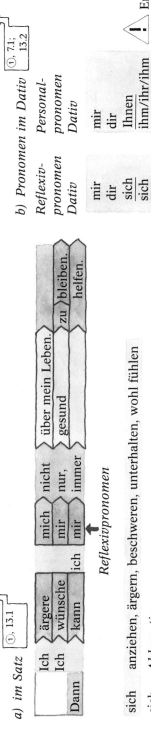

Reflexivpronomen

sich anziehen, ärgern, beschweren, unterhalten, wohl fühlen

sich = *Akkusativ*

sich helfen, wünschen

sich = *Dativ*

b) Pronomen im Dativ

① 7.1; 13.2

Reflexiv-pronomen Dativ	*Personal-pronomen Dativ*
mir	mir
dir	dir
sich	Ihnen
sich	ihm/ihr/ihm
uns	uns
euch	euch
sich	ihnen

⚠ Er hilft sich
≠ Er hilft ihm.

Er hilft ihr
Sie hilft ihm
Sie helfen sich.

⚠ sich = *Dativ*

2. Reziprok gebrauchte Verben

① 13.1

Sie lernt ihn kennen. – Er lernt sie kennen. – Die beiden lernen sich kennen.
Sie besucht ihn. – Er besucht sie. – Sie besuchen sich.
Sie verliebt sich in ihn. – Er verliebt sich in sie. – Sie verlieben sich.

sich = *Akkusativ*

3. Akkusativergänzung + Dativergänzung als unbetonte Ergänzungen

4. Verben mit Präpositionalergänzung

für ... (Akk.): sprechen, streiken, brauchen, demonstrieren, sein, sparen, ausgeben

sich für (Akk.): interessieren

über ... (Akk.): lachen, nachdenken, sprechen, schimpfen, berichten

sich über (Akk.): aufregen, ärgern, beschweren, freuen, unterhalten

gegen ... (Akk.): sein, etwas haben, streiken, demonstrieren

von ... (Dat.): sprechen, erzählen

an ... (Akk.): denken

an ... (Dat.): kritisieren, finden

nach ... (Dat.): fragen

zwischen ... (Dat.): wählen

sich zwischen ... (Dat.): entscheiden

zu ... (Dat.): sagen, brauchen, gehören

auf ... (Akk.): warten, reagieren, steigen

sich auf (Akk.): freuen

mit ... (Dat.): spielen, vergleichen, (zusammen) wohnen, zusammenarbeiten, unterhalten

sich mit (Dat.): unterhalten

Lektion 5: Keine neuen Grammatikstrukturen!

Lektion 6

1. Präpositionen (lokale Funktion)

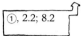

a) Präposition + Nomen

um	+ Nomen im Akkusativ	Er wohnt gleich um die Ecke. Er geht um die Ecke.
gegenüber entlang	+ Nomen im Dativ	Ich wohne gegenüber dem Park. Entlang dem Fluß gibt es viele schöne Wege.
außerhalb innerhalb	+ Nomen im Genitiv	Wir wohnen außerhalb des Zentrums. Sie wohnen innerhalb der Stadt.

b) Nomen + Präposition

Nomen im Dativ +	gegenüber	Ich wohne dem Park gegenüber.

c) Präposition + Nomen + Präposition

an	+ Nomen im Dativ +	entlang (vorbei)	Ich gehe oft am Fluß entlang spazieren. (Ich komme oft an der Brücke vorbei.)

①, 8.6

d) Lokale Adverbien: abgeleitet von Präpositionen

Die Bank ist gleich <u>neben der Post</u>.	– Die Bank ist gleich <u>nebenan</u>.
Das Kino ist <u>gegenüber dem Park</u>.	– Das Kino ist <u>gegenüber</u>.
Er wohnt <u>außerhalb der Stadt</u>.	– Er wohnt <u>außerhalb</u>.

2. Zusammengesetzte Nomen

⚠ <u>das</u> Haus + <u>der</u> Baum → <u>das</u> Baum<u>haus</u>

a) Nomen + Nomen   *b) Nomen + -(e)s, -(e)n + Nomen*

die Kosten	die Heizungskosten
die Stromkosten	der Wohnungsmarkt
die Wasserkosten	der Wohnungsbau
die Fahrtkosten	der Arbeitsplatz
	das Jahreseinkommen
das Haus	
das Baumhaus	
das Traumhaus	

die   Etagenwohnung
das   Wochenende
das   Bauernhaus
das Einfamilienhaus
das   Reihenhaus

c) Nomen im Plural + Nomen   *d) Verbstamm + Nomen*   *e) Adjektiv + Nomen*

der Städtebau
der Hundebaum

der Wohnwunsch
die Wohngegend
das Wohneigentum
das   Eßzimmer

die   Großstadt
die Zentralheizung
der   Freiraum

①, 7.5

3. „Etwas" und „nichts"

a) etwas / nichts + Adjektiv

Das ist | eine wichtige Sache.
        | etwas Wichtiges.

Das ist | keine wichtige Sache.
        | nichts Wichtiges.

Ich habe | eine wichtigere Sache | zu tun.   Sie hat | keine wichtigere Sache | zu tun.
         | etwas Wichtigeres | nichts Wichtigeres

Das ist | die wichtigste Sache.
        | das Wichtigste.

Das ist | nicht die wichtigste Sache.
        | nicht das Wichtigste.

ebenso: eine schöne   Sache – etwas Schönes   / nichts Schönes
           eine gute   Sache – etwas Gutes   / nichts Gutes
           eine besondere Sache – etwas Besonderes / nichts Besonderes

b) etwas / nichts + zu + Infinitiv

Ich brauche | etwas zu essen.
            | nichts zu essen.

4. Passiv: Passiv Perfekt / Modalverben und Passiv ①, 5.3; 14.2

a) im Satz

Aktiv:

			die Wohnung kündigen
			die Wohnung gekündigt haben

Modalverb: Man kann mir die Wohnung kündigen.
Perfekt: Man hat mir die Wohnung gekündigt.

Passiv:

			gekündigt werden
			gekündigt worden sein

Modalverb: Die Wohnung kann mir gekündigt werden.
Perfekt: Die Wohnung ist mir gekündigt worden.

b) Formen: Passiv Perfekt

Passiv Perfekt = sein + *Partizip II* + worden

ich	bin geholt worden	wir	sind geholt worden
du	bist geholt worden	ihr	seid geholt worden
Sie	sind geholt worden	sie	sind geholt worden
er sie es	ist geholt worden		

Lektion 7

1. Präpositionale Attribute ①, 8.1–6 ②, 1.3, 4

Der Junge stellt eine Antenne auf. Welcher Junge?

Der Junge, der auf dem Dach steht, stellt eine Antenne auf.

Der Junge auf dem Dach stellt eine Antenne auf.

der Mann, der Boot fährt	– der Mann im Boot
die Frau, die auf der Wiese liegt	– die Frau auf der Wiese
das Kind, das unter dem Tisch sitzt	– das Kind unter dem Tisch
die Leute, die am Tisch sitzen	– die Leute am Tisch

Ortsangabe (Situativangabe)

der Mann, der <u>eine Zigarre</u> raucht…	– der Mann <u>mit (der) Zigarre</u>
die Frau, die <u>eine Brille</u> trägt	– die Frau <u>mit (der) Brille</u>
die Leute, die <u>Blumen</u> mitbringen	– die Leute <u>mit (den) Blumen</u>
die Leute, die <u>keine Blumen</u> mitbringen	– die Leute <u>ohne Blumen</u>

Possessive Angabe; Eigenschaft

 Adjektiv + Nomen + Präpositionales Attribut:

2. „hin" + Präposition (Präpositionalpronomen) ①, 8.4, 5

a) Bewegung → Ziel wohin? – dorthin

Er steigt…	<u>auf den Berg.</u>	<u>nach oben.</u>	<u>hinauf.</u>
Sie geht…	<u>unter die Brücke.</u>	<u>nach unten.</u>	<u>hinunter.</u>
Wir gehen…	<u>über die Straße.</u>	<u>nach drüben.</u>	<u>hinüber.</u>
Er ist…	<u>aus dem Haus</u> gegangen.	<u>nach draußen.</u> gegangen.	<u>hinausgegangen.</u>
Sie ist…	<u>ins Haus</u> gegangen.	<u>nach drinnen</u> gegangen.	<u>hineingegangen.</u>

 <u>hin unter fahren</u>

hin + *Präposition* + Verb = 1 Wort

trennbarer Verbzusatz

b) Bewegung – Weg (→ Ziel)

Wir sind mit dem Rad	<u>den</u> Rhein	<u>hinauf</u>	bis Straßburg	gefahren.
	<u>das</u> Rheintal	<u>hinunter</u>	nach Linz	
	<u>am</u> Rhein	<u>entlang</u>		
	<u>an</u> Trier	<u>vorbei</u>		

3. Faktitive Verben

① 4.2; 5.1; 6.3

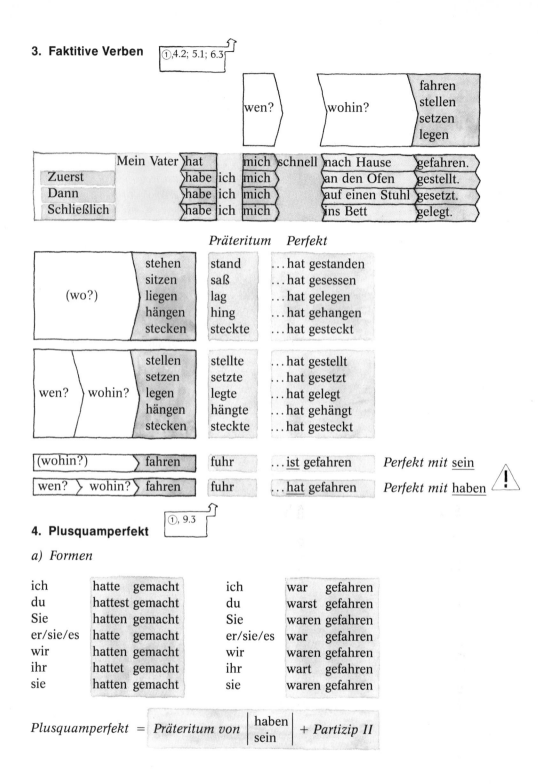

	Mein Vater	hat	mich	schnell	nach Hause	gefahren.
Zuerst		habe ich	mich		an den Ofen	gestellt.
Dann		habe ich	mich		auf einen Stuhl	gesetzt.
Schließlich		habe ich	mich		ins Bett	gelegt.

		Präteritum	*Perfekt*
(wo?)	stehen	stand	… hat gestanden
	sitzen	saß	… hat gesessen
	liegen	lag	… hat gelegen
	hängen	hing	… hat gehangen
	stecken	steckte	… hat gesteckt

wen? wohin?	stellen	stellte	… hat gestellt
	setzen	setzte	… hat gesetzt
	legen	legte	… hat gelegt
	hängen	hängte	… hat gehängt
	stecken	steckte	… hat gesteckt

(wohin?)	fahren	fuhr	… <u>ist</u> gefahren	*Perfekt mit* <u>sein</u>
wen? wohin?	fahren	fuhr	… <u>hat</u> gefahren	*Perfekt mit* <u>haben</u>

4. Plusquamperfekt

①, 9.3

a) Formen

ich	hatte gemacht		ich	war gefahren
du	hattest gemacht		du	warst gefahren
Sie	hatten gemacht		Sie	waren gefahren
er/sie/es	hatte gemacht		er/sie/es	war gefahren
wir	hatten gemacht		wir	waren gefahren
ihr	hattet gemacht		ihr	wart gefahren
sie	hatten gemacht		sie	waren gefahren

$$Plusquamperfekt = Präteritum\ von \begin{vmatrix} haben \\ sein \end{vmatrix} + Partizip\ II$$

b) im Satz

Wir	waren		noch nie	in der DDR	gewesen.
Erich Honecker	hatte			den Weg für die Fahrt	freigemacht.
Wir	hatten	uns	gut		vorbereitet.

c) im Text

Vor der Reise:
(Voraussetzungen/
Vorbereitungen/
Vorgeschichte)

Erich Honecker <u>hatte</u>
den Weg <u>freigemacht</u>.
Wir <u>hatten</u> uns gut
<u>vorbereitet</u>.
Wir <u>hatten</u> uns alles ganz
anders <u>vorgestellt</u>.

Plusquamperfekt

Während der Reise:
(die Ereignisse, die eigent-
lich erzählt werden sollen)

Am 4. Juni <u>startete</u> unser
Reisebus.
Die Tore <u>öffneten</u> sich.
Wir <u>rollten</u> durch die Repu-
blik nach Norden.

Präteritum

Nach der Reise:
(Was sind die Ergebnisse?
Was denkt man heute?)

Die Schüler <u>haben</u> ihre
Eindrücke <u>aufgeschrieben</u>.
Carola <u>beginnt</u> ihren Bericht
so: „...".

Perfekt/Präsens

5. Futur I ①, 5.3

a) Formen

ich	werde	machen
du	wirst	machen
Sie	werden	machen
er/sie/es	wird	machen
wir	werden	machen
ihr	werdet	machen
sie	werden	machen

Futur I = werden + Infinitiv

b) im Satz

		Wirst	du	dich	nicht		langweilen?
	Ich	werde			wohl	zu Hause	bleiben.
	Ich	werde				schwimmen	gehen.
Vielleicht		werde	ich		auch	Freunde	besuchen.

c) im Text

Aussage über die Zukunft:	*Vermutung über die Zukunft oder Gegenwart:*
<u>*Futur I*</u> oder *Präsens + Zeitangabe*	*Futur I,* meist + wohl, vielleicht,...

Ich <u>werde</u> eine Schiffsreise durch die Ostsee <u>machen</u>. Im Sommer <u>mache</u> ich eine Schiffsreise durch die Ostsee.	Ich <u>werde</u> wohl zu Hause <u>bleiben</u>. Klaus ist nicht gekommen. Er <u>wird</u> (wohl) krank <u>sein</u>.

6. Hervorhebung und Anschluß (Rückverweis)

	Es	gibt		im Urlaub	jede Menge angenehme Beschäftigung
Angenehme Beschäftigungen		gibt	es	auch zu Hause	jede Menge.
Die		gibt	es	auch zu Hause	jede Menge.

①, 4.4

Hervorhebung/Betonung: Wiederholung oder Pronomen
Man nimmt einen Ausdruck/einen Gedanken wieder auf und betont ihn.

Wörtlicher (direkter) Verweis:

Magst du <u>große Hitze</u>?

<u>Große Hitze</u> hasse ich.

Gedanklicher (indirekter) Verweis:

Du könntest <u>Museen und Theater</u> besuchen.

<u>Kultur</u> strengt mich immer so an.

Lektion 8

1. Passiv Präteritum

①, 14.2

a) Formen

ich	wurde geholt	wir	wurden geholt
du	wurdest geholt	ihr	wurdet geholt
Sie	wurden geholt	sie	wurden geholt
er/sie/es	wurde geholt		

Passiv Präteritum =
Präteritum von werden + Partizip II

b) im Satz

	Die Buchhaltung	wurde		im Stehen	gemacht.
	Konfektionskleider	wurden		von Hand	genäht.
Auch in der Schwerindustrie		wurde	vieles	von Hand	gemacht.

2. Vorgangspassiv und Zustandspassiv

Vorgangspassiv (Passiv Perfekt) = Vorgang; Handlung

①, 3.3; 14.2

| Zuerst | ist | dieser Text | mit Maschine | | geschrieben | worden. |
| Dann | ist | er | | in Donauwörth | gedruckt | worden. |

Partizip = Teil des Verbs

Zustandspassiv = Zustand; Ergebnis

| Zuerst | war | dieser Text | mit Maschine | geschrieben. |
| Jetzt | ist | er | | gedruckt. |

Partizip = Qualitativergänzung

Passiv Präteritum:
(Was geschah damals?)

Passiv Perfekt:
(Welche wichtigen Vorgänge sind danach geschehen?)

Zustandspassiv:
(Wie ist der Zustand/ die Situation heute?)

Schon vor zwei Jahren wurden die ersten Materialien für Themen 3 gesammelt. Im Verlag wurde die Planung besprochen, und der Umfang des Buches wurde festgelegt.

Zunächst ist das Manuskript von den Autoren geschrieben worden. Dann sind die Fotos, die Zeichnungen und das Lay-out gemacht worden. Zum Schluß ist das Buch gedruckt worden.

Das Buch ist fertig: es ist gedruckt, viele Exemplare sind an die Buchhändler geliefert und schon verkauft. Und dieses hier ist sogar schon benutzt!

3. Passiv bei Verben mit Dativergänzung

①, 7.3; 14.2

Aktiv:

Man	hat	ihm			gekündigt.
Man	kann	ihm	vielleicht		helfen.
Man	bietet	ihm	vielleicht	eine neue Stellung	an.

Passiv:

	Ihm	ist			gekündigt	worden.
Vielleicht		kann	ihm		geholfen	werden.
Vielleicht		wird	ihm	eine neue Stellung	angeboten.

Passiv mit es:

Es	ist	ihm			gekündigt	worden.
Es	kann	ihm	vielleicht		geholfen	werden.
Es	wird	ihm	vielleicht	eine neue Stellung	angeboten.

4. Ausklammerung

①, 4.4

a) Ausklammerung der freien Angabe

Die Firma	hat	in den letzten Jahren	zuviele Leute	eingestellt.
Er	hat	von einer Firma im Ausland	ein Angebot	bekommen.
Er	ist	auf seinem Gebiet	ein Fachmann.	

Die Firma	hat		zuviele Leute	eingestellt	in den letzten Jahren.
Er	hat		ein Angebot	bekommen	von einer Firma im Ausland
Er	ist		ein Fachmann		auf seinem Gebiet.

Nachfeld des Satzes:
Ausklammerung der
freien Angabe

b) Ausklammerung eines Attributs

Er will eine Zeitung für Arbeitslose
herausgeben.
Er will mit Ersatzteilen für Computer handeln.

Er will eine Zeitung herausgeben für
Arbeitslose.
Er will mit Ersatzteilen handeln für Computer.

Lektion 9

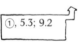

1. Modalverben

①, 5.3; 9.2

a) Bedeutung der Modalverben: müssen/nicht dürfen/nicht brauchen

Notwendigkeit, Verpflichtung:

Wir mußten immer eine Uniform anziehen. = Wir waren gezwungen, eine Uniform anzuziehen.

Verbot:

Wir durften nie eine Uniform anziehen. = Es war verboten, eine Uniform anzuziehen.

Möglichkeit, keine Notwendigkeit:

Wir brauchten keine Uniform anziehen. = Es war nicht notwendig, eine Uniform anzuziehen.

b) „brauchen" als Modalverb

ich	brauch<u>e</u>		
du	brauch<u>st</u>	nicht	im Kreis sitzen
Sie	brauch<u>en</u>	nie	eine Uniform tragen
er		nichts	sagen
sie }	brauch<u>t</u>	keine	Hausaufgaben machen
es		nur	einen guten Vorschlag machen
wir	brauch<u>en</u>		
ihr	brauch<u>t</u>		
sie	brauch<u>en</u>		

brauchen +	nicht…
	nie…
	nichts…
	kein…
	…
	———
	nur…
	kaum…
	wenig…
	…

brauchen *als Modalverb:*
immer mit Negation oder
Einschränkung.

/!\ ich darf · · · er darf
 · · ich brauch<u>e</u> · · er brauch<u>t</u>

Ich brauche keine Hausaufgaben zu machen.

Gehobene Sprache: brauchen + zu + *Infinitiv*

c) Modalverben: Perfekt

Modalverb als Vollverb: ①, 9.3

Modalverb als Auxiliar:

ich habe	etwas nichts	gewollt gesollt gedurft gemußt gekonnt gebraucht gemocht

Modalverb als Vollverb: Partizip II

ich habe	etwas nichts	tun	wollen sollen dürfen müssen können brauchen mögen

Modalverb als Auxiliar: Infinitiv

2. Wortbildung: Abgeleitete Nomen: Adjektiv → Nomen

	-keit
schwierig ➡	Schwierigkeit
wirklich ➡	Wirklichkeit

	-heit
gesund ➡	Gesundheit

Adjektiv auf -ig / -lich
→ Nomen auf -keit

Die meisten anderen Adjektive:
→ Nomen auf -heit

⚠ gerecht → Gerechtigkeit
arbeitslos → Arbeitslosigkeit

3. Konjunktiv II der starken Verben

①, 13.4

a) Formen

	Präsens	Präteritum	Konjunktiv II
ich	komme	kam	käme
du	kommst	kamst	kämst
Sie	kommen	kamen	kämen
er/sie/es	kommt	kam	käme
wir	kommen	kamen	kämen
ihr	kommt	kamt	kämt
sie	kommen	kamen	kämen

Endungen im Konjunktiv II

ich -e	wir -en
du -st	ihr -t
Sie -en	sie -en
er -e	

Konjunktiv II der wichtigsten starken Verben:

Infinitiv	3. Pers. Sg. Präteritum	3. Pers. Sg. Konjunktiv II	Infinitiv	3. Pers. Sg. Präteritum	3. Pers. Sg. Konjunktiv II
fahren	fuhr	führe	geben	gab	gäbe
tragen	trug	trüge	fliegen	flog	flöge
anfangen	fing an	finge an	schreiben	schrieb	schriebe
schlafen	schlief	schliefe	kommen	kam	käme
laufen	lief	liefe	bekommen	bekam	bekäme
sehen	sah	sähe	gehen	ging	ginge
essen	aß	äße	stehen	stand	stünde/ stände
finden	fand	fände			
tun	tat	täte			
denken	dachte	dächte			
bringen	brachte	brächte			
wissen	wußte	wüßte			

b) im Satz

einfacher Konjunktiv II

> München **käme** für mich nicht in Frage.
>
> Für mich **gäbe** es keinen Grund, in München zu studieren.
> Ich **ginge** lieber in eine andere Stadt. Wenn ich ein schönes Zimmer **fände**, **bliebe** ich in München.

Konjunktiv II mit „würde"

> München **würde** für mich nicht in Frage **kommen**.
> Für mich **würde** es keinen Grund **geben**, in München zu studieren.
> Ich **würde** lieber in eine andere Stadt **gehen**. Wenn ich ein schönes Zimmer **finden würde**, **würde** ich in München **bleiben**.

Gebrauch:

– *Modalverben:*	*fast immer einfacher Konjunktiv II:*	könnte / müßte / dürfte / sollte / wollte / bräuchte
– *sein und* haben:	*fast immer einfacher Konjunktiv II:*	wäre / hätte
– *starke Verben:*	*meistens einfacher Konjunktiv II:*	gäbe / fände / käme / …
– *schwache Verben: fast immer Konjunktiv mit* würde:		würde arbeiten / würde sagen / würde …

4. Zweigliedrige Konjunktoren

 ①, 12.3

a) innerhalb des Satzes

Man wird	entweder sowohl weder	in Mathematik	oder als auch noch	in Informatik unterrichtet.
	teils zwar zwar	in Mathematik,	teils aber auch aber nicht	

— 2 Konjunktoren —

b) zwischen Sätzen

Teils	will ich		teils	will ich		
Weder	will ich	wiederholen,	noch	will ich		weiterlernen.
Entweder	will ich		oder	ich will		
Zwar	will ich		aber	ich will	auch	

Lektion 10

1. Relativpronomen (generalisierende)

a) Fragepronomen als Relativpronomen

Frage- pronomen		Indefinit- pronomen		Relativ- pronomen	
Was	braucht man?	Man kann	alles vieles einiges nichts das	bekommen,	was	man braucht.

Was	gefällt einem nicht?	Man kann	zurückschicken,	was	einem nicht gefällt.
Worüber	ärgert man sich?	Man kann	zurückbringen,	worüber	man sich ärgert.
Wofür	...?	Man braucht	nicht kaufen,	wofür	... .
Woran	...?			woran	... .
Wodurch	...?			wodurch	... .

⬆

Das Indefinitpronomen kann weggelassen werden!

b) Fragewort als Relativpronomen

Fragewort		Relativpronomen			
Wo	wohnt er?	Ich kenne die Gegend,	wo (in der)	er wohnt.
Wie	arbeitet sie?	Ich kenne die Art,	wie (in der)	sie arbeitet.
Warum	kommt er nicht?	Ich kenne den Grund,	warum (aus dem)	er nicht kommt.

⚠ *aber:*

Wann	hat er geheiratet?	Das war die Zeit,	als (in der)	er geheiratet hat.

2. Partizip I und II

a) Formen

Infinitiv	Partizip I	Partizip II
warten	wartend	gewartet
kaufen	kaufend	gekauft
sehen	sehend	gesehen
stehen	stehend	gestanden
kommen	kommend	gekommen
⚠ sein	seiend	gewesen
tun	tuend	getan

Partizip I = Infinitiv + d

Partizip II der starken Verben:
siehe Bd. 2, Seite 152

b) Partizipien als Attribute

― *Partizipien = Adjektive* ―

c) Erweiterte Partizipialgruppe als Attribut

Die Angebote stehen in Augenhöhe.

Ich habe (die in Augenhöhe stehenden) Angebote bemerkt.

Die Fläche ist absichtlich offen gelassen worden.

Hast du (die absichtlich offen gelassene) Fläche gesehen?

3. Lokale Adverbien → Adjektive

Adverb	*Adjektiv*		*Adjektiv im Superlativ*	
oben	der	obere Knopf	der	oberste Knopf
hinten	das	hintere Regal	das	hinterste Regal
vorn(e)	der	vordere Stuhl	der	vorderste Stuhl
rechts	die	rechte Tür	–	
links	das	linke Auge	–	

4. Konjunktiv III

a) Formen

Ich hätte nicht gedacht, daß soviele Leute Telefon haben.
Ich hätte erwartet, daß mehr Leute ein Motorrad besitzen.
Ich wäre überrascht gewesen, wenn es anders wäre.

$$Konjunktiv\ III = Konjunktiv\ II\ von\ \begin{vmatrix} haben \\ sein \end{vmatrix} + Paritizip\ II$$

b) Bedeutung

Das hätte ich nicht gedacht.
An deiner Stelle wäre ich nicht gekommen.

(Es ist anders, als ich mir vorstellen konnte.)
(Ich finde es falsch, daß du gekommen bist.)

c) Übersicht: wenn-Sätze

| Wenn sie kommt, | gehen wir ins Kino. |
| | werden wir ins Kino gehen. |

(Ich weiß nicht, ob sie kommt; also weiß ich auch noch nicht, ob wir ins Kino gehen/gehen werden.)

Präsens → Präsens oder Futur

| Wenn sie käme, | gingen wir ins Kino. |
| | würden wir ins Kino gehen. |

(Es ist unwahrscheinlich, daß sie kommt; also ist es unwahrscheinlich, daß wir ins Kino gehen.)

Konjunktiv II → Konjunktiv II

Wenn sie gekommen wäre,
wären wir ins Kino gegangen.

(Sie ist aber nicht gekommen; also sind wir auch nicht ins Kino gegangen.)

Konjunktiv III → Konjunktiv III

5. „haben" / „sein" + „zu" + Infinitiv

a) Möglichkeit

| Der Automat ist auch abends zu benutzen. | Der Automat kann auch abends benutzt werden. |
| Die Tür ist einfach zu öffnen. | Die Tür läßt sich einfach öffnen (...kann einfach geöffnet werden). |

b) Notwendigkeit/Zwang/Vorschrift

| Wie sind diese Geräte zu bedienen? | Wie müssen diese Geräte bedient werden? |
| Der Kredit ist in 2 Jahren zurückzuzahlen. | Der Kredit muß in 2 Jahren zurückgezahlt werden. |

| Wie hat man diese Geräte zu bedienen? | Wie muß man diese Geräte bedienen? |
| Ich habe den Kredit in 2 Jahren zurückzuzahlen. | Ich muß den Kredit in 2 Jahren zurückzahlen. |

6. Modalverben: Bedeutung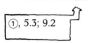

Das könnte ein Hut sein.	*(Möglichkeit)*
Das dürfte (wohl) ein Hut sein.	*(Vermutung)*
Das muß ein Hut sein.	*(sichere Vermutung)*
Das kann nur ein Hut sein.	*(sichere Vermutung)*
Er soll ausgewandert sein.	*(Behauptung über etwas Vergangenes)*
Er soll verheiratet sein.	*(Behauptung über etwas Gegenwärtiges)*
Sie sollen zum Chef kommen.	*(Wiedergabe einer Aufforderung)*
Sie möchten zum Chef kommen.	*(Wiedergabe einer Aufforderung)*

7. Wortbildung: abgeleitete Nomen: Verb → Nomen

Nomen = Infinitiv

vertrauen	das Vertrauen
verhalten	das Verhalten
wissen	das Wissen
verfahren	das Verfahren

Nomen = eigene Form

fliegen	der Flug
wünschen	der Wunsch
kaufen	der Kauf
verkaufen	der Verkauf
bauen	der Bau
beginnen	der Beginn

Nomen = Verbstamm + -ung

beschreiben	die Beschreibung
lösen	die Lösung
werben	die Werbung
ausbilden	die Ausbildung
prüfen	die Prüfung

Verb auf -ieren → Nomen auf -ation

informieren	die Information
demonstrieren	die Demonstration
organisieren	die Organisation

Nomen = Verbstamm + -er(in)

verkaufen	der Verkäufer
	die Verkäuferin
kaufen	der Käufer
	die Käuferin
handeln	der Händler
	die Händlerin

① , 6.4; 11.5; 14.1

8. Wortbildung: Adjektive

a) Adjektive auf -ig, -lich, -isch

Nomen	Adjektiv
Ruhe	ruhig
Nebel	neblig
Eile	eilig
Trauer	traurig

Nomen	Adjektiv
Unterschied	unterschiedlich
Bild	bildlich
Freund	freundlich
Tag	täglich

Nomen	Adjektiv
Ausland	ausländisch
Biologie	biologisch
Schule	schulisch
Medizin	medizinisch

Verb	Adjektiv
abhängen	abhängig
gelten	gültig
bluten	blutig

Verb	Adjektiv
anfangen	anfänglich
ärgern	ärgerlich
nützen	nützlich

b) *Adjektive auf* -voll, -los, -reich, -arm, -bar, -wert

Nomen	Adjektiv	Adjektiv	(Gegenteil)
Sinn	sinn<u>voll</u>	sinn<u>los</u>	(= ohne Sinn)
Wert	wert<u>voll</u>	wert<u>los</u>	(= ohne Wert)
Phantasie	phantasie<u>voll</u>	phantasie<u>los</u>	(= ohne Phantasie)
Liebe	liebe<u>voll</u>	lieb<u>los</u>	(= ohne Liebe)

Erfolg	erfolg<u>reich</u>	erfolg<u>los</u>	(= ohne Erfolg)
Zahl	zahl<u>reich</u>	zahl<u>los</u>	(= sehr viele; man kann sie nicht zählen)

⚠ Idee   ideen<u>reich</u>   ideen<u>arm</u>   (= arm an Ideen)

Verb	Adjektiv	
erkennen	erkenn<u>bar</u>	(= man kann es erkennen, spüren, messen, sehen...)
spüren	spür<u>bar</u>	
messen	meß<u>bar</u>	

⚠ sehen   sicht<u>bar</u>

⚠ halten   halt<u>bar</u>   (= die Milch hält sich; sie ist haltbar)

⚠ scheinen   schein<u>bar</u>   (= es scheint nur so; es ist scheinbar so)

Nomen oder Verb	Adjektiv	
Preis	preis<u>wert</u>	(= es ist seinen Preis wert)
wünschen	wünschens<u>wert</u>	(= es lohnt sich, es zu wünschen)
bedauern	bedauerns<u>wert</u>	(= man muß ihn/sie bedauern)

Lektion 11

1. Verben mit untrennbarem Verbzusatz be-, emp-, ent-, er-, ge-, ver-, zer-

①, 10.1

a) *im Satz*

Die Kinder	beschäftigen	sich allein.
Sie	entwickeln	sich schnell.
Sie	erfinden	neue Spiele.
Sie	gebrauchen	ihre Phantasie.
Sie	verkleiden	sich.
Sie	zerstören	ihr Spielzeug.

Die Kinder	haben sich allein	beschäftigt.
Sie	haben sich schnell	entwickelt.
Sie	haben neue Spiele	erfunden.
Sie	haben ihre Phantasie	gebraucht.
Sie	haben sich	verkleidet.
Sie	haben ihr Spielzeug	zerstört.

b) Formen

Infinitiv	*3. Pers. Sing.* *Präsens*	*Partizip II*
beschäftigen	beschäftigt	beschäftigt
entwickeln	entwickelt	entwickelt
erfinden	erfindet	erfunden
gebrauchen	gebraucht	gebraucht
verkleiden	verkleidet	verkleidet
zerstören	zerstört	zerstört

⚠ *Partizip II ohne* ge-

ebenso:

be-:	beantworten, bearbeiten, bedanken, bedienen, begrüßen ...
emp-:	empfangen, empfehlen
ent-:	enthalten, entdecken, entscheiden, entstehen, enttäuschen ...
er-:	erfahren, erfüllen, erhalten, erholen, erkennen, erklären ...
ge-:	gefallen, gehören, gelingen, genügen, geschehen, gewinnen ...
ver-:	verändern, verbessern, verbinden, verbringen, verdienen ...
zer-:	zerschlagen ...

c) Verben mit be-: schenken/beschenken; danken/bedanken ...

Der Weihnachtsmann	schenkt	den Kindern etwas.
Die Kinder	danken	dem Weihnachtsmann.
Sie	malen	etwas auf die Vase.
Die Eltern	antworten	auf ihre Fragen.

einfaches Verb   *Ergänzung*

Der Weihnachtsmann	beschenkt	die Kinder.
Die Kinder	bedanken	sich bei dem Weihnachtsmann.
Sie	bemalen	die Vase.
Die Eltern	beantworten	ihre Fragen.

Verb mit be-...   *Akkusativergänzung*

2. Verben mit trennbarem oder untrennbarem Verbzusatz ①, 5.2

a) Trennbarer Verbzusatz: Präposition, Adjektiv oder Adverb

trennbarer Verbzusatz	Infinitiv	3. Pers. Sing. Präsens	Partizip II
ab-, an-, auf-, aus-, bei-, durch-, mit-, nach-, über-, um-, unter-, vor-, zu-...	ablehnen	lehnt ab	abgelehnt
	anfangen	fängt an	angefangen
	aufhören	hört auf	aufgehört
	auspacken	packt aus	ausgepackt
	durchstreichen	streicht durch	durchgestrichen
	einpacken	packt ein	eingepackt
ein-, hinein-, hinauf-,	festhalten	hält fest	festgehalten
hinaus-, hinunter-, hin-,	fortsetzen	setzt fort	fortgesetzt
her-, heraus-, herein-,	freimachen	macht frei	freigemacht
voraus-, vorbei-, weg-,	herstellen	stellt her	hergestellt
weiter-, zurück-...	herausfinden	findet heraus	herausgefunden
	hereinholen	holt herein	hereingeholt
	hineingehen	geht hinein	hineingegangen
fest-, fort-, frei-,	mitarbeiten	arbeitet mit	mitgearbeitet
teil-, übrig-, voll-,	nachlesen	liest nach	nachgelesen
weiter-, wieder-,	teilnehmen	nimmt teil	teilgenommen
zusammen-...	überfahren	fährt über	übergefahren
	übrigbleiben	bleibt übrig	übriggeblieben
	umfallen	fällt um	umgefallen
	unterbringen	bringt unter	untergebracht
	vorstellen	stellt vor	vorgestellt
	voraussehen	sieht voraus	vorausgesehen
	vorbeigehen	geht vorbei	vorbeigegangen
	wegfahren	fährt weg	weggefahren
	weitermachen	macht weiter	weitergemacht
	wiedersehen	sieht wieder	wiedergesehen
	zunehmen	nimmt zu	zugenommen
	zurückgehen	geht zurück	zurückgegangen
	zusammenfassen	faßt zusammen	zusammengefaßt

└─ *Betonung auf dem Verbzusatz* ─┘ ↑ *Partizip II mit -ge-*

 vor-<u>be</u>-reiten
wieder-<u>er</u>-kennen

Verb mit trennbarem + untrennbarem Verbzusatz

Partizip II ohne -ge-

vorbereitet
wiedererkannt

b) Untrennbarer Verbzusatz: Präposition oder Adverb

Infinitiv	*3. Pers. Sing. Präsens*	*Partizip II*
durchqueren	durchquert	durchquert
überlegen	überlegt	überlegt
unterhalten	unterhält	unterhalten
wiederholen	wiederholt	wiederholt

Betonung auf dem Verbstamm   *Partizip II ohne -ge-*

ebenso:
übernachten, überraschen, überreden, überweisen, überzeugen;
unterbrechen, unterhalten, unternehmen, unterrichten, unterscheiden, unterschreiben,
unterstreichen, unterstützen, untersuchen.

⚠ Sie wiederholt den Satz   Sie holt ihr Kind wieder.

wieder<u>hol</u>en = noch einmal sagen/tun   <u>wieder</u>holen = zurückholen

untrennbarer Verbzusatz: *trennbarer Verbzusatz:*
Betonung auf Verbstamm   *Betonung auf trennbarem Verbzusatz*

②, 1.1

3. Konstruktionen mit „es"

a) in festen Redewendungen (es muß immer stehen)

bei Normalstellung   *bei Inversion*

Es ist kalt.		ist	es kalt.
Es regnet.		regnet	es.
Es zieht.		zieht	es.
Es riecht nach...		riecht	es nach...
Es geht los.		geht	es los.
Es geht nicht anders/besser/...		geht	es nicht anders/besser/...
Es geht um...		geht	es um...
Es handelt sich um...	Vielleicht	handelt	es sich um...
Es sind 20 Prozent...		sind	es 20 Prozent...
Es gibt...		gibt	es...
Es sieht (so) aus...		sieht	es (so) aus...
Es scheint zu/daß...		scheint	es zu/daß...
Es heißt, daß...		heißt	es, daß...
Es kommt zu...		kommt	es zu...
Es kommt darauf an zu/daß...		kommt	es darauf an zu/daß...
Es fehlt an...		fehlt	es an

——— *es = Subjekt* ———

Er macht es sich gemütlich.
Sie hat   es schwer/leicht.
Sie hat   es gut/besser.
	Vielleicht | macht er es sich gemütlich.
	            | hat sie es schwer/leicht.
	            | hat sie es gut/besser.

└──── es = *Akkusativergänzung* ────┘
②, 8.3

b) es *als Ersatzsubjekt zur Fokussierung*

bei Fokussierung:	*bei Normalstellung:*	*bei Inversion:*
es *muß stehen*	es *darf nicht stehen*	es *darf nicht stehen*

Es fehlt der Mut.
Es kommen Leute.
Es findet ein Fest statt.
Es folgt ein Bericht.
Es wird ein Fest gefeiert.
Es wurden Geschenke verteilt.
	Der Mut fehlt.
	Leute kommen.
	Ein Fest findet statt.
	Ein Bericht folgt.
	Ein Fest wird gefeiert.
	Geschenke wurden verteilt.
		Vielleicht | fehlt der Mut.
		           | kommen Leute.
		           | findet ein Fest statt.
		           | folgt ein Bericht.
		           | wird ein Fest gefeiert.
		           | wurden Geschenke verte

└──── *eigentliches Subjekt* ────┘

Es wurde ihm gekündigt.
Es wird geheiratet.
Es wird gefeiert.
	Ihm wurde gekündigt.
	—
	—
		Vielleicht | wurde ihm gekündigt.
		           | wird geheiratet.
		           | wird gefeiert.

kein Subjekt

c) es *als Korrelat bei Ausdrücken mit Infinitivsatz oder Nebensatz*

bei Normalstellung: es *muß stehen*   *bei Inversion:* es *muß stehen*

Es ist normal zu heiraten.
Es ist gut, daß sie geheiratet hat.
Es paßt ihm nicht, daß sie geheiratet hat.
Es spielt keine Rolle, ob man heiratet.
	Vielleicht | ist es normal zu heiraten.
	           | ist es gut, daß sie geheiratet hat.
	           | paßt es ihm nicht, daß sie geheiratet hat.
	           | spielt es keine Rolle, ob man heiratet.	

bei vorausgehendem Infinitivsatz/Nebensatz: es *darf nicht stehen*

Zu heiraten   ist normal. Daß sie geheiratet hat, ist gut. Daß sie geheiratet hat, paßt ihm nicht. Ob man heiratet,   spielt keine Rolle.

4. Fokuswörter

a) im Satz

Heute		sind	es		gerade noch	25%.	
	Nicht nur die Einstellung	hat		sich			geändert.
	Die Kirche selbst	hat		sich			verändert.

⚠️ *Fokuswörter stehen direkt bei dem Wort, auf das sie sich beziehen.*

b) vorangestellte Fokuswörter

auch	Auch die Kirche hat sich verändert.
erst	Erst zu Weihnachten gibt es Geschenke.
fast	Fast alle Leute feiern Weihnachten.
gerade	Gerade in der Bundesrepublik hat sich die Friedensbewegung formiert.
genau	Genau 23% aller Bürger gehen regelmäßig in die Kirche.
gerade	Gerade heute ist die Religion wichtig.
kaum	Kaum ein Viertel aller Bürger geht in die Kirche.
knapp	Knapp ein Viertel aller Bürger geht in die Kirche.
mindestens	Mindestens 43% der Bürger sind Protestanten.
nicht	Nicht alle Menschen glauben an einen Gott.
noch	Noch vor 20 Jahren war das anders.
nur	Nur 23% gehen in die Kirche.
nicht nur	Nicht nur die Katholiken feiern Weihnachten.
schon	Schon wegen der Geschenke ist Weihnachten das wichtigste Fest.
wenigstens	Wenigstens zu Weihnachten könntest du in die Kirche gehen.
zumindest	Zumindest zu Weihnachten könntest du in die Kirche gehen.

c) nachgestellte Fokuswörter

aber	Die Kirche aber hat heute weniger Bedeutung.
dagegen	Zu Weihnachten dagegen gehen viele Menschen in die Kirche.
selber	Die Kirche selber hat sich verändert.

d) voran- oder nachgestellte Fokuswörter

⚠️ *Unterschiede in der Bedeutung!*

allein	Allein 43% sind Protestanten. – Jeder allein muß sich entscheiden.
etwa	Etwa 1,8 Millionen Moslems leben hier. – Ali etwa ist ein Moslem.
selbst	Selbst die Kirche hat sich verändert. – Die Kirche selbst hat sich verändert.

5. Das Reziprokpronomen „einander"

①, 13.1, 2
②, 4.1, 2

a) einander = sich

Er begrüßt sie.	– Sie begrüßt ihn.	– Sie begrüßen sich.
		Sie begrüßen einander.

⚠ Sie wünschen sich ein Kind.   = Beide zusammen wünschen sich ein Kind.
Sie wünschen sich ein frohes Fest.   = Sie wünschen einander ein frohes Fest.

b) *Präposition* + einander

Er steht bei ihr.	– Sie steht bei ihm.	– Sie stehen beieinander.
Er spricht mit ihr.	– Sie spricht mit ihm.	– Sie sprechen miteinander.

Lektion 12

①, 11.2;
14.2
②, 7.1

1. Attribute

a) vorangestellte Attribute

Er interessiert sich für (Theaterstücke.)   (Was für) Theaterstücke)

Er interessiert sich für (Theaterstücke, die modern sind und aus Deutschland, Europa oder Amerika kommen.)

Er interessiert sich für (moderne deutsche, europäische und amerikanische) Theaterstücke)

↑ *Adjektivgruppe*

Es gibt viele (Stadttheater.)   (Was für) Stadttheater?)

Es gibt viele (Stadttheater, die von Bürgern gegründet worden sind.)

Es gibt viele (von Bürgern gegründete Stadttheater.)

↑ *Partizipgruppe*

(Welches) Ballett?)

Am berühmtesten ist (das Ballett, das in Stuttgart besteht.)

Am berühmtesten ist (das Stuttgarter Ballett.)

↑ *Städtename*

ebenso: der   Kölner Dom   das   Heidelberger Schloß
        die   Frankfurter Oper   die   Salzburger Festspiele

b) nachgestellte Attribute

Über hundert Herzogtümer bestanden (in dem Gebiet, das später Deutschland wurde.)

Über hundert Herzogtümer bestanden (im Gebiet des späteren Deutschland.)

Genitivattribut

Es gibt Modelle, die aus der Geschichte der Technik stammen.

Es gibt Modelle (aus der Geschichte der Technik.)

präpositionales Attribut

Es gab über hundert Herzogtümer.   Jedes (der über hundert Herzogtümer)

Jedes hatte ein eigenes Hoftheater.   hatte ein eigenes Hoftheater.

jeder/jede/jedes + Genitivattribut

ebenso: keiner, einer, mancher, einige, wenige, viele + *Genitivattribut*

c) Abhängigkeit von Attributen

Musikfestspiele sind (gut besuchte Höhepunkte im Kulturleben einer Stadt.)

Musikfestspiele sind

Höhepunkte

gut besuchte   im Kulturleben

einer Stadt.

2. Konjunktiv I

a) Formen

	kommen	haben	wollen	müssen	werden	- e	sein
ich	komme	habe	wolle	müsse	werde	- est	sei
du	kommest	habest	wollest	müssest	werdest	- en	seist
er/sie/es	komme	habe	wolle	müsse	werde	- e	sei
wir	kommen	haben	wollen	müssen	werden	- en	seien
ihr	kommet	habet	wollet	müsset	werdet	- et	seid
sie	kommen	haben	wollen	müssen	werden	- en	seien

b) im Text

Wörtliche Rede: *Redewiedergabe:*

Die Kritiker sagten: Die Kritiker sagten,

„Das Stück ist   zu wenig politisch."   das Stück sei   zu wenig politisch;
„Der Zufall spielt eine zu große Rolle."   der Zufall spiele eine zu große Rolle.

⬆   ⬆
Indikativ   *Konjunktiv I*

⚠ *Gebrauch:* sein: *alle Formen*   ① , 13.4
         andere Verben: nur in 3. Person Singular,
         sonst: Konjunktiv II statt Konjunktiv I

Möbius meint: Möbius meint
„Wir sind   gefährlich für die Welt."   sie seien   gefährlich für die Welt;
„Wir bleiben im Irrenhaus."   sie blieben im Irrenhaus.

                                              blieben = *Konjunktiv II*

3. „als"/„als ob" + Konjunktiv

Du siehst aus, als ob du Sorgen hättest.   Du siehst aus, als hättest du Sorgen.
Es scheint,   als ob sie gerettet seien.   Er scheint,   als seien sie gerettet.
Er tut (so),   als ob er verrückt wäre.   Er tut (so),   als wäre er verrückt.

         als ob + *Nebensatz*   als + *Hauptsatz mit Inversion*

4. „je"

a) als Fokuswort

Heute hören mehr Leute als je zuvor „lebendige" Musik.   je + *Zeitadverb* (= jemals)
Von je 100 Haushalten besitzen...   je + *Zahl* (= jeweils)
9 Listen mit je 11 Wörtern...
Je nach Plazierung wurde der gleiche Artikel unter-   je + *nach*
schiedlich gekauft.   (= es kommt darauf an, wie...)
‚Lebensqualität' ist ein Schlüsselbegriff, der je nach poli-
tischem Standort unterschiedlich verwendet wird.
Je ungewöhnlicher die Idee ist, desto spannender wird   je + *Adjektiv im Komparativ –*
die Geschichte.   desto + *Adjektiv im Komparativ*
Je später der Abend, desto schöner die Gäste.

b) als Adverb (freie Angabe)

Es war die schönste Fahrt, die ich je gemacht habe.   je *allein* (= jemals, überhaupt)
Es war anders, als ich es mir je vorgestellt habe.

5. Infinitiv als Nomen

<u>Nachdenken</u> über „Typen" und sich selbst ist ein wichtiges Ziel des Schultheaters.	Es ist ein wichtiges Ziel des Schultheaters, daß man über sich selbst nachdenkt.
Es geht dabei um <u>das Kennenlernen</u> von Menschen und ihrer Umwelt.	Es geht dabei darum, daß man Menschen und ihre Umwelt kennenlernt.
Ich habe mich schon immer für <u>das Theaterspielen</u> interessiert.	Ich habe mich schon immer dafür interessiert, Theater zu spielen.
Die Erfahrung <u>des Theaterspielens</u> bleibt eine große Bereicherung für das ganze Leben.	Die Erfahrung, Theater zu spielen, bleibt eine große Bereicherung für das ganze Leben.
H. Böhlen hat große Erfahrung <u>im Leiten</u> von Theatergruppen.	H. Böhlen hat große Erfahrung darin, Theatergruppen zu leiten.
<u>Beim Proben</u> erfahre ich, wie ich selbst sein könnte, aber nicht bin.	Wenn wir proben, erfahre ich, wie ich selbst sein könnte, aber nicht bin.
<u>Während des Spielens</u> denkt man über sich selbst nach.	Während man spielt, denkt man über sich selbst nach.
<u>Zum Theaterspielen</u> braucht man Mut.	Um Theater zu spielen, braucht man Mut.

 Selbständige Nomen statt Infinitiv als Nomen:

H. Böhlen hat große Erfahrung	in der Leitung im Leiten	von Theatergruppen.
Alles wird	vom Verkauf vom Verkaufen	der Theaterkarten finanziert.

Lektion 13

①, 11.5

1. Attributives Adjektiv nach Null-Artikel, „etwas"/„einige", „wenig(e)", „viel(e)"

a) Formen

Singular:

Nominativ

Ø	frischer Fisch
etwas	heiße Suppe
wenig	kaltes Bier
viel	

Akkusativ

Ø	frischen Fisch
etwas	heiße Suppe
wenig	kaltes Bier
viel	

Dativ

Ø	frischem Fisch
etwas	heißer Suppe
wenig	kaltem Bier
viel	

Plural:

Nominativ			*Akkusativ*			*Dativ*		
Ø	frische	Fische	Ø	frische	Fische	Ø	frischen	Fischen
einige	heiße	Suppen	einige	heiße	Suppen	einigen	heißen	Suppen
wenige	kalte	Biere	wenige	kalte	Biere	wenigen	kalten	Bieren
viele			viele			vielen		

b) Null-Artikel im Text

Ausführlicher Bericht:

Stichworte / Zeitungsschlagzeile / Lexikonartikel / Telegramm:

Der erste Mensch ist zu einem Weltraumflug gestartet. Der CDU-Politiker Ludwig Erhard wird der neue Bundeskanzler der Bundesrepublik. Erstmals seit... ist ein leichtes Ansteigen der Arbeitslosenzahl festzustellen.

Erster Mensch im Weltraum! Erhard wird neuer Bundeskanzler. Erstmals seit... leichtes Ansteigen der Arbeitslosenzahl.

2. Appositionen und Einschübe

a) *vorangestellt*

Juri Gagarin startet als erster Mensch zu einem Weltraumflug. Juri Garagin ist ein sowjetischer Kosmonaut. Gustav Heinemann wird zum Bundespräsidenten gewählt. Er ist SPD-Politiker.

Der sowjetische Kosmonaut Juri Gagarin startet als erster Mensch zu einem Weltraumflug. Der SPD-Politiker Gustav Heinemann wird zum Bundespräsidenten gewählt.

b) *nachgestellt*

Im Hamburger Star-Club tritt eine unbekannte englische Musikgruppe auf. Die Musikgruppe heißt „die Beatles". Der Papst lehnt die Antibabypille ab. Die Antibabypille wird kurz „die Pille" genannt.

Im Hamburger Star-Club tritt eine unbekannte englische Musikgruppe, „die Beatles", auf. Der Papst lehnt die Antibabypille, kurz „Pille" genannt, ab.

c) *Appositionen mit* als

Juri Gagarin ist der erste Mensch, der zu einem Weltraumflug startet.

Juri Gagarin startet als erster Mensch zu einem Weltraumflug. Als erster Mensch startet Juri Gagarin zu einem Weltraumflug.

3. Tempusgebrauch im Erzähltext

Plusquamperfekt:
Vorgeschichte, die vor dem eigentlichen Erlebnis passiert ist

Peter hatte mir eine Karte geschenkt.
Meinen Eltern hatte ich erzählt, ich wäre bei einer Freundin zu einer Party eingeladen.

Präteritum:
Die Erzählung des Erlebnisses

Die Uhr schlug dreimal, und dann endlich kamen sie! Der Saal kochte über. Aber sie nahmen ganz leise ihre Instrumente. Es begann mit...

Perfekt:
Konsequenzen des Erlebnisses

Meine Eltern haben erfahren, daß ich bei den Stones war. Sie haben eigentlich fab reagiert, ich habe wenig Krach gekriegt.

Präsens:
Kommentar des Erlebnisses / Zustand in der Gegenwart

Meine Reaktion war ganz anders. Ich verstehe es heute selbst nicht mehr.

Präsens:
Zustand, der immer so ist (in der Vergangenheit und in der Gegenwart)

Mick hat zwei süße Grübchen, wenn er lacht. Er hat auch die Haare viel kürzer, als ich sie in Erinnerung habe.

4. Perfekt: Infinitiv + „sehen"/„hören"/„lassen"

①, 5.1, b)
②, 2.1

Ich habe gesehen, wie der Mann kam.
Ich habe gehört, wie er an die Tür klopfte.
Ich wollte nicht gestört werden.

Ich habe den Mann		kommen	sehen.
Ich habe ihn an die Tür	klopfen	hören.
Ich habe mich nicht		stören	lassen.

Infinitiv

5. Perfekt/Plusquamperfekt der Modalverben im Nebensatz

①, 9.2, 3;
12.1, 2
②, 7.4

Ich bin nicht aus der Telefonzelle gekommen,

| weil | | ich | | meinen Freund | habe anrufen wollen. |
| obwohl | | ich | ihn | | habe klopfen hören. |

Draußen stand mein Freund,

| von dem | | ich mich | nicht | | habe stören lassen. |
| den | | ich | | | hatte anrufen wollen. |

Personalform des Verbs

⚠ *ebenso:* sehen/hören/lassen

Ich erinnere mich,	daß ich ihn	habe kommen sehen.
	daß ich ihn	habe klopfen hören.
	daß ich mich nicht	habe stören lassen.

Lektion 14

1. Indefinitpronomen „man", „jemand", „niemand"

①, 7.5

a) Formen

Nominativ	man	jemand	niemand
Akkusativ	einen	jemanden	niemanden
Dativ	einem	jemandem	niemandem
Genitiv	—	jemandes	niemandes

! *in der Umgangssprache:*

Akkusativ:	jemand / niemand
Dativ:	jemand / niemand

b) im Satz

<u>Man</u> kann sich doch nicht alles gefallen lassen.
Können die Politiker <u>einen</u> nicht in Ruhe lassen?
Was wollen die <u>einem</u> noch alles verbieten?

<u>Niemand</u> beachtet die Geschwindigkeitsbegrenzung.
Kennst du <u>jemand(en)</u>, der nie schneller als 100 fährt?
Es kann <u>niemand(em)</u> gleich sein, ob der Wald stirbt.

2. Artikelwörter: derselbe / jener

①, 3.1

Nominativ	*Akkusativ*	*Dativ*	*Genitiv*
d<u>er</u> d<u>er</u>selbe Mann jen<u>er</u>	d<u>en</u> d<u>en</u>selben Mann jen<u>en</u>	d<u>em</u> d<u>em</u>selben Mann jen<u>em</u>	d<u>es</u> d<u>es</u>selben Mannes jen<u>es</u>
d<u>ie</u> d<u>ie</u>selbe Frau jen<u>e</u>	d<u>ie</u> d<u>ie</u>selbe Frau jen<u>e</u>	d<u>er</u> d<u>er</u>selben Frau jen<u>er</u>	d<u>er</u> d<u>er</u>selben Frau jen<u>er</u>
d<u>as</u> d<u>as</u>selbe Kind jen<u>es</u>	d<u>as</u> d<u>as</u>selbe Kind jen<u>es</u>	d<u>em</u> d<u>em</u>selben Kind jen<u>em</u>	d<u>es</u> d<u>es</u>selben Kindes jen<u>es</u>
d<u>ie</u> Männer d<u>ie</u>selben Frauen jen<u>e</u> Kinder	d<u>ie</u> Männer d<u>ie</u>selben Frauen jen<u>e</u> Kinder	d<u>en</u> Männern d<u>en</u>selben Frauen jen<u>en</u> Kindern	d<u>er</u> Männer d<u>er</u>selben Frauen jen<u>er</u> Kinder

! derselbe/jener + *attributives Adjektiv:*
Adjektivformen wie bei der/die/das + *Adjektiv*

①, 11.5

dersel<u>be</u> jen<u>er</u>	klein<u>e</u> Mann	den<u>selben</u> jen<u>en</u>	klein<u>en</u> Mann

3. Artikelwörter als Pronomen

①, 3.2;
6.5;
7.5

a) ein-, kein-, mein-, dein-, Ihr-, sein-, ihr-, unser-, euer-, ihr-

Das ist	ein	Auto.
Das ist	kein	Fahrrad.
Das ist	mein	Auto.
Er sucht	sein	Auto.
Wir kommen mit	unserem	Auto.

Das ist	eins.
Das ist	keins.
Das ist	meins.
Er sucht	seins.
Wir kommen mit	unserem.

Artikelwort　　　　　　　　　*Pronomen*

⚠ *Nominativ Singular*　　　　*Akkusativ Singular*

Mask.:	mein Führerschein –	meiner
Neutr.:	mein Auto	– meins

meinen Führerschein –	meinen
mein　Auto	– meins

In allen anderen Formen hat das Pronomen dieselbe Form wie das Artikelwort.

①, 11.3

b) der, derselbe, dieser, jener, jeder, mancher, welcher, einige, wenige, viele, alle

Diese Wörter haben als Pronomen immer die gleichen Formen wie die Artikelwörter

Der	Autofahrer fährt zu schnell.
Welcher	Autofahrer fährt zu schnell?
Dieser	Autofahrer fährt zu schnell.
Viele	Autofahrer fahren zu schnell.

Der	fährt zu schnell.
Welcher	fährt zu schnell?
Dieser	fährt zu schnell.
Viele	fahren zu schnell.

Artikelwort　　　　　　　　　*Pronomen*

4. Funktionsverben

Die Volksmeinung ist in Bewegung ge-kommen.
Dieser kritische Gedanke hat Eingang gefunden in das Denken der Bevölkerungsmehrheit.
Man muß zu den Argumenten anderer Stellung nehmen.
Ein Tempolimit würde Arbeitsplätze in Gefahr bringen.
Durch ein Tempolimit würden Arbeitsplätze in Gefahr kommen.

Die Volksmeinung hat sich bewegt.

Dieser kritische Gedanke ist in das Denken der Bevölkerungsmehrheit eingegangen.
Man muß zu den Argumenten anderer seine Meinung sagen.
Ein Tempolimit würde Arbeitsplätze gefährden.
Durch ein Tempolimit würden Arbeitsplätze gefährdet.

ebenso:

in Ordnung bringen	in Ordnung kommen
in Zusammenhang bringen	in Zusammenhang kommen
in Stimmung bringen	in Stimmung kommen
in Bewegung bringen	in Bewegung kommen
auf eine Idee bringen	auf eine Idee kommen
zum Vorschein bringen	zum Vorschein kommen
zum Ausdruck bringen	zum Ausdruck kommen
—	in Frage kommen

Antwort geben	Antwort bekommen
Auskunft geben	Auskunft bekommen
Erlaubnis geben	Erlaubnis bekommen
Unterricht geben	Unterricht bekommen
Bescheid geben	Bescheid bekommen
einen Hinweis geben	einen Hinweis bekommen

eine Entdeckung machen
eine Erfindung machen
Angaben machen
Schluß machen

ein Gespräch führen
zu Ende führen

Hilfe leisten
den Fahneneid leisten

zur Verfügung stellen
Fragen stellen
einen Antrag stellen
Anforderungen stellen
eine Forderung stellen

im Mittelpunkt stehen
zur Verfügung stehen
in Verbindung stehen
auf dem Standpunkt stehen

Lösungen zu Seite 38:

1c, 2a, 3a, 4b, 5c, 6c, 7b, 8b, 9c, 10a (1992)

Alphabetische Wortliste

Die Wortliste führt alle Wörter und Wendungen auf, die in den A- und B-Teilen der Lektionen dieses Lehrbuches vorkommen.

Zusammengesetzte Wörter (Komposita) werden nur dann aufgeführt, wenn ihre Bedeutung nicht ohne weiteres aus den Teilwörtern hervorgeht.

Wörter, die schon in Kursbuch 1 dieser zweibändigen Ausgabe vorkommen, in Kursbuch 2 aber in einer abweichenden Bedeutung gebraucht werden, sind noch einmal in die Wortliste aufgenommen worden. Verweise zu anderen Stichworten (→) können sich auf die Wortliste in Kursbuch 1 oder auf die vorliegende Wortliste beziehen.

Der Wortschatz des Zertifikats Deutsch als Fremdsprache ist durch halbfetten Druck hervorgehoben. Die starken Verben sind mit einem * gekennzeichnet.

à S. 73
ab S. 9, 37
ab und zu S. 180
abbauen S. 99, 107, 167
abbiegen* S. 179
abbilden S. 125
e Abbildung, -en S. 97
abbringen* S. 146
abendlich S. 87
abends S. 10, 86
s Abenteuer, - S. 49, 136
aber S. 69, 84, 88, 97, 148
abfinden* S. 99
abfliegen* S. 79
r Abflug, ¨e S. 20
e Abgabe, -n S. 124
s Abgas, -e S. 15
abgeben S. 97
r/e Abgeordnete, -n (ein Abgeordneter, eine Abgeordnete) S. 36
s Abgeordnetengehalt, ¨er S. 36
abgesehen S. 85, 143
abhängen* S. 174
abhängig S. 39
e Abhängigkeit, -en S. 172
abhauen S. 158
ablegen S. 178
ablehnen S. 138, 155, 156, 169, 171
e Ablöse S. 68
abmachen S. 163
abnehmen* S. 154
s Abonnement, -s S. 126
abreagieren S. 180
e Abreise S. 134
abreißen* S. 175
e Abrüstung S. 137
e Absage, -n S. 173
abschlaffen S. 81
s Abschleppseil, -e S. 179
abschließen* S. 20, 132, 172
abschließend S. 171

r Abschluß, Abschlüsse S. 92, 106, 107
abschneiden* S. 182, 183
r **Abschnitt**, -e S. 87, 155, 185
r **Absender**, - S. 114
absetzen S. 98
e Absicht, -en S. 182
absichtlich S. 120
absolut S. 151
abspielen S. 70
abstimmen S. 98, 156
abstrakt S. 154
abstürzen S. 156
abtrocknen S. 132
e Abwanderung, -en S. 69
abwärts S. 82
r Abwasch S. 72
abwaschbar S. 155
e Abwechslung, -en S. 148
r Abwurf, ¨e S. 147
abzeichnen S. 123
abziehen* S. 124
ach S. 74, 162
Ach was! S. 74
achten S. 125, 179
e Achterbahn, -en S. 122
Achtung S. 168, 179
a. D. (außer Dienst) S. 133
r ADAC (Allgemeiner Deutscher Automobil Club) S. 112
r Advent S. 130
r Adventskranz, ¨e S. 130
e Affäre, -n S. 156
aggressiv S. 15
e Aggressivität S. 180
aha S. 148
e Ahnung S. 113
e **Akademie**, -n S. 98
r Akt, -e S. 147
e Aktion, -en S. 158
e Aktionswoche, -n S. 99

e Aktivität, -en S. 80, 170
s AKW (Atomkraftwerk) S. 171
akzeptieren S. 51, 173
e Algebra S. 104
s Alibi, -s S. 163
r **Alkohol** S. 178
r Alkoholtest, -s S. 178
all die, all das S. 120, 135
alle S. 118, 125, 130, 171, 183
alledem S. 59
e Allee, -n S. 56
allein S. 99, 109, 157
alleinlassen* S. 124, 171
alleinstehend S. 87
allerdings S. 85, 97, 170, 183
allerhand S. 86
allerlei S. 131
allerneuste S. 126
alles S. 73
allgemein S. 81, 85, 180
e Allierten (Plural) S. 39
e Alpen (Plural) S. 9
als S. 159
als auch → sowohl S. 112, 113
als ob S. 147
alt S. 131
r Altenclub, -s S. 44
s Altenheim, -e S. 175
s Alter S. 46, 166
alternativ S. 69, 142, 167
e Alterslast, -en S. 46
s Altglas S. 16
s Altöl S. 16
e Aluminiumfolie, -n S. 23
r Amateur, -e S. 94
s Amen S. 137
amerikanisch S. 142
e **Ampel**, -n S. 159
s Amphitheater, - S. 59
amtlich S. 171, 179

an S. 81, 94, 97, 146, 149, 168, 180, 182, 183
r Analphabet, -en S. 123
anbieten* S. 120
anblicken S. 61
anbringen* S. 183
ander- S. 120, 158, 160, 174
andere S. 174
ändern S. 69, 105, 157, 174
anderswo S. 110
anderthalb S. 28
e **Änderung,** -en S. 97, 156
r Andromedanebel S. 147
r **Anfang,** ⁻e S. 123, 138, 142
r Anfänger, - S. 107, 112
anfänglich S. 85
s Anfangssemester, - S. 109
anfassen S. 61
e Anforderung, -en S. 183
anfreunden S. 94
angeben* S. 89, 97
s **Angebot,** -e S. 74, 88, 94
angegriffen S. 85
angehen* S. 73, 173
r/e **Angehörige,** -n S. 88, 172
r/e Angeklagte, -n S. 163
e Angelegenheit, -en S. 170
angeln S. 70, 79
angenagelt S. 158
angetan S. 130
e Angleichung, -en S. 123
angreifen* S. 169
ängstlich S. 60
angucken S. 60
anhaben S. 163
anhand S. 167
r Anhänger, - S. 137, 171
anhören S. 158
e Anhörung, -en S. 171
ankommen* S. 98, 174, 183
ankreuzen S. 179, 184
ankündigen S. 158
e **Ankunft** S. 147
e Anlage, -n S. 112, 122, 170
r Anlaß, Anlässe S. 134
anleiten S. 94
e Anleitung, -en S. 180
anlernen S. 97
e **Anmeldung,** -en S. 112, 113
annähern S. 123
annehmen* S. 121, 134, 162
anpassen S. 85
e Anregung, -en S. 106
anrühren S. 183
r Ansatz, ⁻e S. 86
anschauen S. 60
anschließen* S. 171

r Anschluß, Anschlüsse S. 101
s Ansehen S. 122, 180
e **Ansicht,** -en S. 67, 174
ansprechen* S. 108, 121
r Anspruch, ⁻e S. 68, 121, 135
anstatt S. 173
ansteigen* S. 69, 157
anstellen S. 70, 183
anstrengen S. 88, 180
e Antarktis S. 23
r Anteil, -e S. 107, 108
e Antenne, -n S. 79
e Anti-Atombewegung, -en S. 168
e Anti-Kriegs-Demonstration, -en S. 40
e Antibabypille, -n S. 156
r **Antrag,** ⁻e S. 112
antreffen* S. 123
r Antwortbogen, - S. 185
r Anwohner, - S. 175
e Anzahl S. 170
anzeigen S. 125, 133, 163
r Anzeigenbereich, -e S. 68
anziehen* S. 143
anzünden S. 130
e APO (Außerparlamentarische Opposition) S. 156
e Apotheke, -n S. 20
appellieren S. 173
r **Appetit** S. 134
e Ära S. 157
s Arbeiterviertel, - S. 25
s Arbeiterwerk S. 98
r Arbeitsaufwand S. 183
e Arbeitserlaubnis S. 30
e Arbeitsgestaltung S. 99
r/e Arbeitslose, -n S. 124, 157
e Arbeitslosigkeit S. 29, 99
e Arbeitstechnik, -en S. 150
Arbst. (Arbeitsstunden) S. 73
ärgerlich S. 74
ärgern S. 92, 121, 147
s Argument, -e S. 173
arm S. 25
e Armbanduhr, -en S. 122
r/e Arme, -n S. 135
e Armee, -n S. 40, 147
e Armut S. 124
e Arrestzelle, -n S. 168
e **Art,** -en S. 26, 70, 101, 112, 114, 144, 149, 163, 169
-artig S. 157
r **Artikel,** - S. 101, 118, 151
r Aschermittwoch S. 131
r Assistent, -en S. 47
e Assistentin, -nen S. 47
asozial S. 159

e Astronomie S. 145
atmen S. 155
e Atmosphäre S. 26, 110, 147
atomar S. 172
s Atom, -e S. 82, 147, 156, 171
e Atombombe, -n S. 147
e Atomwaffe, -n S. 40
s Attentat, -e S. 157
auch S. 69, 94, 170
auch wenn S. 85
auf S. 68, 97, 108, 110, 119, 151, 157
aufatmen S. 147
r Aufbau S. 108, 184
aufbauen S. 100, 101, 120, 155
aufblenden S. 84
aufeinander S. 168
r **Aufenthalt** S. 160
e Aufenthaltserlaubnis S. 28
e Auferstehung S. 151
auffallen* S. 123
auffordern S. 125, 168
aufführen S. 142
e Aufführung, -en S. 143, 149
e **Aufgabe,** -n S. 81, 105, 108, 167
aufgeben* S. 100, 162
aufgehen* S. 56
aufgeregt S. 132
aufgeschlossen S. 94
aufheben* S. 151
r Aufkleber, - S. 121, 169
aufkommen* S. 94
auflegen S. 162
auflösen S. 158
aufmachen S. 101, 162
aufmarschieren S. 168
aufmerksam S. 120
e **Aufmerksamkeit** S. 138
aufnehmen* S. 15, 100, 172, 175
aufpassen S. 147
aufraffen S. 180
r/e Aufrechte, -n S. 171
aufregen S. 132
aufregend S. 88, 145
e **Aufregung,** -en S. 182, 183
aufschieben* S. 180
r Aufschwung S. 167
aufstehen* S. 161
aufstellen S. 79, 132
e Aufstellung, -en S. 95, 120
auftauchen S. 85, 86
r **Auftrag,** ⁻e S. 100
auftreten* S. 98, 168, 170
r Auftritt, -e S. 168
aufwachen S. 163
aufwachsen S. 135
r Aufwand S. 170, 183
aufwärts S. 173

befinden* S. 85
befolgen S. 182
befragen S. 163
r/e Befragte, -n S. 165
e Befragung, -en S. 69, 163
befürworten S. 174
e Begabung, -en S. 106, 112
begegnen S. 160
e Begegnung, -en S. 86, 146, 159
begehen* S. 57
begeistert S. 85
r **Beginn** S. 110, 123, 155
begreifen* S. 157
begrenzen S. 146
r Begriff, -e S. 123, 166
begründen S. 106, 108, 147
e Begründung, -en S. 100
begrüßen S. 79, 138, 151, 156, 170
e Begrüßung, -en S. 26
behalten* S. 114, 180
behandeln S. 112, 122, 178
behaupten S. 74, 174
e Behauptung, -en S. 121
beherrschen S. 183
r/e Behinderte, -n S. 137
e Behinderung, -en S. 87
e Behörde, -n S. 170
bei S. 11, 87, 97, 98, 120, 123, 143, 146, 158, 183
beieinander S. 82
r Beifall S. 148
s Beileid S. 134
beispielsweise S. 97
beißen* S. 139
r Beitrag, -̈e S. 46, 112
beitragen* S. 135, 168, 170
bekäme → bekommen S. 111
bekämpfen S. 167
r/e **Bekannte**, -n (ein Bekannter, eine Bekannte) S. 68
bekanntgeben* S. 133, 163
beklagen S. 183
bekleben S. 85
e Bekleidung S. 121
bekommen* S. 106, 112, 125, 132, 167
e Belastung, -en S. 108
belegt S. 158
beleidigen S. 137, 151
r Beleuchter, - S. 149
beliebt S. 111, 155
bellen S. 139
e Belletristik S. 59
belohnen S. 130
bemalen S. 131
bemerken S. 120, 151
bemühen S. 108, 135

benötigen S. 118
beobachten S. 79, 88, 120, 151, 158, 163
beraten S. 97, 119, 156, 163, 173
r Berater, - S. 149
e Beratung, -en S. 119, 173
berechnen S. 183
r Bereich, -e S. 68, 94, 97, 107, 167
e Bereicherung S. 149
bereit S. 72, 94, 180
bereits S. 109, 138, 147, 171
e Bereitschaft S. 170
bereuen S. 94, 146
bergab S. 82
r Bergbau S. 155
r **Bergführer**, - S. 110
r Bergmann, Bergleute S. 97
r Bergsteiger, - S. 94
berichtigen S. 174
berücksichtigen S. 123
beruflich S. 97, 101, 172
r/e **Berufstätige**, -n S. 87
beruhigen S. 120
e Beruhigungstablette, -n S. 182
berühmt S. 143
beschädigen S. 157
beschäftigen S. 101, 132, 145, 167, 183
beschäftigt S. 81
e **Beschäftigung**, -en S. 79
r **Bescheid** S. 72, 112, 113, 125
beschenken S. 131
beschließen* S. 147
r Beschluß, Beschlüsse S. 173
e **Beschreibung**, -en S. 125, 158
e Beseitigung S. 170
besetzt S. 162
besichtigen S. 145
e Besichtigung, -en S. 80
besitzen* S. 59, 106, 124
r Besitzer, - S. 74, 151, 175
besondere S. 86, 92, 151
besorgen S. 20
besprechen* S. 73, 81, 108
e Besprechung, -en S. 136
bestätigen S. 40
beste S. 182
bestehen* S. 62, 87, 97, 100, 101, 108, 134, 142, 178, 181
bestimmen S. 97
bestimmt S. 113, 114, 121, 149
bestmöglich S. 98
bestrafen S. 106, 130
r Bestseller, - S. 59
r **Besuch** S. 112
besuchen S. 134, 143
r Besucher, - S. 72, 136, 142, 143

e Betätigung, -en S. 180
beteiligen S. 108
e Beteiligung S. 108, 180
r Beton S. 66, 110, 171
betragen* S. 87, 112, 124, 177
betreffen* S. 167
r **Betrieb**, -e S. 94, 98
r **Betrieb** S. 88, 125, 156, 171
s Betriebsverfassungsgesetz S. 99
betteln S. 99
s **Bettuch**, ̈er S. 20
beurteilen S. 147, 159
e **Bevölkerung** S. 107, 154
bevor S. 24
bevorzugt S. 94
bewältigen S. 98
bewegen S. 149, 181
e Bewegung, -en S. 60
r **Beweis**, -e S. 99, 154
beweisen* S. 74
r **Bewerber**, - S. 179
r Bewohner, - S. 72, 80, 156, 175
bewundern S. 14
s Bewußtsein S. 99, 172
bezeichnen S. 123, 131
beziehen* S. 169
e Beziehung, -en S. 41
r Bezug S. 73, 148
e Bibel, -n S. 131
e Bilanz, -en S. 69, 171
s Bild, -er S. 85, 86, 114, 135, 151
bilden S. 80, 85, 110, 157, 175
bildlich S. 114
r Bildschirm, -e S. 125
e Bildseite S. 125
r Bildungsabschluß, -abschlüsse S. 107
r Bildungsgang S. 107
s Bildungswesen S. 107
binden* S. 97
e **Birne**, -n S. 73, 118, 120
bis zu S. 9
s Bistum, ̈er S. 136
e **Bitte**, -n S. 26
bitten* S. 84, 99, 114, 167
blasen* S. 173
e Blasmusik, -en S. 143
blaß S. 154
s **Blatt**, ̈er S. 14
100 Blatt S. 23
r **Bleistift**, -e S. 23
r Blick, -e S. 51
blind S. 139, 151
r **Blitz**, -e S. 70, 158
blockieren S. 171
bloß S. 109, 132
blühen S. 155

r DGB (Deutscher Gewerkschafts-
bund) S. 99
r Dialekt, -e S. 106
dicht S. 73, 82
dichten S. 79
dick S. 66, 122
die (Relativpronomen) S. 13
dienen S. 81, 99, 100, 136
r Dienst, -e S. 97, 99, 106, 123, 168
diesmal S. 148, 168
diesseits S. 84
e Differenz, -en S. 85
s Diktat, -e S. 99
s **Ding,** -e S. 23
r Direktor, -en S. 98
e Direktorin, -nen S. 147
e Disco, -s (→ Discothek) S. 110
e Diskussion, -en S. 36
e Disziplin S. 72
doch S. 74, 86, 126, 134, 149, 158,
162, 172
e Doktorarbeit, -en S. 178
r Dollar, -s S. 29
doof S. 158
doppel S. 68, 112
r Dorfälteste, -n S. 26
s Dorfkind, -er S. 26
dorthin S. 57
r **Draht,** ⁼e S. 100, 112
s Drama, Dramen S. 122
r Dramatiker, - S. 147
dran S. 107
draußen S. 11
s Drehbuch, ⁼er S. 151
drehen S. 100, 120, 143, 181
e Drehrichtung, -en S. 181
drin S. 74, 81
drinnen S. 154
e Dritte Welt S. 136, 172
s Drittel, - S. 80, 171
e **Drogerie,** -en S. 20
drüben S. 84
drucken S. 97, 146
drücken S. 137, 158, 168
r Drucker, - S. 94
e Druckerei, -en S. 97
e **Drucksache,** -n S. 114
drum S. 14
r Dschungel, - S. 150
r Duft, ⁼e S. 61
dumm S. 107
durcheinander S. 161
durchfahren* S. 84
durchführen S. 99, 178
durchlassen* S. 84
durchnumerieren S. 151
durchqueren S. 151

durchschnittlich S. 46
durchsehen* S. 97
durchsetzen S. 180
durchstreichen* S. 120
dürfe (→ dürfen*) S. 84
s Dutzend, -e S. 167

ebenfalls S. 134, 158
ebenso S. 168
echt S. 85, 148, 158
ehe S. 131
r Ehepartner, - S. 52
eher S. 120, 180
r Eherekord, -e S. 50
ehrgeizig S. 146, 182
e Ehrlichkeit S. 180
e Eieruhr, -en S. 122
r Eifer S. 39
e Eifersucht S. 122
s Eigenheim, -e S. 68
eigentlich S. 62
s **Eigentum** S. 69
eigenwillig S. 154
e **Eile** S. 126, 171
eilig S. 138
einander S. 82, 109, 138
e Einarbeitungszeit, -en S. 108
e **Einbahnstraße,** -n S. 179
einbeziehen* S. 108
einbilden S. 183
einbrechen* S. 161
r Einbrecher, - S. 161
einbringen* S. 40, 183
r **Eindruck,** ⁼e S. 84, 120, 155, 167,
181
einem (→ man) S. 119, 173
einen (→ man) S. 94, 120
einerseits S. 123, 143
eines S. 167
eines Tages S. 59
einfach S. 73, 81, 106, 126, 155, 163
e **Einfahrt** S. 179
einfallen* S. 175
r **Einfluß,** Einflüsse S. 39
einführen S. 113, 125, 173
e Einführung S. 99
e Eingabe, -n S. 125
eingeben* S. 125
eingeladen S. 25
eingliedern S. 85
einhalb S. 171
e Einheit, -en S. 123
e Einheitsgewerkschaft S. 99
einig S. 149, 167
einiges S. 94, 120
e Einkünfte (Plural) S. 124
einleiten S. 171, 186

einmal S. 80, 109, 168
einmalig S. 126
e Einnahme, -n S. 143
einölen S. 122
einordnen S. 136
einpacken S. 11
e **Einreise,** -n S. 87
einrennen* S. 171
einrichten S. 45
einsam S. 52
r Einsatz, ⁼e S. 98, 171
einschalten S. 100, 132, 179
e Einschätzung, -en S. 123
einschlafen * S. 14
einschlagen* S. 168
einschränken S. 173
s **Einschreiben** S. 114, 151
einsehen* S. 172
r Einsendeschluß S. 13
einsetzen S. 135, 138
einsortieren S. 94
einsparbar S. 173
einsparen S. 122
einsteigen * S. 28
e Einstellung, -en S. 133, 180
eintippen S. 125
e Eintragungsaufgabe, -n S. 184
eintreten* S. 97, 168
r **Eintritt** S. 142, 145, 150
einwandern S. 28
s Einwanderungsgesetz, -e S. 30
einwenden* S. 174
s Einwohnermeldeamt, ⁼er S. 151
einzeichnen S. 89, 181
e Einzelgruppe, -n S. 166
s Einzelhandelsgeschäft, -e S. 175
e **Einzelheit,** -en S. 147, 163
einzeln S. 94, 97, 108, 137, 142, 149,
158, 163, 184
e Einzelprüfung, -en S. 184
einziehen * S. 73, 74, 135
einzig S. 26
s Einzimmerappartement, -s S. 74
s **Eis** S. 8
s **Eisen** S. 66, 112
eisern S. 50
e Eiserne Hochzeit S. 50
e Eleganz S. 121
elektrisch S. 69, 112, 124, 171
r Elektroingenieur, -e S. 29
r Elektroofen, ⁼ S. 47
s Element, -e S. 170
r Elternvertreter, - S. 108
e Emigration S. 143
empfangen* S. 70, 134, 137, 168
r **Empfänger,** - S. 114, 161
s Empfehlungsschreiben - S. 84

e Empore, -n S. 70
s **Ende** S. 23, 84, 106, 131, 172
enden S. 147
endgültig S. 97
e Endsumme, -n S. 73
e Endzeitstimmung, -en S. 171
e Energie, -n S. 16
eng S. 28
s Engagement, -s S. 143, 172
r Engel, - S. 130
r Engländer, - S. 146
enorm S. 183
entdecken S. 124, 147
e Entdeckung, -en S. 147
entfalten S. 107
entfernt S. 16, 81, 106, 135
e **Entfernung**, -en S. 67
entführen S. 147
entgegen S. 174
enthalten* S. 81
entlang S. 67, 82
e Entlastung, -en S. 173
entscheiden* S. 62, 97, 99, 111, 134, 175, 180, 183
entscheidend S. 173
entschieden S. 170, 172
entschlafen* S. 133
entschließen S. 94
entschlossen S. 172
entsprechen* S. 107
entsprechend S. 120, 151, 173
entstehen* S. 16
enttäuschen S. 26, 144
e Enttäuschung, -en S. 86
entwerfen* S. 69
entwickeln S. 101, 106, 107
e **Entwicklung**, -en S. 99, 101, 156
erbitten* S. 68
erbittert S. 171
e **Erde** S. 8, 69, 104, 130, 145
s Ereignis, -se S. 35
erfahren* S. 112, 132, 147, 149, 159
e **Erfahrung**, -en S. 81, 101, 148, 149
erfinden* S. 100, 139
e **Erfindung**, -en S. 147
r **Erfolg**, -e S. 98, 121, 151, 157, 158, 168, 172
erfolglos S. 168
erfolgreich S. 143, 172
erforderlich S. 68
erfordern S. 72, 183
erforschen S. 146
erfreuen S. 133
erfreulich S. 67
erfüllen S. 69, 101, 112, 113, 135, 146

s **Ergebnis**, -se S. 69, 99, 183
ergehen* S. 180
erhalten* S. 28
e Erhaltung S. 170
erheben* S. 171
erheblich S. 183
erhoffen S. 182
erhöhen S. 110, 123
erholen S. 87, 154
e Erholung S. 14
e Erholungspause, -n S. 180
erinnern S. 58, 73, 114, 168, 171, 184
e **Erinnerung**, -en S. 84, 158
s Erinnerungsfoto, -s S. 50
e **Erkältung**, -en S. 112, 151
erkennbar S. 154
erkennen* S. 66, 81, 133, 139, 146, 147, 158, 162, 172
erkenntlich S. 184
e **Erkenntnis**, -se S. 146, 149, 183
erklären S. 36
e **Erklärung**, -en S. 147, 150
erkundigen S. 74
erlauben S. 26
e **Erlaubnis**, -se S. 86
erleben S. 50, 62
s **Erlebnis**, -se S. 84, 136, 149, 158
erledigen S. 72, 94
erleichtern S. 155
erlernen S. 94
ernennen* S. 85
ernst S. 47
ernsthaft S. 61
erobern S. 147
eröffnen S. 125
erreichen S. 68, 70, 98, 109, 143, 156, 172, 180, 181
s **Ersatzteil**, -e S. 101, 119
erscheinen* S. 97, 130, 146, 156
erschießen* S. 99, 151
erschrecken S. 94
erschrecken* S. 139
erspart S. 123
erst S. 71, 74, 146, 168, 180
erst mal S. 25
erstaunen S. 85
erstellen S. 40
ersten S. 39
erstenmal S. 167
e **Erstkommunion** S. 133
erstmals S. 157
ertragen* S. 133
ertrinken* S. 156
erwachen S. 137, 168
erwachsen S. 108

erwarten S. 60, 86, 124, 134, 150, 173
e Erwartung, -en S. 84, 137
erwecken S. 123
erweitern S. 113, 170
erwerbstätig S. 107
r/e Erwerbstätige, -n S. 46, 97
e **Erzählung**, -en S. 131
erzeugen S. 171
erzielen S. 183
es S. 69, 70, 72, 73, 81, 82, 87, 88, 94, 106, 109, 132, 135, 147, 148, 151, 158, 162, 166, 167, 168, 173, 175, 180, 181, 182
es ist kalt S. 9
es regnet S. 8
es schneit S. 8
r Eskimo, -s S. 66
s Eßzimmer, - S. 73
e Etagenwohnung, -en S. 69
r Etat, -s S. 80
etwa S. 80, 82, 110, 142, 151, 154, 158
etwas S. 72, 74, 86, 98, 100, 104, 124, 162, 181, 183
Europa S. 29
r Europäer, - S. 166
europäisch S. 15
r Europameister, - S. 159
r Euroscheck, -s S. 125
evangelisch S. 98, 134
r/e Evangelische, -n S. 134
eventuell S. 68, 179
ewig S. 137
e Ewigkeit, -en S. 158
e **Existenz** S. 101, 147, 168
exportieren S. 15
extrem S. 9

fab (engl. „fabulous") S. 159
e Fabel, -n S. 139
s **Fach**, ¨er S. 85, 104, 130
r Fachbereich, -e S. 109
fachgerecht S. 180
s **Fachgeschäft**, -e S. 119
e Fachkraft, ¨e S. 97
r **Fachmann, Fachleute** S. 101, 120, 173
s Fachwerk S. 70, 82, 175
r Faden, ¨ S. 97
fähig S. 94
e Fähigkeit, -en S. 107, 124, 180
e Fahne, -n S. 168
r Fahneneid S. 168
r Fahrer, - S. 33
r Fahrgast, ¨e S. 154
e **Fahrkarte**, -n S. 20

r **Fahrplan,** ̈e S. 20
s **Fahrrad,** ̈er S. 10
e Fahrstunde, -n S. 88
s Fahrzeug, -e S. 173
fair S. 134
r **Fall,** ̈e S. 108, 121, 145, 156, 170
e Falle, -n S. 120
fallen* S. 120, 147, 151, 170
fällen S. 14
fällig S. 156
falls S. 97, 125
e Familienarbeitskraft, ̈e S. 97
e Familienbildungsstätte, -n S. 112
s Familienfest, -e S. 52
s Familienfoto, -s S. 23
familiengerecht S. 68
s Familienleben S. 45
r Fan, -s S. 143, 158
fände (→ finden*) S. 111
fangen* S. 180
e **Farbe,** -n S. 48, 70, 73, 154
farbig S. 26
e Farm, -en S. 28
r Fasching S. 131
r Faschist, -en S. 27
fassen S. 173
e Fassung, -en S. 157
e Fastenzeit S. 131
e Fastnacht S. 131
faul S. 79
s Fazit S. 86
e FDP S. 36
e Feder, -n S. 182
r Federball S. 160
s Feeling S. 137
e Feier, -n S. 26
feiern S. 25, 50
r **Feiertag,** -e S. 57
s Feiertagsprogramm, -e S. 138
fein S. 130
feindlich S. 82
s **Feld,** -er S. 85, 175
s **Fenster,** - S. 11
e Fensterbank, ̈e S. 130
s Ferienhaus, ̈er S. 21
fern S. 88
e Ferne S. 60
s Fernrohr, -e S. 158
r **Fernsehapparat,** -e S. 154
e Fernsehserie, -n S. 151
r **Fernsprecher,** - S. 162
e Fertigkeit, -en S. 148
fertigstellen S. 97, 146
e Fessel, -n S. 146
fesseln S. 146
fest S. 92, 130, 136, 174
s **Fest,** -e S. 52

festhalten* S. 61, 79
s Festival, -s S. 143
festlegen S. 97
e Festschrift, -en S. 149
s Festspiel, -e S. 142
feststellen S. 120, 147, 161
r Festtag, -e S. 25
e Festung, -en S. 82
e Fete, -n S. 85, 108
r **Feuerwehrmann,** ̈er S. 93, 151
s Feuerwerk S. 131
e Fichte, -n S. 15
e Figur, -en S. 112, 146, 150
r Filmautȯr, -en S. 143
filmen S. 80
s Finanzamt S. 135
finanziell S. 69, 99, 107, 142
finanzieren S. 149
e Finsternis S. 137
e **Firma, Firmen** S. 100
fit S. 180
flach S. 12
e **Fläche,** -n S. 68, 120, 181
s Flair S. 85
r Fleiß S. 106, 139, 180
fleißig S. 25
e Fliege, -n S. 180
fliegend S. 49
s Fließband, ̈er S. 94
fließend S. 112
e Flipperhalle, -n S. 81
e Flöte, -n S. 122
s Flugblatt, ̈er S. 168
s Fluggepäck S. 20
e Flugkarte, -n S. 20
e Flur, -en S. 73
r **Fluß,** Flüsse S. 13
flüssig S. 15
flüstern S. 61
e Folge, -n S. 46, 69, 109, 168, 172, 175
folgen S. 82, 131, 158, 168, 181
s Folterinstrument, -e S. 82
e Folterkammer, -n S. 82
fordern S. 36
fördern S. 107, 108, 138, 143, 167
e Forderung, -en S. 123, 136, 170
e **Form,** -en S. 97, 125, 170, 183
e Formel, -n S. 137
formell S. 184
s **Formular,** -e S. 112
forschen S. 60
r Forscher, - S. 165
e **Forschung,** -en S. 97, 99, 146
s Forstamt, ̈er S. 14, 156
fortbilden S. 80
fortfahren* S. 60

r **Fortschritt,** -e S. 99, 123, 157
fortsetzen S. 181
e Fortsetzung, -en S. 181
s Forum S. 112
r **Fotoapparat,** -e S. 23
e Fotografin, -nen S. 94
e Fotosafari, -s S. 49
e **Frage,** -n S. 87, 111, 135, 136, 165, 172
fragen S. 30, 98, 121, 151, 172, 174, 183
frei S. 105, 145, 146, 168
s Freibad, ̈er S. 70
e Freiheit, -en S. 29
s Freilichtmuseum, -museen S. 142
freimachen S. 84
r Freiraum, ̈e S. 69, 72
freistehend S. 70
r Freizeitwert S. 109
r Freizeitzweck, -e S. 80
r/e Fremde, -n S. 180
r Fremdenverkehr S. 12
r Fremdenverkehrsverband, ̈e S. 175
e Freßwelle S. 154
freuen S. 44
e Freundschaft, -en S. 25
r Friedensapostel S. 168
e Friedensbewegung S. 135, 137
r Friedensverkünder S. 168
r Friedensvertrag, ̈e S. 39
friedfertig S. 168
r Friedhof, ̈e S. 133
friedlich S. 85
frieren* S. 82
frisch S. 11, 49
frische Luft S. 58
fristlos S. 74
fröhlich S. 79
Fronleichnam S. 145
früh S. 131, 138, 168, 172
s Frühjahr S. 146
r Frühstückstisch, -e S. 57
frühzeitig S. 170
frustrieren S. 81
führen S. 69, 82, 123, 157, 174, 175, 180, 182
führend S. 136, 157
r Führer, - S. 82, 110, 157
r **Führerschein,** -e S. 88, 94, 151, 178, 179
e **Führung,** -en S. 98, 125, 145, 150
füllen S. 81, 109, 111, 131, 143
e Fünf, -en S. 182
e Fünfziger Jahre S. 154
e Funktion, -en S. 98, 135
funktionieren S. 98, 179

für S. 94, 108, 134, 143, 167, 168, 171
furchtbar S. 81, 182
fürchten S. 60, 182
fürchterlich S. 182
r Fuß, Füße S. 168
r Fußballstar, -s S. 33
r Fußballverein, -e S. 33
e Fußbodenheizung S. 70
r Fußgänger, - S. 151, 163
r Fußmarsch, ¨e S. 168

gäbe (→ geben*) S. 111
e Galerie, -n S. 142
gammeln S. 81
r Gang, ¨e S. 107, 120, 161, 179
r Gänsebraten S. 132
garantieren S. 135, 182
e Garderobe, -n S. 118, 151
e Gardine, -n S. 118
e Gartenparty, -s S. 10
s Gas S. 66, 179
r Gastarbeiter, - S. 33
e Gastarbeiterin, -nen S. 33
e Gasteltern (Plural) S. 25
s Gästezimmer, - S. 47
e Gastfamilie, -n S. 25
e Gastfreundschaft S. 25
r Gastgeber, - S. 134
s Gasthaus, ¨er S. 79, 171
geändert S. 157
s Gebäck S. 130
s Gebäude, S. 69
geben* S. 87, 105, 108, 118, 143, 150, 151, 157, 158, 169, 174, 179, 180, 181
s Gebet, -e S. 137
s Gebiet, -e S. 15, 101, 113, 135, 142
s Gebilde, - S. 69, 98
s Gebirge, - S. 12
r Gebrauch, ¨e S. 106, 131
gebrauchen S. 16, 113, 174, 183
e Gebrauchsanweisung, -en S. 100
s Gebrauchsgut, ¨er S. 123
gebraucht S. 49
e Gebühr, -en S. 112
e Geburt, -en S. 130
e Geburtenexplosion S. 172
r Geburtstermin S. 134
r Gedankenaustausch S. 72
e Gedankenverbindung S. 114
gedankenverloren S. 61
s Gedicht, -e S. 55
e Geduld S. 62
e Gefahr, -en S. 35
gefährdet S. 94

e Gefährdung S. 172
gefallen* S. 67, 173, 181
s Gefängnis, -se S. 146, 168
gefragt S. 110, 154, 159
s Gefüge, - S. 107
s Gefühl, -e S. 85, 132, 134, 136, 137
gegen S. 9, 33, 94, 106, 122, 180
e Gegend, -en S. 12
gegeneinander S. 82
r Gegensatz, ¨e S. 150
r Gegenstand, ¨e S. 124, 150, 178
s Gegenteil S. 108, 174
gegenüber S. 67, 157
gegenüberstehen* S. 60
r Gegenverkehr S. 179
e Gegenwart S. 142
r Gegner, - S. 89, 171
geheim S. 146, 156
s Geheimnis, -se S. 147
geheimnisvoll S. 59
e Geheimzahl, -en S. 125
gehen* S. 46, 57, 82, 86, 98, 120, 126, 131, 132, 139, 146, 148, 151, 155, 157, 158, 160, 173
s Gehirn, -e S. 183
gehören S. 45
gehorchen S. 180
e Geige, -n S. 122
r Geist, -er S. 26, 131
e Geistesgegenwart S. 158
r Geldautomat, -en S. 125
r Geldbeutel, - S. 107
s Geldproblem, -e S. 36
r Geldschein, -e S. 151
e Gelegenheit, -en S. 126, 136, 180
r Gelegenheitsjob, -s S. 101
gelegentlich S. 70
gelenkt S. 184
s Gelernte S. 183
r Geliebte, -n S. 122
gelingen* S. 150, 172, 180
gelten* S. 87, 98, 125, 136, 146, 173
s Gemälde, - S. 57
e Gemäldegalerie, -n S. 142
e Gemeinde, -n S. 99, 142
gemeinsam S. 50
e Gemeinsamkeit, -en S. 132
e Gemeinschaft S. 68, 72, 108, 135, 136
s Gemisch, -e S. 168
e Generalversammlung, -en S. 136
generell S. 173
genial S. 147
genug S. 70, 172
genügen S. 114, 183
e Geographie S. 94

e Geometrie S. 104
e Gepäckversicherung, -en S. 20
gerade S. 9, 62, 72, 74, 97, 135, 137, 143, 162, 171
s Gerät, -e S. 97, 100, 118, 132
geraten* S. 149, 180, 182
geräumig S. 70
gerecht S. 99
e Gerechtigkeit S. 99, 167
s Gerede S. 138
geregelt S. 92
s Gericht, -e S. 106, 171
r Gerichtshof, ¨e S. 171
e Gerichtsverhandlung, -en S. 172
gering S. 135, 167, 173, 183
germanisch S. 142
gern S. 98
gern haben S. 51
gesamt S. 68, 167, 171, 184
e Gesamtheit S. 123
e Gesamtschule, -n S. 107
r Gesang S. 148
r Gesangverein, -e S. 143
geschäftlich S. 138
e Geschäftsfrau, -en S. 151
e Geschäftsleitung S. 97, 101
e Geschäftsreise, -n S. 21
e Geschäftsstelle, -n S. 112
geschehen* S. 94, 147
e Geschichte S. 41, 104, 142
geschickt S. 183
geschieden S. 124
s Geschirr S. 132
e Geschirrspülmaschine S. 124
geschlossen S. 99, 179
e Geschwindigkeitsbegrenzung, -en S. 166, 173
e Geschwister (Plural) S. 25
r/e Geschworene, -n S. 163
e Geselligkeit S. 180
e Gesellschaft S. 99, 170
e Gesellschaft, -en S. 73, 101
gesellschaftlich S. 143, 172
gesellschaftspolitisch S. 123
s Gesetz, -e S. 146, 181
gesetzlich S. 74, 138
s Gespräch, -e S. 86, 108, 168, 186
e Gestaltung S. 107
r Gestank S. 175
gestehen* S. 56
gestrig S. 158
s Getto, -s S. 110
e Gewalttätigkeit, -en S. 170
gewaschen S. 159
s Gewehr, -e S. 168
s Gewicht, -e S. 97, 145
r Gewinn, -e S. 99, 120, 156, 161

r Gewinner, - S.97
gewisse S.183
s Gewissen S.158, 171
s **Gewitter,** - S.9
e **Gewohnheit,** -en S.72, 171
gewöhnlich S.138, 147
gewohnt S.159
gewollt S.154
gewünscht S.125
s Gewußt-wie S.183
gezielt S.94
gezwungenermaßen S.108
e Gier S.146
gießen* S.16
s Gift, -e S.15
giftig S.16
r Giftstoff, -e S.15
ginge (→ gehen*) S.111
r Gipfel, - S.14
s Girokonto, -konten S.125
glänzen S.109
s **Glas** S.16
r Glascontainer, - S.16
s Glasfenster, - S.26
e Glasflasche, -n S.16
glatt S.155
r Glaube S.123, 124, 131
glauben S.26, 124
e Glaubensfrage, -n S.135
e Glaubensfreiheit S.135
gleich S.67, 82, 85, 107, 119, 120, 161, 173, 180, 181
e Gleichberechtigung S.167
e Gleichheit S.107
gleichzeitig S.9
s Glied, -er S.181
glitzern S.130
e Glocke, -n S.132
s Glossar, -e S.114
s **Glück** S.26, 29, 44
glücklich S.134, 147
glücklicherweise S.160
s Glücksspiel, -e S.121
r **Glückwunsch,** ⁀e S.133
s Gold S.26
golden S.50
e Goldene Hochzeit S.50
r Golf S.9
r Gott, ⁀er S.26
graben* S.139
s **Grad,** -e S.8
e Grafik, -en S.16
s **Gras** S.151
e Gratisinfo S.94
gratulieren S.134
greifen* S.120
r Grenzbeamte, -n S.84

e **Grenze,** -n S.13, 69
r Grenzübergang, ⁀e S.87
r Griff S.167
grinsen S.158
e **Größe,** -n S.97, 123, 132
e Großmacht, ⁀e S.147
großzügig S.101
s Grübchen, - S.158
e Grube, -n S.139
r **Grund,** ⁀e S.86, 88, 134, 149, 151, 154, 157, 180
s Grundbedürfnis, -se S.123
gründen S.142, 147
r Gründer, - S.149
s Grundgesetz S.135
e **Grundlage,** -n S.173
r Grundlagenvertrag, ⁀e S.40
s Grundrecht, -e S.36
r Grundsatz, ⁀e S.94, 107
grundsätzlich S.108, 125, 126
e Grundschrift S.97
s Grundstück, -e S.68
e Gründung, -en S.142
grünen S.14
e Grünen S.36, 52
e Grünfläche, -n S.175
grüßen S.162
gucken S.132
e Guitarre, -n S.20
gültig S.125, 134
e Gurtpflicht S.69
gut S.80, 133, 134, 167, 171, 174, 182
s Gut, ⁀er S.85
e Güter (Plural) S.98, 123
gutmachen S.158
e Gymnasiastin, -nen S.132

s Haarwaschmittel, - S.126
habe (→ haben) S.57, 84, 147
haben zu S.72, 97, 179, 180, 183
hacken S.180
r **Hafen,** ⁀ S.67, 151
r **Haken,** - S.79
halb S.80, 94, 106, 158, 184
r/e Halbstarke, -n S.155, 159
e **Hälfte,** -n S.28
r Halt S.137
Halt! S.179
haltbar S.118
halten* S.61, 81, 84, 97, 106, 109, 121, 123, 124, 138, 147, 148, 162, 168, 179, 181
s Hammelfleisch S.26
r **Hammer,** ⁀ S.112, 151
e **Hand,** ⁀e S.57
r Handel S.12

handeln S.62, 70, 101, 151, 158, 168, 170
r **Händler,** - S.120, 121
e Handlung, -en S.146, 151, 172
handschriftlich S.95
r **Handschuh,** -e S.100, 132, 151
e **Handtasche,** -n S.132
s **Handtuch,** ⁀er S.20, 126
handwerklich S.107, 178
e Handzeichnung, -en S.57
e Hängelampe, -n S.122
hängen S.132, 155
hängen* S.130, 158
r Harem S.26
s Harfenmädchen S.56
hart S.136, 151, 180
r Hase, -n S.131
r Haß S.148
hassen S.88, 137
e Hast S.109
r Hauch S.14
häufig S.80, 167
Haupt- S.70, 89, 109, 151
hauptsächlich S.85, 143, 182
e Hauptschulklasse, -n S.24
r **Hausbau** S.68
s **Häuschen,** - S.69, 108, 182
e **Häuserwand,** ⁀e S.85
r Haushalt, -e S.47
e Haushaltshilfe, -n S.97
r Haushaltsreiniger, - S.17
r Hausherr S.26
r Hausierer, - S.119
r Hauskauf S.30
r Hausmüll S.16
s Haustier, -e S.80
heben* S.60
s **Heft,** -e S.79
heftig S.156
heilen S.112
heilig S.26, 131
r Heilige Geist S.26
Heiliger Abend S.130
s Heilmittel, - S.112
e Heimat S.29
heimlich S.159
s Heimwerken S.80
r Heimwerker, - S.118
r Heiratsurlaub S.51
e Heiratsvermittlung S.121
heiß S.8
heißen* S.74, 81, 168
heizen S.16
e **Heizung,** -en S.20, 185
r Hektar, -e S.171
helfen* S.68, 109, 146, 159
r Helfer, - S.97

liegen bleiben* S. 34
r **Lift,** -s S. 151
e **Linie,** -n S. 70, 97, 173
e Liste, -n S. 21
loben S. 147, 150
s **Loch,** ̈er S. 73, 139
locker S. 109
lockern S. 186
logisch S. 134
lohnen S. 69, 87, 120, 151, 180
s Lokal, -e S. 143
lokal S. 170
r Lokalteil, -e S. 33
los S. 72, 74, 81
-los S. 69
lose S. 120
losgehen* S. 182
e **Lösung,** -en S. 175
loswerden S. 168
s Lotto S. 94, 161
LP (engl. „Long Play«) S. 158
e **Luft** S. 15
e Luftfahrt S. 145
e **Luftpost** S. 114
s Luftschloß, -schlösser S. 69
e Luftverschmutzung S. 169
e **Lüge,** -n S. 138
lukrativ S. 94
lutschen S. 182
luxuriös S. 124
r Luxus S. 122

machen S. 69, 70, 74, 87, 98, 100,
  106, 120, 123, 125, 132, 133, 134,
  137, 139, 143, 147, 149, 156, 158,
  172, 181, 186
e **Macht** S. 101, 147, 151, 180
e **Macht,** ̈e S. 147, 172
mächtig S. 147, 168, 171
r Machtwechsel S. 157
s Magazin, -e S. 145, 156
r Magen, ̈ S. 57
r Magnetstreifen, - S. 125
e Mahnung, -en S. 172
r **Mai** S. 55
mal S. 72, 94, 100, 114, 120
malen S. 121
s Manifest, -e S. 143
s Männerhaus S. 26
s Manuskript, -e S. 97
e **Margarine** S. 118
e **Marke,** -n S. 120
r Markenartikel, - S. 119
markieren S. 185
s **Markstück,** -e S. 151
r **Markt,** ̈e S. 30, 69, 119
r Marsch, ̈e S. 168

r Marxismus S. 85
e Masern (Plural) S. 126
e Maske, -n S. 131
maskiert S. 171
s **Maß,** -e S. 100, 145
e Masse, -n S. 109
massenhaft S. 172
massiv S. 122
e **Maßnahme,** -n S. 112
s **Material,** -ien S. 66, 73, 97, 112
materiell S. 123
mathematisch S. 180
r Matrose, -n S. 93
e **Mauer,** -n S. 82
r Maurer, - S. 97
e Maus, ̈e S. 139
e Meditation S. 137
medizinisch S. 134, 178
s **Meer,** -e S. 9
e Meeresluft S. 9
s Megawatt S. 171
s **Mehl** S. 120
mehr S. 84, 132, 182
mehrfach S. 184
e **Mehrheit,** -en S. 87, 132, 155,
  156, 172
s Mehrwertsteuergesetz, -e S. 36
mein S. 56
meinen S. 74, 123, 174
meins S. 173
e **Meinung,** -en S. 72, 159, 165, 168,
  178
meist S. 72, 85, 106, 143, 170
r **Meister,** - S. 59, 73, 92, 139, 145,
  178
meistgespielt S. 142, 147
melden S. 87, 158
e Meldung, -en S. 94
e **Menge,** -n S. 88, 97, 100, 108,
  120, 126
r **Mensch,** -en S. 74, 84, 148
s Menschenkind, -er S. 59
e Menschheit S. 147, 168
menschlich S. 99, 123, 137, 148
e Menschlichkeit S. 168
merken S. 22, 114, 135, 161, 180
merkwürdig S. 134, 151, 154, 162
meßbar S. 123
messen* S. 183
e Messung, -en S. 145
r Meßwert, -e S. 123
s **Metall,** -e S. 97, 122, 145, 171
e **Methode,** -n S. 113
e Miene, -n S. 182
r **Mieter,** - S. 69, 74, 163
s **Mietshaus,** ̈er S. 68, 175
r **Mietvertrag,** ̈e S. 73

s Mikrofon, -e S. 84
s Militärflugzeug, -e S. 157
militärisch S. 137
e Milliarde, -n S. 87
r Millionär, -e S. 124
e Millionenhöhe S. 172
e Minderheit, -en S. 167, 172
e Minderung S. 173
r Minirock, ̈e S. 156
r Minister, - S. 36
s Ministerium, Ministerien S. 110
r Ministerpräsident, -en S. 36
minus S. 9, 114
Mio (→ Million) S. 28, 173
e Mischehe, -n S. 134
r Mißbrauch, ̈e S. 125
r **Mißerfolg,** -e S. 101, 172
r Mißstand, ̈e S. 170
s **Mißtrauen** S. 114
s **Mißverständnis,** -se S. 174
mißverstehen* S. 151
mit S. 72, 73, 94, 97, 106, 108, 110,
  113, 135, 149, 150, 151, 158, 168,
  170, 172, 173, 175, 181, 182
e **Mitbestimmung** S. 99
miteinander S. 84, 98
s Mitglied, -er S. 40
e Mitgliedschaft S. 126
mitnehmen* S. 11, 151
mitschicken S. 44
r Mitschüler, - S. 25
e Mitschülerin, -nen S. 25
mitteilen S. 125, 161
s **Mittel,** - S. 98, 101, 112, 121, 150,
  156, 170, 183
s Mittelalter S. 82
mittelalterlich S. 82
s Mittelgebirge, - S. 12
r Mittelplatz, ̈e S. 167
r Mittelpunkt S. 98
r Möbelschreiner, - S. 47
möbliert S. 68, 74
s Modell, -e S. 86, 121, 142, 145
e **Mode** S. 110
mögen* S. 72, 98, 108, 110, 146, 174
möglicherweise S. 121
e Mohnblume, -n S. 85
r **Moment,** -e S. 48, 49
e Momentaufnahme, -n S. 171
s **Moped,** -s S. 154
moralisch S. 98
r Mord, -e S. 57, 147
e Mörderin, -nen S. 146
e Morgenstunde, -n S. 9
r Moslem, -s S. 135
s **Motorrad,** ̈er S. 85, 121
s Motto S. 180

müd S.56
e Müdigkeit S.132
e **Mühe, -n** S.158, 186
mündlich S.178, 184, 186
e Munition S.168
munter S.182
murmeln S.60, 158
s Musical, -s S.143, 148
e **Musik** S.110, 142, 143, 145, 156
musikalisch S.159
r Musiker, - S.68, 94
r Muslim, -e S.26
müssen * S.121, 158, 162, 168, 181
s Muster, - S.143, 154
e **Muttersprache, -n** S.112
r Muttertag S.134

na S.58, 113, 162, 174
nach S.70, 72, 97, 99, 120, 123, 131, 132, 143, 173
s Nachbarland, ˉer S.12
r Nachbarstaat, -en S.40
nachdem S.174
e **Nachfrage** S.173
nachfragen S.174
nachgehen * S.81
nachher S.11
nachholen S.107
e Nachkriegsgeschichte S.39
e Nachkriegszeit S.154
nachlassen * S.142
nachlesen * S.99
nachmachen S.50
nachmittags S.94, 105
e **Nachricht, -en** S.33
r Nachrichtendienst S.173
e Nachrüstung S.171
e Nachsicht S.139
r Nächste, -n S.139
nächstkleiner S.179
s Nachthemd, -en S.121
e **Nadel, -n** S.114, 118
r **Nagel, ˉ** S.79, 118
nahe S.67, 120, 183
nahegelegen S.171
nähen S.79, 95, 100
näher S.60
r Näher, - S.97
Näheres S.94
nähern S.179
e Nähmaschine, -n S.124
s **Nahrungsmittel, -** S.169
r Namenstag, -e S.134
naß S.8
e Nässe S.86
e Nation, -en S.40
national S.142

s Nationalismus S.142
r Nationalsozialismus S.143
nationalsozialistisch S.143
e Nato S.40
r Nazi, -s S.143
r **Nebel** S.8
e Nebelschlußleuchte, -n S.179
neben S.47
nebenan S.125
nebenbei S.174
nebeneinander S.106
r Nebenjob, -s S.94
nebenstehend S.80, 181
neblig S.179
nehmen * S.57, 84, 88, 125, 135, 156, 159, 173, 174, 182
r Neid S.148
nennen * S.60
r Neoromantiker, - S.98
r Nerv, -en S.183
e Nervenheilanstalt, -en S.168
r Nervenkitzel S.182
nervtötend S.94
netto S.68
r **Neubau, -ten** S.67
e Neueinstellung, -en S.99
neugierig S.86, 121, 134, 151
s Neujahr S.131
neulich S.162
neutral S.38
r Nichtraucher, - S.52
e Nichtraucherin, -nen S.52
nicken S.60
niederlegen S.168
niederschreiben * S.63
r Nikolaustag S.130
nirgendwo S.60
s Niveau S.110, 123
No-future S.110
noch S.22, 69, 74, 82, 99, 135, 143, 149, 159, 167, 171, 173, 175
nochmal S.51, 132
nochmals S.185
r Nonsens S.114
r Nord-Westen S.9
r **Norden** S.9
nördlich S.135
e Nordsee S.10
normal S.68, 106, 122, 124
normalerweise S.182, 183
e **Not, ˉe** S.114, 124, 139, 154
notdürftig S.171
s Notensystem, -e S.184
notfalls S.97
r **Notruf** S.114
s Notstandsgesetze (Plural) S.156
notwendig S.23

nüchtern S.98
nuklear S.172
r Nullpunkt S.143

o.ä. (→ oder ähnlich) S.94
r Oberbegriff, -e S.167
s Oberhaupt S.168
r Oberlandforstmeister S.133
e Oberstufe S.84, 85
objektiv S.123, 183
oder S.27
r **Ofen, ˉ** S.47
offen S.40
offenbar S.84, 167
öffentlich S.107, 123, 136, 156, 172
e **Öffentlichkeit** S.147, 151, 156
öffnen S.100, 125, 145
r Öffner, - S.100
e Offset-Druckmaschine, -n S.94
öfter S.120
ohne S.74, 168, 183, 185
ohnehin S.158
ohnmächtig S.158, 171
s **Öl, -e** S.16
e Olive, -n S.25
s Ölkraftwerk, -e S.15
e Oma, -s S.44
r Omnibus, -se S.122
r Onkel, - S.133
Op (engl. „op art") S.156
r Opa, -s S.44
r Open-air-Campus S.109
e Oper, -n S.70, 143, 150
e Operation, -en S.33
operieren S.88
s Opfer, - S.170, 172
r Opportunismus S.148
e **Opposition** S.157
optimistisch S.110
ordentlich S.120, 131, 132
s Organ, -e S.170
e **Organisation, -en** S.98, 138
organisatorisch S.98, 170
organisieren S.108, 184
s **Original, -e** S.142
orkanartig S.157
örtlich S.170
e Ortschaft, -en S.179
Ost S.137, 156
r **Osten** S.9
r Ostermarsch, ˉe S.39
Ostern S.82, 131, 145
osteuropäisch S.167
östlich S.82
e Ostsee S.12

s **Päckchen,** - S. 34
packen S. 20
r Pädagoge, -n S. 148
s **Paket,** -e S. 34
r Pakt S. 40
r Palast, ¨e S. 70
e **Panne,** -n S. 101, 112
e **Papiere** (Plural) S. 147
Paps S. 132
r Papst, ¨e S. 156
paritätisch S. 99
parken S. 179
e Parklücke, -n S. 179
r **Parkplatz,** ¨e S. 151
s Parlament, -e S. 33
parlamentarisch S. 38
e Parlamentskammer, -n S. 37
e **Partei,** -en S. 36
partnerschaftlich S. 72
r **Paß, Pässe** S. 20
passabel S. 94
r Pate, -n S. 133
r **Patient,** -en S. 147
e Pause, -n S. 79, 106, 184
r Pazifik S. 23
r Pazifist, -en S. 137
s Pech S. 183
r Pelzmantel, ¨ S. 122
e Pension S. 160
r Pensionär, -e S. 45
pensioniert S. 148
e Pensionierung S. 134
per S. 119
permanent S. 81
s Personal S. 99
e Persönlichkeit, -en S. 99, 159
e Perücke, -n S. 148
r Pessimismus S. 183
r Pettycoat S. 155
r Pfarrer, - S. 93, 168
s Pfefferkuchenhaus S. 70
e **Pfeife,** -n S. 132
r Pfeil, -e S. 181
s **Pferd,** -e S. 70, 151, 155
e Pferdekoppel, -n S. 70
r Pfingstsonntag S. 145
e Pflanze, -n S. 8
s **Pflaster,** - S. 20
e Pflege S. 80
pflegen S. 147
r Pfleger, - S. 97
e Pflegerin, -nen S. 93
e **Pflicht,** -en S. 108
s Phänomen, -e S. 172
e Phantasie, -n S. 59
phantasievoll S. 123, 155
s Phantasiewort, ¨er S. 114

e Pharma-Industrie S. 89
e Pharmazeutin, -nen S. 112
e Philharmoniker (Plural) S. 143
r Philosoph, -en S. 168
e Photographie S. 145
r Physiker, - S. 147
s Picknick, -s S. 79
e **Pille,** -n S. 118, 156
e Pizza, -s S. 26
s Plakat, -e S. 16
r **Plan,** ¨e S. 39, 70, 88, 170
planen S. 23
s Planetarium, Planetarien S. 145
s Planspiel, -e S. 175
e Planung S. 99, 170, 183
s **Plastik** S. 17, 23
r **Platz,** ¨e S. 20, 28
e Plazierung S. 120
e Pleite, -n S. 156
r **Politiker,** - S. 151, 157
politisch S. 36
e **Polizei** S. 126, 157
r Polizeieinsatz, ¨e S. 168, 171
Pop S. 143, 156
e Portion, -en S. 26
s Portrait, -s S. 132
e Position, -en S. 98
positiv S. 69
e **Post** S. 121, 161
e **Postanweisung,** -en S. 161
r Postbote, -n S. 182
s Postfach, ¨er S. 13
e Postkarte, -n S. 50
r Poststreik, -s S. 34
prächtig S. 183
prägen S. 123, 172
r **Praktikant,** -en S. 94, 125
s Praktikum, Praktika S. 28
praktisch S. 178, 183
e Präposition, -en S. 151
präsentieren S. 109
e Präsenz S. 172
r **Präsident,** -en S. 156
r **Preis,** -e S. 13, 29, 68, 85, 120, 161
r Preisanstieg S. 167
r Preiskrieg, -e S. 33
s Preisrätsel, - S. 12
preiswert S. 68
e Presse S. 33
e Preßpappe S. 86
r Priester, - S. 93
privat S. 25, 68, 72, 106, 123, 131, 142
e Probe, -n S. 149
proben S. 148
r Probeunterricht S. 178
probieren S. 79

r Probst S. 137
e **Produktion** S. 97, 98
e Produktivität S. 99
produzieren S. 173
s **Programm,** -e S. 112, 172
s Projekt, -e S. 36, 81, 101
r Prolog S. 146
e Propaganda S. 143
r Prophet, -en S. 168
r **Protest,** -e S. 69, 147, 156, 157, 171, 172
r Protestant, -en S. 135
protestieren S. 40, 158, 168
e Provinz S. 81
-prozentig S. 180
r Prüfer, - S. 186
r Prüfling, -e S. 178
s **Publikum** S. 145
r **Punkt,** -e S. 71, 134, 163, 174
s Puppenspiel S. 146
e Putzfrau, -en S. 182
s PVC S. 17
e Pyramide, -n S. 70

qm (→ Quadratmeter) S. 73
s Quadrat, -e S. 69, 73, 181
e Qual, -en S. 139
quälen S. 137, 180
e Qualifizierung S. 99
e **Qualität,** -en S. 119, 183
qualitativ S. 99
quantitativ S. 123
quatschen S. 158
e Quelle, -n S. 167
s Quiz S. 12
e Quote, -n S. 157

s **Rad,** ¨er S. 82, 100, 154, 181
radfahren* S. 79
r Radfahrer, - S. 178
radikal S. 170
radikalisieren S. 172
raffiniert S. 120
r Rahmen, - S. 136, 186
e Rakete, -n S. 172
r Rand, ¨er S. 70, 177
rankommen* S. 94
rasch S. 63
rasieren S. 114, 121, 126, 155
e Rast S. 85
e Rate, -n S. 126
raten S. 94
r Ratgeber, - S. 30
e Rationalisierung, -en S. 99
rationell S. 138
ratlos S. 60
r Rauch S. 56

r Raucher, - S. 33
e Raucherin, -nen S. 33
e Rauhfaser S. 73
r **Raum,** ¨e S. 66, 68, 70, 97
e Raumfahrt S. 145
räumlich S. 11, 180
e Räumlichkeit, -en S. 81
e Raumpflegerin, -nen S. 97
s Rauschmittel, - S. 94
reagieren S. 26
e **Reaktion,** -en S. 158
r Reaktor, -en S. 171
realisieren S. 101
realistisch S. 150
e Rechenaufgabe, -n S. 114
e Rechenmaschine, -n S. 98
rechnen S. 46, 87, 114, 120
r Rechner, - S. 121
s **Recht,** -e S. 74, 99, 106, 108, 157,
    182
recht S. 74, 94, 120, 146, 174
rechte S. 120, 179
rechtfertigen S. 171
r Rechtsdrall S. 120
e Rechtsprechung S. 99
rechtsradikal S. 157
e Rechtswissenschaft S. 109
rechtzeitig S. 182
r Recorder, - S. 122
r Redakteur, -e S. 156
e **Rede,** -n S. 98, 112, 156, 168
e Reflexion, -en S. 149
s Reflexivpronomen, - S. 45
e **Reform,** -en S. 156
s **Regal,** -e S. 47
e **Regel,** -n S. 81, 120, 123, 134,
    136, 139, 179, 182
e Regelmäßigkeit S. 168
regeln S. 92, 100, 108, 134, 156
regelrecht S. 158
r **Regen** S. 8
r **Regenmantel,** ¨ S. 155
r Regenwald, ¨er S. 9
regieren S. 47
e **Regierung,** -en S. 39, 157
r Regierungschef, -s S. 37
s Regiment, -er S. 168
e Region, -en S. 123
s Regionalparlament, -e S. 37
r Regisseur, -e S. 143, 148
regnen S. 8
reich S. 69, 87, 124
s Reich, -e S. 59, 142
reichen S. 68, 111, 124
reichlich S. 133
e **Reihe,** -n S. 68, 82, 120, 154, 167,
    181

e Reihenfolge S. 82
r Reim, -e S. 55
rein S. 94
e **Reinigung,** -en S. 20
reinstecken S. 108
s Reisebuch, ¨er S. 57
s **Reisebüro,** -s S. 88
r Reisebürokaufmann S. 94
e Reisegruppe, -n S. 23
r/e Reisende, -n S. 168
e Reiseplanung, -en S. 21
r Reiseprospekt, -e S. 20
r Reisescheck, -s S. 20
r Reiseteilnehmer, - S. 23
e Reiseteilnehmerin, -nen S. 23
r Reisewetterbericht, -e S. 10
reiten S. 79
r Reiter, - S. 89
r Rekord, -e S. 110, 143
r Rektor, -en S. 109, 111
relativ S. 123, 143
e Religion, -en S. 104, 124, 134, 135
rennen* S. 168
renovieren S. 74
e **Rente,** -n S. 46
s Rentenniveau S. 46
reparaturbedürftig S. 68
s Repertoire S. 143
r Reporter, - S. 20
e Repräsentation S. 136
repräsentativ S. 37
e Republik, -en S. 38
r Requisiteur, -e S. 149
e Reserve, -n S. 183
reservieren S. 20
e Resignation S. 69
resignieren S. 81, 172
respektieren S. 72
s Resultat, -e S. 16
retten S. 23
e Revolte, -n S. 110
e Revolution, -en S. 168
s **Rezept,** -e S. 114
e Rezession, -en S. 123
richten S. 72, 98, 147
r Richter, - S. 106, 163
richtig S. 70, 183
riechen* S. 132, 155
riesig S. 137, 158
r Ring, -e S. 59
riskant S. 100
r Rock (engl. „Rock'n'Roll") S. 94,
    143
e Rodung, -en S. 171
e **Rolle,** -n S. 70, 87, 99, 120, 126,
    147, 148, 150, 159, 169, 175, 181
rollen S. 84, 154

r Roman, -e S. 57
e Romanistik S. 110
e Rose, -n S. 59
r Rost S. 122
s Rotkäppchen S. 14
e Routine S. 94
e Rubrik, -en S. 33
r Rückblick, -e S. 50
r **Rücken** S. 97, 130
rück- S. 114, 151, 154, 162, 179
e **Rückkehr** S. 151, 160
e **Rücksicht,** -en S. 72
rückwärts S. 154
r Ruf, -e S. 168
rufen* S. 55, 98, 126
e **Ruhe** S. 14, 70, 72, 122
ruhen S. 14
ruhig S. 67, 84, 126, 180
e Ruine, -n S. 82
ruinieren S. 183
r Rummel S. 138
e Rundfunkanstalt, -en S. 149
s Rüschenhemd, -en S. 158
rustikal S. 70
e Rüstung, -en S. 82
e Rute, -n S. 130
rutschen S. 158

e S-Bahn S. 68
r Saal, Säle S. 145, 155, 158, 168
sachbezogen S. 98
e **Sache,** -n S. 79, 120, 131, 147,
    149, 158, 162, 174, 181
sachlich S. 98
sagen S. 75, 108, 110, 159, 168, 174
e Sahara S. 23
e **Sahne** S. 120
e **Salbe,** -n S. 112
s **Salz** S. 23
sammeln S. 97
e Sammlung, -en S. 142, 145, 156
sämtlich S. 158, 182
r Sand S. 55
r Säugling, -e S. 123
sausen S. 81
e **Schachtel,** -n S. 132, 151
s Schach S. 178
schade S. 151
r **Schaden,** ¨ S. 73, 112, 139, 156,
    168
schaden S. 139, 168
r Schadstoff, -e S. 171
schaffen S. 99, 107, 108, 143, 182
r Schafskäse S. 25
r Schah S. 157
schalten S. 179
r **Schalter,** - S. 73, 125

Quellennachweis

Wir haben uns bemüht, alle Inhaber von Text- und Bildrechten ausfindig zu machen. Sollten Rechteinhaber hier nicht aufgeführt sein, so wären wir für entsprechende Hinweise dankbar.

Seite 8: „Nebel", „Urwald", „Meer", „Wüste": Interfoto-Pressebild-Agentur, München; „Sibirien im Sommer": Bildagentur Mauritius, Mittenwald; „Sibirien im Winter": Bildagentur Jürgens, Köln
Seite 14: „Zu fällen…": mit freundl. Genehmigung durch Stefan Roth, München
Seite 22: Kappelmeyer – Bavaria- Verlag, Gauting
Seite 24–26: STERN – Fotos: Meffert; Text: Teja Fiedler
Seite 28: Grafik: Globus-Kartendienst, Hamburg
Seite 29: H. Wessel, Frankfurt
Seite 32: Bilderdienst Süddeutscher Verlag, München
Seite 35: ZDF Mainz
Seite 37: Länderwappen: Interfoto-Pressebild-Agentur, München
Seite 38: Aufkleber: Friedrich Ebert Stiftung, Bonn
Seite 39–40: Fotos: M. Scholz – Elefanten Press, Berlin; Plakat CSU: Konrad-Adenauer-Stiftung, Bonn; Plakat SPD: Friedrich Ebert Stiftung, Bonn
Seite 46: Foto: roebild, Frankfurt a. M.; Grafik: Globus-Kartendienst, Hamburg
Seite 50: oben links: mit freundl. Genehmigung durch Frau und Herrn Manhart, Lohhof; oben rechts: Ch. Burchardt, Lohhof; unten: mit freundl. Genehmigung durch Frau und Herrn Gernandt
Seite 51: oben: mit freundl. Genehmigung durch Frau und Herrn Bauer, Ismaning; unten: mit freundl. Genehmigung durch Frau und Herrn Gernandt
Seite 56: „Träumerei", Gemälde von Heinrich Vogeler (1872–1942), Worpsweder Verlag, Lilienthal; Rilke, „Herbsttag", aus: Werke in 3 Bänden, © Insel Verlag, Frankfurt a. M., 1966; Brecht „Der Rauch", aus: Gesammelte Werke, © Suhrkamp Verlag, Frankfurt a. M., 1967; Hesse, „Vergänglichkeit", aus: Die Gedichte, © Suhrkamp Verlag, Frankfurt a. M. 1977

Seite 59–61: Text und Zeichnungen aus: M. Ende, „Momo", © K. Thienemanns Verlag, Stuttgart
Seite 62: Transglobe Agency, Hamburg
Seite 63: Text: Praxis Deutsch Nr. 52/1982 – Erhard Friedrich Verlag, Seelze; Foto: dpa – Thienemann – Zoltan Nagy
Seite 65: Zeichnung: Stefan Rieseberg, Hamburg/„stafette" 1–86/Bausparkasse Schwäbisch Hall
Seite 66 links oben: Bilderdienst Süddeutscher Verlag, München; links Mitte: Bildarchiv Preußischer Kulturbesitz, Berlin; links unten und rechts oben: Historia-Photo, Hamburg; rechts unten: Hellwig-Medium
Seite 68: Grafiken: Globus-Kartendienst, Hamburg
Seite 69: Text vereinfacht und gekürzt nach: Zeitungs-Kolleg „Wohnen", DIFF, Tübingen 1982
Seite 70: Text „Unsere Blitzumfrage" nach: Wohnwert und Alternativen. Gruner + Jahr, Hamburg 1978.
Seite 72: Text nach: „Freundin" 3/83. Fotos: Bavaria-Verlag, Gauting (Bias, J. Clarke)
Seite 76: Kurt Tucholsky, Gesammelte Werke, Bd. II. Rowohlt Verlag, Reinbek b. Hamburg 1960
Seite 80: Grafik unten: Globus-Kartendienst, Hamburg
Seite 81: Text aus: L. Böhnisch (Hg.), „Jugendarbeit in der Diskussion". Verlag Piper, München 1973
Seiten 82/83: Text: Scala Jugendmagazin 12/83. Karte: Schöning & Co + Gebrüder Schmidt, Lübeck
Seite 84–86: Text + Fotos: P. Schmidt-Walther, Karlsruhe
Seite 90: aus: „Die wunderbaren Reisen und Abenteuer des Freiherrn von Münchhausen/Ill. Binette Schroeder. Nord-Süd-Verlag, Mönchaltorf/Hamburg
Seite 94: Foto: Kappelmeyer/Bavaria-Verlag, Gauting
Seite 95: Foto links oben: Bildarchiv Preußischer Kulturbesitz, Berlin; links Mitte und unten: Archiv für Kunst und Geschichte, Berlin; rechts Mitte: Willy Bogner, München; rechts unten: Krupp, Bochum
Seite 96: 1 links: W. Lohfert, New York; 3, 7: Druckerei Auer, Donauwörth; 6: J. Kallinich, Erding

Seite 97: Grafik: Globus-Kartendienst, Hamburg
Seite 98: aus: Leitfaden der gewerksch. Jugendbildungsarbeit, Stufe 1. DGB-Bundesvorstand. Düsseldorf 1974
Seite 99: Deutscher Gewerkschafts-Bund, Düsseldorf
Seite 100: Zeichnung aus „Die verrückt perfekte Welt des Heath Robinson", Gerstenberg Verlag, Hildesheim
Seite 102: aus: Bertolt Brecht, Kalendergeschichten. Gesammelte Werke, Suhrkamp Verlag, Frankfurt/M. 1967
Seite 105: links oben und unten: Archiv für Kunst und Geschichte, Berlin; links Mitte: Bilderdienst Süddeutscher Verlag, München; rechts Mitte: B. Bleher, Ismaning; rechts unten: Rose/Bavaria-Verlag, Gauting
Seite 107: nach: „Bildungsreport", Bundespressedienst
Seite 108: Text: „treff" Schülerzeitung 5/80. Foto: Heike Seewald, Hemmingen
Seite 109/110: ZEITmagazin/Fotos: Frieder Blickle
Seite 119: Foto links oben: Historia-Photo, Hamburg; links Mitte und Fotos rechts: Bavaria-Verlag, Gauting (Holtappel, Hardenberg, Theißen, Schmachtenberger); links unten: Bilderdienst Süddeutscher Verlag, München
Seite 120: Verbraucher-Zentrale NRW, Düsseldorf
Seite 122: Fotos: Pelzmantel: Gruner + Jahr Fotoservice, Hamburg; Achterbahn: Keystone Pressedienst, Hamburg; Kaviardose: W. Bönzli, Reichertshausen; alle anderen und Text: IKEA Deutschland/Bocek
Seite 125: Text nach: „ec-Geldautomaten-Standortverzeichnis", Deutscher Sparkassenverlag, Stuttgart 1983
Seite 129: Fotos Mitte und rechts: Bavaria-Verlag, Gauting
Seite 130: Ill. oben aus: „Von deutscher Sitt und Art", München 1908; Mitte: Ludwig Richter
Seite 131: Ill. oben aus: Nork, Festkalender, Stuttgart 1847; Mitte: L. Richter; unten: aus „Über Land und Meer"
Seite 133: Konfirmanden: I. Schwarz, Ismaning; Erstkommunion, Taufe: Füllerbach/Bavaria-Verlag, Gauting
Seite 136/137: Jugendscala 9/1984. Fotos: DPA, München
Seite 137: Foto unten: Herbert Basse, Braunschweig
Seite 140: aus: Glaser (Hg.), „Tageszeiten". Ill. Richter
Seite 141: Leonardo da Vinci, Newton, Goethe, Einstein: Archiv für Kunst und Geschichte, Berlin. „Erkenntnis der Sphären", Holzschnitt, um 1530
Seite 142/143: Fotos zu Theater, Museum, Konzert: Bildagentur Mauritius, Mittenwald (Mayrhofer, Drave, Stock); Festspiel, Ballett: Bavaria-Verlag, Gauting (Schmachtenberger, Alexandre)
Seite 145: Deutsches Museum, München
Seite 146: nach: „Chronik der Deutschen", Chronik-Verlag, Dortmund 1983
Seite 148/149: Text (gekürzt): Evelyn Rossberg. Fotos: Dr. Heinz Böhlen, Limburg
Seite 152: © 1985 by Diogenes Verlag AG, Zürich
Seite 154/155: Musikbox, Presley, BMW 600: Ullstein Bilderdienst, Berlin; alle anderen: Bilderdienst Süddeutscher Verlag, München
Seite 156/157: Talare, Hippies, Millionster Gastarbeiter: DPA, München; alle anderen: Bilderdienst Süddeutscher Verlag, München
Seite 158: Bilderdienst Süddeutscher Verlag, München
Seite 160: Fotos unten: H. Aufderstraße, Bielefeld
Seite 161: Foto links: H. Aufderstraße, Bielefeld
Seite 164: Wolfram Siebeck
Seite 168: Foto: Keystone Pressedienst, Hamburg
Seite 169: Karikaturen: oben links: Marie Marcks; oben rechts: Peter Leger; unten: Reinhold Löffler

Seite 170: Text nach: „Tatsachen über Deutschland", 4. Aufl., Bertelsmann LEXIKOTHEK Verlag, Gütersloh 1984.
Seite 170/171: Fotos: DPA, München
Seite 173: Grafik: Globus-Kartendienst, Hamburg
Seiten 182/183: Texte (außer „Prüfungsangst") aus: Kugemann, „Kopfarbeit mit Köpfchen", J. Pfeiffer Verlag, München 1966; „Prüfungsangst": „stafette" 6/82
Seiten 184/185: Deutscher Volkshochschulverband e. V., Bonn-Bad Godesberg und Goethe-Institut, München. 1977
Seite 187/188: Piper Verlag, München 1950

Alle oben nicht genannten Fotos (auf S. 14, 15, 20, 37, 44, 45, 55, 57, 65, 66, 69, 81, 95, 96, 105, 112, 125, 129, 132, 133, 143, 144, 160, 161, 182): W. Bönzli, Reichertshausen